Сериал «Любительница частного сыска Даша Васильева»:

Сериал «Татьяна Сергеева. Детектив на диете»:

А также:

Дарья Донцова

роман

Третий глаз—алмаз

Советы
от безумной оптимистки
советы
Дарьи Донцовой

Москва

ЭКСМО

2008

ИРОНИЧЕСКИЙ ДЕТЕКТИВ

МОЙ ЛЮБИМЫЙ ЧИТАТЕЛЬ!

В 2008 году я снова приготовила для вас сюрприз. Какой? Сейчас расскажу.

На корешке каждой моей книги, начиная с этой и заканчивая твердой новинкой октября, вы найдете букву. Если к концу года вы соберете все восемь книг, то из букв на корешках сможете составить:

Д.	Д	О	Н	Ц	О	В	А

Каждый, кто станет обладателем Великолепной восьмерки книг, получит приз — сборник моих рассказов в эксклюзивном издании (такого не будет ни у кого, кроме вас). А самых удачливых определит Фортуна. Восьмерых счастливчиков ждут ценные призы.

Участвуйте и побеждайте! Всего Вам ВЕЛИКОЛЕПНОГО!

С любовью — Дарья Донцова

«ВЕЛИКОЛЕПНАЯ ВОСЬМЕРКА ОТ ДАРЬИ ДОНЦОВОЙ» ДЛЯ УЧАСТИЯ В АКЦИИ НЕОБХОДИМО:

1. Купить все 8 новых романов Дарьи Донцовой в твердом переплете. Первая книга выйдет в марте 2008 года, восьмая книга выйдет в октябре 2008 года.

2. Собрать все книги таким образом, чтобы на корешках составленных вместе книг читалось «Д. ДОНЦОВА».

3. Сфотографироваться на фоне книг, корешки которых, составленные вместе, образуют надпись «Д. ДОНЦОВА».

4. Вырезать из каждой из 8 книг уголок с буквой, расположенный в конце книги.

5. Взять чистый лист бумаги и печатными буквами разборчиво написать: ФИО, контактный телефон, возраст, точный адрес с индексом.

6. Вашу фотографию с книгами и 8 вырезанных уголков, а также лист с вашими данными (из п. 5) вложить в конверт и отправить на 109456, а/я «Дарья Донцова» с пометкой «Великолепная восьмерка от Дарьи Донцовой».

НЕОБХОДИМЫЕ АДРЕСА, ПАРОЛИ, ЯВКИ:

1. В акции участвуют 8 новых романов Дарьи Донцовой в твердом переплете, вышедшие в 2008 году в серии «Иронический детектив» в следующие месяцы: март, апрель, май, июнь, июль, август, сентябрь и октябрь.

2. Сроки акции: 15.03.08 — 14.03.09.

3. Ваше письмо должно быть отправлено по почте до 15.01.09.

4. Адрес для отправки писем: 109456, а/я «Дарья Донцова».

5. Телефон горячей линии, по которой можно задать ваши вопросы: (495) 642-32-88. Линия будет функционировать с 1 апреля по 1 мая 2008 года и с 20 октября 2008 года по 14 марта 2009 года.

6. На ваши вопросы по акции на сайте www.dontsova.ru 16 апреля 2008 года ответят сотрудники издательства «Эксмо».

7. На ваши вопросы по акции на сайте www.dontsova.ru в апреле 2008 года ответит Дарья Донцова (следите за новостями на сайте Дарьи Донцовой).

8. Условия акции, обновления, свежие данные и т.п. ищите на сайтах: www.dontsova.ru, www.eksmo.ru.

9. Восьмерых победителей мы назовем 20.02.09 на сайтах www.dontsova.ru и www.eksmo.ru. Имена счастливчиков также будут опубликованы в книге Дарьи Донцовой и в газете «Жизнь». Помимо этого, мы известим выигравших восемь ценных призов по указанным контактным телефонам.

10. Призы будут отправлены до 14.03.09.

А ТЕПЕРЬ О САМОМ ГЛАВНОМ – О ПРИЗАХ[1]:

1. Гарантированный приз — сборник рассказов Дарьи Донцовой в эксклюзивном издании — получает каждый участник, выполнивший все (!) условия, указанные выше в разделе **«Для участия в акции необходимо»**.

2. 8 призов — 8 сертификатов магазинов бытовой техники и электроники на сумму 15 000 рублей каждый — получают 8 (восемь) человек, которые выполнили все (!) условия, указанные выше в разделе **«Для участия в акции необходимо»**, и чьи письма вытащит из барабана Дарья Донцова.

НЕОБХОДИМЫЙ P.S.:

Восьмерых счастливчиков, которые окажутся победителями, узнает вся страна!

Ваши фото с любимыми книгами будут напечатаны на форзаце одной из книг Дарьи Донцовой в 2009 году.

Вам есть за что побороться! Участвуйте в акции «Великолепная восьмерка», собирайте библиотеку любимых книг, получайте призы, и пусть у вас всегда будет много поводов для хорошего настроения!

С уважением,
Издательство «Эксмо»

---

[1] Призы не подлежат обмену на денежный эквивалент. Издательство берет на себя выплату налогов с приза.

Третий глаз-алмаз

роман

Глава 1

Водительский стаж способствует любви к пешеходам.

Увидев, как с обочины на дорогу метнулась серая тень, я мгновенно нажала на педаль. Моя «букашка» резко остановилась, меня, бедную Дашутку, бросило вперед, голова стукнулась о руль. Пешеход, из-за которого мне пришлось внезапно затормозить, исчез в сетке дождя. Я перевела дух и стиснула зубы, стараясь подавить отнюдь не литературные выражения, которые крутились на языке. Говорят, что, произнесенные тобою вслух, они здорово портят твою же карму. Не знаю, но мне кажется, что ругательства, не произнесенные вслух, здорово портят нервы.

Я выпрямилась и попыталась сделать несколько вдохов-выдохов, но горло словно стиснули невидимые железные пальцы, а сердце колотилось так, будто я пробежала без остановки десять километров, держа в руках мопса Хуча. Когда я отдышалась, у меня едва хватило сил на то, чтобы отогнать машину к обочине и взять бутылку минералки.

Мало-помалу руки перестали трястись, на смену страху пришло негодование. Нет, вы видели этого идиота? Или идиотку? Я и разобрать не успела, кто это был! На улице моросит мелкий противный дождь, августовский день тихо клонится к ночи, дорога мокрая, видимость почти нулевая, а человек, выросший перед капотом моей малолитражки, нацепил серую толстовку с капюшоном, темные брюки и ринулся через дорогу в паре метров от подземного перехода! Лень ему было спуститься по ступенькам, решил сэкономить драгоценные силы и чуть под колеса не угодил. Еще хорошо, что я, проведя много лет за рулем, являюсь тихим, боязливым, абсолютно неагрессивным водителем. А если бы сейчас по плохо освещенной магистрали летел на темном мощном джипе мой сын Аркадий? Я снова затряслась и схватилась за бутылку с водой. Конечно, Кеша адвокат и легко отобьется от всех обвинений... Впрочем, даже я знаю: если около знака «подземный переход» под колеса вашей тачки попадает кретин, решивший пересечь дорогу поверху, водителя не привлекут к уголовной ответственности. Но как жить дальше, зная, что ты, пусть и случайно, убил человека? Скорее всего, бесполое существо, похожее на гигантскую мышь, было в наушниках, наслаждалось музыкой... О люди! Запомните: заткнутые уши могут стать причиной беды на дороге! Вы просто не услышите шума, не успеете сообразить, что за спиной газует машина. Не все водители асы, кое-кто в момент стресса путает педали газа и тормоза! Неужели вам трудно спуститься в переход, прорытый заботливыми московскими властями ради сохранения вашей безопасности, а?..

В ту же секунду за спиной прозвучал резкий гудок. Сердце снова прыгнуло в горло. Трамвай! Господи, я запарковалась на рельсах и сейчас сама стану причиной ДТП. Я вздрогнула и тут же сообразила: по Ленинградскому шоссе давно не ездят трамваи, а это гудит мой телефон, который Маня вчера оснастила ужасающим звонком, весьма успешно имитирующим звук неотвратимо надвигающегося транспортного средства.

— Мусик, ты никогда не берешь трубку, — говорила моя девочка, засовывая мне утром в сумку мобильный, — потому, что телефон слишком тихо звенит. Теперь проблем не будет.

И точно, я чуть с ума не сошла, когда сотовый заорал в первый раз. Наверное, теперь буду постоянно хвататься за сердце, когда кто-нибудь захочет со мной связаться! Надо попросить Маню вернуть прежнюю мелодию, такую незатейливую — блям, блям, блям. Конечно, она есть у многих, и я часто, вытащив мобильник, понимаю, что он молчит, а звонок раздается у кого-то из окружающих, но лучше уж лишний раз схватить телефон или вовсе проигнорировать его, чем в страхе шарахаться в сторону, думая, что на тебя накатывает многотонная махина, набитая пассажирами. Нет, сейчас же соединюсь с Маней и скажу ей... скажу... скажу...

Вскипевшее раздражение неожиданно улеглось. Я вытащила из пачки сигарету. Маруська ни в чем не виновата, она хотела как лучше, долго сидела в Интернете, отыскивая мелодию поприкольней. Что же касается пешехода, то это не первый и, увы, не последний идиот, попавшийся мне на дороге. Просто сегодня, увы, понедельник. Я спокойно отношусь к приметам. Рука моя не дрогнет, посыпая солью зеркало, разбитое в пятницу, тринадцатого числа, после чего я отправлюсь в кино в радужном настроении, да еще и надену футболку наизнанку. Самое интересное, что ничего плохого со мной потом не произойдет!

Но сегодняшний понедельник полностью оправдал поговорку про тяжелый день.

Позавчера вечером у Хуча случился приступ артрита. Если ваша собака вышла из щенячьего возраста, то эта напасть может случиться с ней в любой момент! Слава богу, у нас есть ветеринар Дениска, который давно подсказал мне два замечательных гомеопатических средства. Вот я и поехала в аптеку, чтобы пополнить запасы лекарств, хотя выезжать из Ложкина в Москву не очень-то и хотелось. В августе столица напоминает ад: жара, грязь, духота, толпы туристов. Но вчера неожиданно похолодало, и зной ушел. К тому же артрит Хуча не может ждать, пока начнется милая моему сердцу сентябрьская прохлада.

А еще мне пришлось срочно зарулить в агентство «Подруга». Сегодня утром наша домработница Ирка и ее муж, по совместительству садовник Иван, благополучно отбыли в отпуск. Мы купили им замечательную путевку — отправили на целый месяц на Мальдивы. Правда, Ира отчаянно сопротивлялась, без конца выдвигая аргументы, почему ей ни в коем случае нельзя покидать дом. За пару часов до того, как Кеша повез супружескую пару в аэропорт, между нами состоялся такой разговор.

— Вы не справитесь с хозяйством, — ныла Ирка.

— Ерунда, — отмахнулась я.

— В прошлый раз, когда вы меня в Чехию выперли желудок лечить, Дегтярев сломал СВЧ-печку!

— Он бы ее и при тебе испортил, — возразила я.

Ирка нахмурилась и стала перечислять прочие наши прегрешения:

— Синее постельное белье постирали с белым, пришлось выкинуть оба комплекта, серебряную сахарницу потерли железной губкой, ковер в гостиной обработали пеной для ванны, он потом полгода пузырился, в кладовке завелась пищевая моль, а собаки отощали!

Я уперла руки в боки и разбила аргументы Ирки:

— Псам полезно потерять немного жира, сахарница вовсе не из серебра, и вообще, ее мне подарила одна противная баба, поэтому черт с ней! Выбросить полезную в хозяйстве вещь было жалко, а изувеченная проволочной мочалкой, она отправилась в помойку, к полному моему удовольствию! Про палас ничего не скажу, я никаких пузырей не видела! Что же касается постельного белья, то тут, да, я согласна! Некогда белые простыню, пододеяльник и наволочку пришлось пустить на тряпки, но зачем ты уничтожила синий комплект? Он-то, прокрутившись вместе с белым, хуже не стал?!

Ирка опечалилась, и тут в разговор влез Иван.

— Если так деньгами швырять, — вздохнул он, — всех на Мальдивы отправлять, то вообще в нищете помрете!

— Замолчи, — заткнула ему рот Ирка, — уж как-нибудь мы Дарь Иванне бутылочку кефира на свои сбережения купим!

— С ней одними кисломолочными продуктами не обойдешься, — возразил Иван, — бензин на машину понадобится, детективы читать захочет, одеваться! Никаких наших накоплений не хватит.

— Прекрати, — гаркнула Ира, — к старости люди дуреют! Она будет старые книги читать, они ей новыми покажутся, вона их скока, полки до неба! И одежки хватит, я запасливая, скажет туфли вышвырнуть, дескать, мода прошла, а я их помою, газеткой набью и под крышей спрячу! На старость придержу!

После этих слов я лишилась дара речи. Слава богу, появился Аркадий и увел сладкую парочку. Очень надеюсь, что ни Ирка, ни Иван не станут спорить в машине... А ведь они и не предполагают, что окажутся не в номере однозвездочного отеля, а на вилле. Чтобы не вызвать очередную волну негодования, я заявила нашим скупердяям:

— Ваш отпуск вместе с перелетом стоил всего пятьсот долларов!

Иван, никогда не бывавший на океане, испугался и спросил:

— Это не дорого?

А более адекватная Ирка заподозрила неладное и вздернула вверх брови.

— Да?

— Да! — кивнула я. — Самое дорогое — это билеты, но вы полетите чартером, в неудобное время, с пересадкой, да еще и самолетом арабской авиакомпании. Кстати, на Мальдивах гостиницы копеечные, потому что это шалаши.

— Ладно, — поверила мне домработница, а я живо убежала в свою комнату.

«Арабская» компания владеет самолетами, приписанными к Дубаю, и является одной из самых надежных в мире. Да и «шалашик» я нашла неплохой: четыре комнаты, две ванных, парочка бассейнов, все включено, даже многочисленные СПА-процедуры.

И вот сейчас Ирка и Иван уже летят где-нибудь над... увы, у меня географический кретинизм. Мальдивы — это в сторону Европы или по направлению к Японии? Впрочем, какая разница!

Но вернемся к домашним проблемам.

Вчера агентство «Подруга» должно было прислать нам временную домработницу, Ира хотела рассказать ей, где что лежит, как убирать комнаты, гладить, готовить. Но никто так и не появился, поэтому сегодня я сначала съездила в аптеку, а потом направилась в контору, чтобы сурово спросить:

— Господа! Где помощница по хозяйству? Счет оплачен полностью! А никого нет!

— Как нет? — поразилась служащая.

— Просто, — пожала я плечами.

— Сейчас разберемся, — засуетилась тетка.

— Очень на это надеюсь, — сказала я, — кстати, мой сын Аркадий лучший московский адвокат, вот его визитка. Если до вечера к нам не приедет нанятый сотрудник, вашему агентству придется платить штраф и возмещать нам моральный ущерб!

— Немедленно займусь вашей проблемой, — пообещала администратор.

Час назад я звонила домой, и Маруся сообщила:

— Никого не прислали, я сама варю на ужин яйца!

К сожалению, в Москве полно фирм, арендующих офисы с мраморными полами и пушистыми коврами, но на этом вся красота и заканчивается. С клиентами они работать не хотят, диву даешься, почему подобные конторы до сих пор не разорились.

Телефон заорал, я вздрогнула и взяла трубку.

— Алло.

Послышался треск, кряхтение и далекий голос:

— ...ша?

— Да, слушаю, — заорала я, — это кто?

— Лена, — неожиданно четко прозвучало в ответ, — Лена.

— Кто? — надрывалась я.

— Лена... тюк... подруга... Лена... подруга... тюк!

И тут меня осенило! Ленка Костюк!

— Привет! — закричала я. — Как твои дела?

— ...скоро будет, — пробилось сквозь помехи Ленкино меццо-сопрано, — Саша! Саша! Имя — Саша Мироненко... песня... Саша.

— Да, да, — завопила я. — Не волнуйся! Отлично!

Лена Костюк когда-то работала вместе со мной в институте. На заре перестройки она, как многие преподаватели, бросила вуз и занялась бизнесом. Сейчас у нее продюсерский центр в Киеве, Костюк раскручивает эстрадных звезд, иногда ей это даже удается. Месяц назад Лена звякнула мне и попросила:

— Сделай одолжение, пригрей перспективного человечка — Сашу Мироненко.

— Ну... ладно, — без особого энтузиазма согласилась я.

Если честно, меня не грела мысль о присутствии в доме постороннего человека, но отказать подруге было неудобно.

— Я всегда снимаю своим подопечным квартиру, — зачастила Ленка, — но Саша особая статья, очень уж тонкая личность, нервы обнажены, может сломаться, люди нынче злые. В особенности достается тем, у кого нестандартная внешность! Очень прошу, помоги ему! Я уеду на месяц с мужем в экспедицию, там отвратительная связь, на этот раз Андрей затеял раскопки в джунглях, дозвониться до Москвы будет сложно, и я умру от тревоги: как там Сашуля? А если буду знать, что наш серебряный голос, редкостный талант у тебя, то спокойно проведу время с мужем.

— Ладно, — согласилась я, — пусть приезжает.

И вот теперь, похоже, «серебряный голос, редкостный талант» со всех ног несется в Ложкино. Интересно, что имела в виду Ленка под нестандартной внешностью?

Я нажала на газ и поспешила домой.

В прихожей витал запах горелого. Похоже, кто-то из домашних безуспешно пытался сделать ужин. Не успела я сбросить туфли, как из коридора вырулил Снап и с укоризной глянул на меня.

— Чем ты недоволен, милый? — осведомилась я. — Вашему величеству, впрочем, как и всей стае, небось дали еду из банки, а вот людям, судя по аромату, не так повезло!

— Кто там? — заорала Зайка, вылетая из кухни со здоровенным ножом в руке.

— Всего лишь Даша! Спокойствие! — попятилась я.

Ольга выпятила нижнюю губу.

— Завтра ни за что не останусь дома! Целый день носилась по этажам! Постоянно приходили какие-то люди. Охрана принесла квиток на оплату жилплощади, слесарь хотел сделать профилактический обход дома, из магазина привезли собачьи консервы, джакузи засорилась, и где, скажи на милость, у нас включается утюг? И кто установил на кухне идиотскую плиту? Она горит синим пламенем!

— У нас пожар? — испугалась я.

— Нет, — фыркнула Зайка, — просто вся еда моментально чернеет, едва кастрюля или сковородка оказываются на конфорке! Ума не приложу, как Ирка со всем справляется!

— Думаю, утюг надо просто воткнуть в розетку, — подавляя улыбку, ответила я.

— Уж я не дура! — скривилась Зайка. — Да только он не нагревается!

— Попробую разобраться.

— Очень хорошо, — заявила Ольга, — кстати, поскольку я сомневаюсь, что ты знаешь, где утюг, сообщаю: он в кладовке на втором этаже!

— Скоро приедет временная домработница, — сказала я.

— Надеюсь! — рявкнула Ольга и убежала.

Из гостиной высунулся Дегтярев.

— Где мои носки? — спросил он.

— Явно не на журнальном столике у телика, — вздохнула я, — поищи в спальне.

— Там их нет, — ответил Александр Михайлович.

— В ванной? — предположила я.

— Отсутствуют, — отрапортовал полковник.

— У тебя пропали все носки?

— Пара серого цвета.

— Возьми другие, черные!

— Под светлые брюки и мокасины? — возмутился толстяк.

— Хорошо, — я решила не затевать склоки, — возьми из ящика еще одну серенькую пару, и дело с концом.

— Других такого цвета у меня нет, — уперся полковник.

— Куда задевалась коробка со шприцами? — прибежала возмущенная Маша. — Хучу пора делать укол!

— На посудомойке всего четыре кнопки, — возвестил Кеша, выходя в холл, — я нажимал все по очереди, но она не пашет!

— Если в ближайшее время не приедет домработница, разбирающаяся в бытовой технике, мне придется изучать все инструкции! — в ужасе воскликнула я. — Дегтярев, ты умеешь включать утюг?

— Подумаешь, — фыркнул полковник, — сунул вилку в розетку, и готово. Кстати, я делаю стрелку на брюках без всяких заморочек!

— Каким образом? — заинтересовалась я.

— Берешь штаны, складываешь их правильно, кладешь под матрас и спишь спокойно ночку, — заявил толстяк. — Утром надеваешь красивые брючата.

— Отличный способ, но он не годится для шелковых блузок, — вздохнула я.

— Тетка, которая заменит Иру, уже едет, — успокоил меня полковник.

— Откуда ты знаешь? — обрадовалась я.

— Часа два назад звонили из агентства «Подруга», — зевнул Дегтярев, — сказали, что к нам направили Амару, она у них лучшая из временных домработниц! Талант! Звезда! Вот только у нее какая-то проблема с внешностью. Я не понял. Наверное, из-за погоды связь прерывалась.

— Сегодня весь день были проблемы со связью, — согласилась я, — а что у нее такое? Что-нибудь не то с лицом?

— Не знаю, — ответил толстяк. — Они сказали, если нам она не подойдет, пришлют другую. Но, может, беда не с физиономией, а, например, с ногами! Хромая, скажем. Какая разница! Лишь бы хорошо работала!

— Твоя правда, — улыбнулась я.

— Звонок! — поднял голову Дегтярев. — Во! Прибыла!

Я кинулась в прихожую. Ура! Мои слова о сыне, лучшем адвокате города Москвы, и недвусмысленный намек на штраф подействовали на администратора фирмы, и нам живо прислали самую лучшую прислугу! Надеюсь, она отлично разбирается в бытовой технике!

Я открыла дверь и замерла с разинутым ртом и выпученными глазами. Понятно теперь, почему прислугу зовут странным для Москвы именем Амара и что имела в виду сотрудница агентства, упомянув о проблеме с внешностью.

Глава 2

Двухметровый лилово-черный негр раздвинул толстые губы и на чистейшем русском языке сказал:

— Здрасти. Мне нужна Даша Васильева!

Я попыталась прийти в себя. Лицо африканца вытянулось.

— Меня прислала «Подруга», — чуть тише сказал он. — Это Ложкино? Дом Даши Васильевой, так? Сказали... мне сюда... прямо сразу... без задержки.

Я тупо пялилась на парня. Мало того, что он похож на баклажан, так еще и одет самым немыслимым образом: вообразите — красный костюм с золотыми пуговицами и ярким шитьем.

— Вас смутил цвет моей кожи? — спросил прибывший. — Тогда, наверное, мне лучше уехать!

Тут я опомнилась.

— При чем здесь кожа? Просто я ожидала женщину!

— Я не мужчина, — испуганно замахал руками негр, — нет.

— А кто? — изумилась я.

— Просто человек! Абсолютно нормальный, — замямлил африканец, — но, если вас не устраивают мой пол и внешность, я уйду! Я привык, что произвожу, извините, впечатление... Моя мама белая, а папа был студент из Нигерии. Но русский язык мне родной! Я ходил в московскую школу, и потом мама переехала на Украину, и я решил...

— Входите, Амара, — перебила я парня, — гладить умеете?

— Утюгом? — уточнил парень.

— Естественно!

— Да, да, — заверил он (я подумала, что его костюм, наверное, должен изображать ливрею). — Вы не нахвалитесь!

— Вот и отлично, — обрадовалась я, — нам очень нужен человек, который умеет вести домашнее хозяйство. Идет? Работаете ударно месяц — имеете премию! Еда и жилье бесплатно!

— Да, да! — затряс головой Амара. — Во мне не сомневайтесь.

— Муся, — заорала Маша, выбегая в прихожую, — ой, а это кто?

Я живо пнула Марусю и строго сказала:

— Познакомься, пожалуйста. Это Амара. Он у нас месяц поработает: готовка, стирка, уборка, ну и так далее. Амара, это Маша, моя дочь.

— Рада знакомству, — кивнула Маруська и протянула негру руку, — привет! Тебе уже показали твою комнату?

После секундного колебания Амара осторожно пожал Машину ладошку и густым басом сообщил:

— Нет.

— Пошли, — сказала Маня, — собак не боишься?

— Нет, — снова коротко ответил Амара.

— Я глупость спросила, — хихикнула Маня, — ты, наверное, детство с крокодилами провел!

Амара засмеялся:

— Нет, я москвич, мама белая, папа из Нигерии. У нас с мамой кошка была, Барсик! Я — кофе с молоком.

— Сейчас сделаю кофе, правда, у меня латте не очень-то хорошо получается, — пообещала Маня. — Шагай на кухню.

— Спасибо, не хочу, я не об этом. Кофе с молоком — это полукровка, — пояснил Амара, — мама белая, папа из Нигерии.

— Да хоть бабушка коза! — воскликнула Машка. — Утюг включать умеешь? Остальное — ерунда!

Я не услышала ответа Амары, потому что Маня быстро утянула парня в столовую. Слава богу, он не обиделся на заявление про бабушку-козу! И, надеюсь, Амару не оскорбило мое откровенное изумление. В агентстве тонко намекнули на экзотическую внешность служащего. Хотя мне абсолютно без разницы, какой цвет кожи у человека — хоть розовая в зеленую клеточку. В данном случае я заинтересована в другом — лишь бы у нас заработала посудомойка, а в шкафах было чистое постельное белье и хорошо отглаженные вещи.

Я сделала шаг в сторону гостиной, и тут снова ожил дверной звонок. На этот раз на пороге стояла хрупкая, даже мельче миниатюрной Зайки, светленькая девочка, очень хорошенькая, с большими прозрачными зелеными глазами, окруженными длинными черными ресницами. Крохотные ушки были усеяны колечками, в ноздре торчал «гвоздик», а на шее темнела татушка.

— Здравствуйте, — нежным, словно звук флейты, голосом пропела она, — я...

— Саша Мироненко, — подхватила я, — от Лены Костюк. Входите, солнышко, не стесняйтесь. Лена предупредила меня о вашем приезде, пока она в экспедиции, о вас будем заботиться мы. Вам какая спальня удобнее: на первом или втором этаже?

— Можно выбирать? — растерялась Саша.

— Ну конечно, — приободрила я едва вышедшую из подросткового возраста девушку, — внизу большая комната, но она темная, за окном деревья. А наверху поменьше, зато целый день солнце.

— Наверное, лучше на первом, — приняла решение Саша.

Я подхватила ее саквояж.

— Пошли! Устала с дороги? Вот сюда, устраивайся! Коричневая дверь ведет в ванную, серая в шкаф, смотри не перепутай! Принимай душ, раскладывай вещи и приходи пить чай!

— Спасибо, — колокольчиком прозвенела Саша, — через пятнадцать минут прибегу.

— Можешь не торопиться, — остановила я девушку, — у нас не отель, где ужин строго по часам.

— Здорово, — сказала Саша и села на кровать.

Чтобы не мешать гостье, я вышла в коридор и поторопилась на кухню. Костюк упоминала о каком-то дефекте внешности своей подопечной, но я пока ничего особенного не заметила. Нормальная, вполне симпатичная девочка, разве что излишне худая. Похоже, она покупает себе вещи в магазине для малышей. Вот только с пирсингом Саша переборщила, и татушка на шее ужасна! Скорей всего, это и есть тот самый дефект!

В столовой не оказалось ни души. Амара, очевидно, распаковывает вещи в комнате, где раньше жила повариха Катя, Маша повела гулять собак, Зайка принимает ванну, Аркадий в кабинете изучает очередное дело, у него завтра заседание суда, а Дегтярев небось лег на кровать и уставился в телевизор. Сейчас выдам вам главный секрет полковника: он истинный фанат сериалов. Но те, что имеют в основе детективный сюжет, не трогают Александра Михайловича за душу.

— Сплошные глупости, — злится полковник, глядя, как на экране проводят следствие его киношные коллеги. — Полно нестыковок! Дашута, нет, ты только посмотри! В начале фильма герой сто раз повторил перед смертью: «Мое детское прозвище Плюшка знала только давно умершая мама!» Так откуда преступник мог узнать про имечко — Плюшка? Мама в могиле, героя убили! Ох, опять у них нескладуха!

Продолжая что-то бормотать себе под нос, толстяк щелкает пультом и с блаженным выражением лица погружается в перипетии чужих любовно-семейных страстей. Брошенные в младенчестве дети, разлученные брат с сестрой, мужья, воскресшие после падения в автомобиле с крутой горы и десять лет скрывавшиеся невесть где от своих жен, — вот это для Дегтярева. Когда я читаю в газетах презрительные слова какого-нибудь критика: «Фу! Сериалы! Они рассчитаны на дебилок, сидящих весь день у телика», — то вспоминаю нашего полковника, который отдыхает после тяжелого рабочего дня, посмеиваясь над приключениями каких-нибудь Букиных. Похоже, критики ошибаются. Александр Михайлович не баба, и он целыми днями занят на службе. Очень сомневаюсь, что, поймав очередного убийцу-маньяка и изучив дело, наполненное леденящими душу подробностями, вкупе с такими же фотоснимками, полковник захочет посмотреть вечером гениальный документальный фильм «Обыкновенный фашизм» или кино, посвященное войне в Чечне. Лично я бы на его месте Букиным или комиссару Рексу больше обрадовалась.

Посудомоечная машина была открыта и забита грязными тарелками. Я нажала на крайнюю кнопку и захлопнула дверку. Сейчас зашумит вода, загудит мотор...

Но вместо ожидаемых звуков затрезвонил трамвай. Я бросилась к холодильнику и тут же остановилась. Дашутка, это уж слишком! На кухне нет городского транспорта, это телефон. Боже, да он еще, оказывается, и сигналы меняет. Я вытащила трубку.

— Алло!

— Сегодня понедельник, — прошептали мне в ухо.

— Да, — машинально и я понизила голос.

— Четвертое августа!

— И что?

— Понедельник, четвертое августа, включи телик, новости, на канале «КТК»[1], сию секунду, живо!

Моя спина покрылась липким потом.

— Это опять вы!

---

[1] Название канала придумано, совпадения случайны. (*Прим. авт.*)

— Жми на кнопку! — прошелестел голос, и связь оборвалась.

Я осталась стоять посреди кухни с мобильным в руке.

— Я разложила вещи, чем теперь заняться? — сказала Саша, появляясь на пороге. — Ой, чего вы такая зеленая?

— Маша поставила мне звонок, имитирующий звук приближающегося трамвая, — пролепетала я, — вот я и пугаюсь.

— Попросите ее переделать, — здраво предложила Саша.

— Сделай одолжение, включи телик, — попросила я.

Гостья щелкнула пультом, экран вспыхнул голубым светом.

— ...двенадцать погибших шахтеров будут похоронены завтра, — сказала ведущая, — теперь о культуре. В Новоучанске[1] обрушилась крыша местного театра, погиб администратор. Здание давно требовало ремонта, но городские власти отказывали в финансировании.

— Интересно, почему фильм ужасов называется выпуском новостей? — вздохнула Саша.

— У известного продюсера Юрия Гинзбурга пропала дочь, десятилетняя Варвара, — вещала дальше ведущая, — ее судьба пока никому не известна. Всех, кто видел Варю, просят позвонить ее родителям.

Я неотрывно смотрела на экран, на котором появились фотография смеющегося, явно очень счастливого ребенка и несколько телефонных номеров.

---

[1] Название придумано автором, совпадения случайны. (*Прим. авт.*)

— И о погоде. Сегодня о ней расскажет Алена Девятова.

Ведущая исчезла, возникло изображение другой стройной девушки с указкой в руке.

— Пятого августа в столице пройдет небольшой дождь, — завела она.

Вновь заорал трамвайный звонок. Саша дернулась и уронила на пол жестянку с печеньем. Банка покатилась по полу, крышка отскочила в сторону, в ту же секунду из коридора донеслось сопение и цокот когтей о паркет — собаки спешили на кухню. Стая великолепно разбирается в звуках. Сейчас питбуль, ротвейлер, мопс, йоркшир и глухой пудель скумекали: на кухне шмякнулось на пол нечто вкусное, и если не тормозить, то есть шанс слопать лакомство.

— Ну надо же! — всплеснула руками Саша. — Где у вас веник?

Но я уже выскочила на террасу, прижала телефон к уху и сказала:

— Алло.

— Видела? — спросил противный хрипловатый тенор.

— Да.

— Если ты читала книгу, поймешь, о ком речь!

— Погодите...

— Если читала книгу, то просто поедешь туда и поможешь!

— Постойте...

— Если читала книгу... но ты ее не читала!

— Нет, — удрученно ответила я.

— И соврала!

— Я не врала! Просто не стала просить Макса!

— Почему? Книга гениальна! — шипел голос.

— Но... извините... понимаете...

— Книга гениальна, — повторил голос.

— Согласна, — закричала я, — она супер! Лучше Достоевского, Толстого и Фолкнера.

— Они писали дрянь!

— Хорошо, хорошо! Ваша правда! Я готова идти к Максу! Верните девочку!

— Нет, — зло заявил голос. — Ты не захотела мне помочь, теперь по твоей вине случится много бед. По тексту. Отгадывай, лучший знаток детективов! Кому дали «Золотого льва»? Не мне, а тебе! Ищи! Да, кстати, если подключишь к делу полковника, я переделаю сюжет книги!

— Это нечестно, — залепетала я, — она уже написана!

— Но не напечатана, — отрезал голос, — ты не помогла, и гениальное произведение не увидело свет, а в рукопись можно вносить правку. Я хозяин своих слов, хочу — даю обещание, хочу — назад забираю. Время пошло, и его мало.

— Сколько? — прошептала я.

— В книге сказано.

— Я же призналась! Я не знаю текста!

— Зачем тогда хвасталась, раздавала интервью? — вознегодовал голос. — Надо отвечать за свои слова, киса!

— Но я же читала другие произведения и честно выиграла викторину, за что и получила «Льва», — залепетала я и тут же добавила: — Ладно, извините!

— Ну уж нет!

— Принесите рукопись! Хотите, встретимся прямо сейчас?

— Зачем?

— Я отвезу ваш труд Максу!

— И что?

— Он его опубликует.

— Поздно.

— Но вы же хотели...

— Теперь нет! — отрезал голос. — У меня возникло другое желание.

— Какое?

— Наказать тебя!

— Но я не сделала ничего плохого!

— Ошибаешься. Ты не читала книгу. Ищи, — приказал голос. — В твоих руках жизнь человека! И без глупостей!

Глава 3

Я очень хорошо понимаю, в каком недоумении вы сейчас находитесь, и попытаюсь ввести вас в курс дела.

Мой бывший муж, вернее, один из моих бывших супругов, Макс Полянский[1], стал весьма успешным бизнесменом. Долгое время он торговал яйцами и окорочками, заработал немалый капитал, потом вдруг превратился в продюсера, снял вполне успешный, судя по кассовым сборам, криминальный фильм и неожиданно увлекся этим процессом. А в последний год он еще и основал собственное издательство. Полянский полон энтузиазма, он мечтает стать самым крутым культурным деятелем. Максу нравятся красивые женщины, сейчас у него не помню какая жена по счету, а еще Полянский заядлый тусовщик, обожающий внимание прессы. И теперь скажите, на какого мужика быстрее клюнут белокурые нимфы: на директора птицефабрики или продюсера, режиссера, владельца издательства? Собираясь ответить на мой простой вопрос, учтите, что Макс обожает юных дев: он с большой заинтересо-

---

[1] Если хотите узнать подробности биографии Макса Полянского, читайте книгу Дарьи Донцовой «Жена моего мужа», издательство «Эксмо».

ванностью поглядывает в сторону Машиных одноклассниц. От посягательств на честь Лолит Макса останавливает лишь доскональное знание Уголовного кодекса: там никто пока не упразднял статью о растлении малолетних. Но едва девушке исполняется восемнадцать, как она уже не охраняется законом и у Полянского развязываются руки.

Бесполезно объяснять дурочкам, которые как мухи на мед слетаются на слово «продюсер», что директор курятника, вероятно, богаче того, кто добывает средства на производство книг или съемку. Успех на ниве культуры непредсказуем. Подчас режиссер или писатель уверен в гениальности своего произведения и, потирая руки, предвкушает не только урожай всех возможных премий, но и изрядное пополнение личного счета в банке. Но публика, увы, не разделяет восторгов творца и не желает смотреть ленту или читать роман. И что происходит с продюсером, который потратил на съемочный процесс миллион долларов, а собрал в прокате менее десяти тысяч? Как будет чувствовать себя издатель, напечатавший книгу многотысячным тиражом, осевшим на складе? Некоторых предпринимателей такой «пролет» может просто убить.

Без очередного романа или нового фильма люди легко обойдутся. А вот без яиц! Они необходимы всем: омлеты, соусы, хлебобулочные и кондитерские изделия... Даже при производстве шампуня и кремов для лица нужны желтки. Или вспомним курочку и массу вкусных блюд, которые можно из нее приготовить.

Что у нас получится при подведении итогов? Девушки, бизнес на ниве культуры нестабилен, лучше выйти замуж за директора птицефабрики. Но прекрасный пол манит экран, и, услышав волшебное слово «продюсер», сотни красавиц впадают в каталепсию и готовы на все, чтобы оказаться с человеком, который вхож в волшебный мир закулисья.

Макс, заработав деньги на яйцах и птице, вкладывает их в киноленты и книги. Его проекты бывают более или менее успешны, но в светской тусовке отношение к Полянскому резко изменилось. Моего бывшего мужа теперь рвут на части, он окружен толпами старлеток и журналисток, постоянно раздает интервью, сверкает улыбкой перед камерой и чувствует себя... нет, не звездой. Ощущения Макса более острые, он тот, кто зажигает звезды, человек, от которого зависят судьбы многих людей. Полянский еще не определился, какой вид деятельности, кино или книги, привлекает его больше, и пока работает на два фронта.

Это, как вы понимаете, присказка, а сказка началась весной. Макс отлично понимает, что интерес к новому произведению искусства надо подогреть заранее, до его выхода в свет. И абсолютно зряшное, более того, вредное дело нанимать газетчиков, которые, бойко скрипя компьютерами, напишут:

— Фильм режиссера N, снятый по великой книге писателя M, надо посмотреть всем, так как он поднимает огромной важности философские вопросы о бренности бытия.

Публика не пойдет в кинотеатры, наш народ привык воспринимать статьи в прессе с точностью до наоборот: раз хвалят, значит, это ужасная гадость.

А вот если написать, что актриса, играющая главную роль, затеяла интрижку с режиссером и ушла к нему, если дать интервью с брошенным супругом дивы, который в запале заявит: «Я ей волосы повыдергаю, пристрелю на месте, детей не отдам», если обвинить автора сценария в плагиате, сообщив: «Он украл диалоги, переписал анекдоты из Интернета, фильм обречен на провал...», вот тогда народ снесет в ажиотаже билетные кассы. Одни захотят посмотреть на ветреную актрису и составить свое мнение о ее красоте, другие будут ждать скандала со стороны бывшего мужа, третьи начнут выискивать в репликах персонажей отголоски народного фольклора. Черный пиар лучше белого!

Кроме того, газетчики обожают всяческие презентации, где хорошо кормят, поят, а на выходе еще и подарок дают.

Сложив все составляющие, Макс придумал фишку. Он объявил конкурс под названием «Народный детектив». Суть его состояла в следующем. В газете «Желтуха», чей тираж зашкаливает ежедневно за несколько миллионов, были опубликованы вопросы — цитаты из разных книг криминального жанра. Требовалось отгадать автора текста, название романа, из которого выдернута фраза, отправить ответ в редакцию и получить приз. Победивший становится обладателем статуэтки «Золотой лев» и председателем жюри, которое будет отбирать сценарии для нового блокбастера. Съемки Макс планирует начать в сентябре.

А теперь оцените степень моей глупости. Кстати, я совершенно не стесняюсь признаваться в том, что читаю по вечерам «Желтуху», меня веселят сплетни и откровенное вранье. Госпожа Васильева увидела конкурсное задание и обрадовалась. Я истовый читатель криминальных романов и, как бывший преподаватель французского языка, обладаю хорошей памятью, поэтому я в два счета вспомнила и произведения, и имена писателей. Нет бы мне, порадовавшись собственной эрудиции, отложить в сторону газету и заняться своими делами! Но я решила сделать следующий шаг: взяла и отправила письмо с ответами по адресу, указанному в газете. Спустя неделю я забыла о викторине, но в конце апреля мне позвонила девушка по имени Катя и затараторила:

— Дарья? Здрассти! «Желтуха» поражена вашим умом и эрудицией. Вы единственная верно ответили на все вопросы викторины. Примите наши поздравления и приезжайте пятого мая в развлекательный центр «Зимушка», где вам будет вручена заслуженная награда.

Я пришла в полнейший восторг и явилась в назначенный день и час в обозначенное место. Представьте мое изумление, когда я увидела на сцене Макса и поняла, что организатором действа является не кто иной, как он. Но в еще больший восторг пришли представители СМИ.

Устроители выбрали безошибочно правильное время для тусовки. В начале мая светская жизнь в Москве затихает, бомонд разлетается на всякие там острова, и писать не о чем. Поэтому на вручение премии «Золотой лев» явилась туча корреспондентов, включая даже представителей журнала «Пластмасса в нашей жизни». И тут такая фенька! Победительницей признали бывшую жену основного спонсора!

Орда писак с фотоаппаратами кинулась к сцене, мне под нос сунули штук тридцать микрофонов, из множества глоток прозвучал вопрос:

— Сколько вы заплатили Полянскому за первое место?

Я попыталась оправдаться.

— Я честно ответила на все вопросы.

Громкий хохот пролетел над залом, мне стало очень обидно.

— Просто я отлично знаю детективы!

Хохот перешел в гогот, борзописцы веселились от души.

— Господа, — попыталась я воззвать к их чувству логики, — возьмите «Желтуху», там ни слова не сказано, кто является организатором викторины! Мне и в голову не могло прийти, что в этом замешан Макс, и...

— Мы уже поняли, что ваша убедительная победа — абсолютная случайность, — крикнул кто-то из толпы.

Я чуть не заплакала. Полянский, растерявшийся от такого поворота событий, решил мне помочь и заорал:

— Ребята, ей-богу, мы не врем! Я ни слова не говорил Дашуте!

— Ага, — завопил тот же голос, — и ничто в душе не дрогнуло, когда вы увидели, что победительницу зовут Дарья Васильева!

— Нет, — ляпнул Полянский, — женщин с такими именем и фамилией в России полно, вообще-то я не вспоминаю бывшую супругу, зачем она мне?

Я обозлилась на Макса за сие идиотское заявление. Ну погоди, дружок! Значит, я тебе не нужна? Ладно, один раз я вытащила тебя, дурака, из крупной неприятности, но больше на мою помощь не рассчитывай![1]

— Послушайте, — раздался женский голос. — я Лена Лаптева, из газеты «Юность». Давайте на минуточку представим, что госпожа Васильева говорит чистую правду. На мой взгляд, очень глупо выставлять победительницей жену, пусть даже и бывшую! Правда моментально вылезет наружу, а господин Полянский никак не похож на дурака! Думаю, произошло удивительное совпадение.

Я с благодарностью покосилась на симпатичную

---

[1] Подробно об этом читайте в книге Дарьи Донцовой «Жена моего мужа», издательство «Эксмо».

молодую женщину. Фамилия Лаптева мне известна, с этой подписью выходят статьи, которые я с наслаждением читаю. И если эта корреспондентка рекомендует купить какую-нибудь книгу, я непременно следую ее совету. У Лаптевой хороший вкус, впрочем, может, он просто совпадает с моим? А теперь вот выясняется, что Лена еще и логично мыслит! Спасибо ей за поддержку!

— У меня вопрос! — закричала другая баба, полная брюнетка в грязных джинсах. — Следует ли считать премию «Золотой лев» прелюдией свадьбы? Вы с Максом хотите снова пожениться?

— Когда торжество? Вы уже расписались? Где будете жить? А дети, они как относятся к ремейку? — засыпали нас вопросами остальные журналисты.

У меня в прямом смысле слова опустились руки, статуэтка-приз оказалась излишне тяжелой.

Макс покраснел и заорал:

— Хотите верьте, хотите нет, Дашута одержала победу честно. Все. Жюри начинает работу, ждем сценарии или рукописи, на основе которых мы будем снимать фильм. А сейчас прошу всех в зал, там вас ждет фуршет!

Армия корреспондентов ринулась в глубь развлекательного центра, Полянский стащил меня со сцены, прижал к стене и гневно спросил:

— Что за хрень?

— Прости, я не знала, ей-богу, честное слово, даже не подозревала, кто устроитель... — испугалась я.

— За каким фигом ты отправила ответы? — еще сильнее обозлился Макс. — Получился цирк!

— Ну... я подумала... выиграю... так просто... — залепетала я. — «Желтуха» предлагала...

— Только свяжись с тобой, всегда ерунда полу-

чится, — рявкнул Макс. — Как у нас в загсе нача-
лось, так до сих пор и катится!

Я опустила глаза долу и уставилась на ботинки
бывшего супруга. Похоже, наш «птичник» тратит
целое состояние на обувь — эта пара стоит не менее
трех тысяч евро. И Полянский лукавит! Скандал в
загсе произошел из-за его мамы, которая, хлебнув
шампанского, получила отек Квинке. Вместо ресторана мы всей толпой кинулись в Склиф. Нину Анд-
реевну спасли, но она долгие годы потом повторяла:

— У Дашеньки с Максимом было незабываемое
торжество. Я чуть не умерла. Невестка угостила
свекровь советской шипучкой. Оказалось, что у меня на нее аллергия, ужасная, невероятная, смертель-
ная! Я раньше пила только импортное вино. Даша
не виновата, она просто дала мне бокал с дешевым
ядом! Ах, какие они были красивые! Макс высокий,
статный, широкоплечий, кудрявый... Аполлон!
И рядом Дашенька — крохотная, мелкая, коротко
стриженная, еще съежилась от радости, наша мышка
серенькая! И шампанское! Удача, что я еще выжила!

Макс встряхнул меня за плечи.

— Вернись на грешную землю!

Я заморгала.

— Я никуда не уходила!

Полянский махнул рукой.

— Расчудесно помню такое выражение твоего
лица! Ладно, деваться некуда! Ты теперь председатель жюри.

— Охотно передам эту почетную обязанность
другому человеку, — протянула я, — и фигурку льва
забирай!

— Оставь себе, — наконец-то соизволил улыб-
нуться Полянский. — Мне следовало проявить бди-
тельность, хотя бы за день выяснить, кто победитель.
Не стал, понимаешь, тратить время на ерунду: какая

разница, что за Марь Иванна получит «Льва»! Мне перед выходом на сцену планшетку сунули и шепчут: «Имя, фамилия несложные, Дарья Васильева!» Нет, такое могло быть только с тобой.

— Ты тоже принимал участие в этом деле, — вздохнула я.

— Короче! — гаркнул Макс. — Мы отберем сценарий, а ты объявишь автора! Осенью или в конце лета затеем съемку. Никакой самодеятельности, я вкладываю в производство большие суммы! Не вздумай лоббировать интересы какого-нибудь писаки! О'кей? Один раз затеяла свару, и хватит.

— Я не собиралась мешать работе отборочной комиссии, — прошептала я.

— Вот и отлично, — кивнул Полянский, — а теперь иди в банкетный зал.

— Не хочу, — испугалась я, — там корреспонденты.

— Тебя не пюймешь, — улыбнулся Макс, — то дайте ей славу и приз, то отстаньте, не трогайте!

Я зашмыгала носом, Полянский обнял меня за плечи.

— Ладно, проехали, попудри носик и направляйся на тусовку. Журналисты уже выпили, к тебе приставать не будут.

Я поплелась в туалет, вытащила косметичку, но тут же почувствовала прикосновение к плечу и взвизгнула.

— Простите, простите, — зашептала шатенка с диктофоном в руке, — не хотела вас напугать! Один крохотулечный вопросик!

— В туалете? — мрачно уточнила я.

— Какая разница, — улыбнулась корреспондентка.

— Извините, но ничего нового о премии я не скажу! — проявила я твердость.

— У меня личная тема, — заискивающе протянула девушка, — у вас, говорят, есть мопс?

— Хуч? — поразилась я. — Верно. В Ложкине обитает целая стая собак: ротвейлер Снап, питбуль Банди, йоркшириха Жюли, пуделиха Черри и, о да, Хучик. Но только на вопросы конкурса я отвечала без помощи мопса! Хуч умен, порой мне кажется, что он понимает человеческую речь, вернее, он ее совершенно точно понимает, просто иногда мопсу выгодно изображать дурака. Но детективы Хучик не читает, и подсказать правильный ответ хозяйке ему слабо!

Шатенка рассмеялась:

— Скажете тоже! Я понимаю, что пес не знаток литературы!

— Журналистам порой приходят в голову и не такие идеи, — ввернула я.

— Да я хочу купить мопса, — призналась девушка, — а о породе узнать не у кого! Поэтому я и подошла к вам!

Обида, злость и растерянность мигом покинули меня. Я страстно люблю собак и, смею надеяться, неплохо в них разбираюсь.

— Вас как зовут? — обрадовалась я.

— Катя, — представилась шатенка.

Я оперлась о рукомойник и спела хвалебную оду мопсам.

— Супер, — прошептала Катя, когда фонтан сведений иссяк, — но... тут... понимаете... Одна дама мне сказала, что мопсов ни в коем случае нельзя покупать!

— Почему? — изумилась я.

— У этих собачек сильно выпученные глаза, — вздохнула собеседница.

— И что? — я не поняла проблему.

Катя прижала руки к груди.

— Говорят, когда мопс прыгает на диван, у него глаза вываливаются и падают на сиденье, а хозяин должен их вставить на место. Это правда?

Я разинула рот и заморгала, потом хотела сказать, что встречала людей, у которых от трения головы о подушку отваливаются уши... Но увидела по-детски испуганное выражение лица корреспондентки и, стараясь не расхохотаться, прошептала:

— Вранье!

— Да? — с сомнением покосилась на меня Катя. — С трудом верится, что мопсы такие беспроблемные и замечательные, как вы рассказываете!

— Можно купить очки, — не выдержала я, — и тогда глаза песика не будут выпадать на диван, а вам останется только легким движением вернуть им статус-кво. Чпок! И глазоньки на месте!

— Ага, спасибо, — кивнула Катя и убежала.

Я взялась за губную помаду и тут же услышала шум воды. В одной из кабинок, оказывается, находилась дама. Дорогие мои, будьте осторожны в сортирах, в особенности если хотите там посплетничать о коллеге. Сначала убедесь, что в кабинках никого нет.

Дверь скрипнула, появилась Лена Лаптева.

— Спасибо вам за помощь! — воскликнула я.

Лена отвернула кран и стала мыть руки.

— Я сама однажды попала в глупую ситуацию, — улыбнулась она, — кстати, обратите внимание, Катя, ну та, что спрашивала вас про мопса, не блондинка!

Я поправила свои светлые волосы, засунула косметичку в сумку и развела руками:

— Бывает!

Лена засмеялась и стала причесываться, а я шла в фуршетный зал в приподнятом настроении. Встречаются люди, от общения с которыми делается легко на душе! Лаптева явно из их числа.

Глава 4

Злополучного «Золотого льва», вызвавшего у меня не самые светлые чувства, я спрятала в самый дальний угол библиотеки, а желтая пресса быстро забыла про Полянского и его бывшую жену. В конце концов ни я, ни Макс не являемся звездами, статьи в газетах шли под названиями «Все конкурсы — обман» или «Честной победы не бывает».

Спустя пару недель я похоронила воспоминания о совершенной глупости, и тут произошло потрясающее событие.

Тихим летним вечером, когда я, наслаждаясь покоем, мирно валялась у телевизора, зазвонил мобильный. Я взяла трубку и, не посмотрев на дисплей, лениво сказала:

— Алло.

— Дарья Васильева? — прозвучал противный голос.

Было непонятно, кто является его обладателем: мужчина или женщина. Для представителя сильного пола тембр был высоковат, для слабого — низок и чересчур уж неблагозвучен.

— Слушаю, — ответила я.

— Дарья Васильева? — переспросил неизвестный. — Жена Максима Полянского, продюсера и книгоиздателя?

— Да, — подтвердила я и быстро добавила: — Бывшая жена. Мы в разводе много лет.

— Полагаете, что имеете дело с журналюгой? — возмутились в трубке. — Я НЕСОМНЕННЫЙ победитель конкурса «Народный детектив», автор бестселлера, по которому необходимо снять фильм.

— Поздравляю, — приветливо сказала я.

— Пока не с чем, — отрубил победитель, — надеюсь на вашу помощь. Слушайте и не перебивайте.

Я создал великое произведение, но мы живем в век потребления жвачки, поэтому истинное искусство ютится по подвалам, а на волне успеха всплывает сами понимаете что. Моя книга лучшая!

— Замечательно, — вклинилась я в самовосхваления чудака.

— Не перебивайте! Фильм обязаны поставить по моему сценарию.

— Насколько я помню, вы представились победителем, — кашлянула я, — значит, проблем нет. Время запуска фильма — конец лета или начало осени...

— Имеющий уши да услышит, — сердито оборвали меня на том конце провода, — до вашего разума донесли другую информацию. Было сказано: «Я несомненный победитель». Мой текст лучший! Но коррумпированное жюри предпочло бездарность и...

Я решила остановить чудака.

— Простите, как к вам обращаться?

— Благородный, — после небольшой паузы ответило бесполое существо.

Я удержалась от смешка. Благородный! Смахивает на ник из Интернета, значит, это мужчина.

— Понимаете, Благородный, я не имею никакого отношения к работе жюри.

— Вы его председатель!

— Номинально! Я ни разу не была на заседаниях, ничьих рукописей не видела и...

— Вы жена Макса Полянского! Продюсера!

— Бывшая, — уточнила я.

— Но он вас поставил во главе отборочной комиссии.

— Это случайность.

— Фу, не лгите!

— Благородный, поверьте, меня позовут только

на церемонию объявления победителя, дадут конверт и попросят огласить его содержание!

— Моя книга гениальна!

— Охотно верю!

— Все вы, богачи, такие! Никогда не оцените талант бедного человека! Призером станет Вероника Волыщева!

— Откуда вы знаете? — поразилась я.

— Подумаешь, секрет! Ее муж — владелец одного из телеканалов, он договорится с Полянским.

— И чем я могу вам помочь в данной ситуации?

— Скажите мужу: роман Благородного лучше!

— Он бывший супруг, — опять напомнила я, — у нас хорошие отношения, но дружескими их уже не назовешь.

— Вбейте мужу в голову: книга Благородного получит «Оскара»!

Я сдержала стон.

— «Оскара» дают за фильм.

— Есть номинация — «сценарий», — стоял на своем писатель.

У меня закружилась голова.

— Извините, вы обратились не к тому человеку.

— Неужели вы не имеете влияния на мужа?

Я опять собралась напомнить, что муж «бывший», но тут до меня с запозданием дошло: я же стала жертвой психически ненормального литератора. Нужно отделаться от персонажа с псевдонимом Благородный. Горя желанием вернуться к теледетективу, я совершила роковую ошибку.

— Хорошо, вы правы, жена имеет над мужем власть. Но встаньте на мое место! Каким образом я могу продвигать роман, который не то что не читала, а даже не видела!

— Он гениален!

— Это ваше утверждение!

— Книга великая!

— Охотно вам верю, но я с ней не знакома.

В трубке засопели, а в моей душе запели соловьи. Даже на самого последнего графомана должен подействовать аргумент о непрочитанном романе.

— Лучшая книга достойна экрана? — неожиданно спросил собеседник.

— Да, — с легкой душой подтвердила я.

— Ладно, завтра вы получите экземпляр, — заявил писатель, потом понеслись гудки.

На следующий день, ровно в десять утра, Ирка протянула мне пакет из плотной коричневой бумаги, на котором красным фломастером значилось мое имя.

— Что там? — удивилась я.

— А не знаю, — ответила домработница, — нашла у калитки, бросили в нашу почту. Толстый, однако, похоже, внутри книга!

Я разорвала упаковку и вытащила самодельное издание на «пружинке». «Благородный В. «Десять негритят» — стояло на титульном листе.

Взяв роман, я пошла в сад и улеглась на раскладушку. Название меня в восторг не привело: детектив «Десять негритят» есть у Агаты Кристи. Если не ошибаюсь, произведение великой англичанки было многократно экранизировано. Мне из всех киноверсий больше всего пришлась по душе та, что снята режиссером Говорухиным. Надеюсь, таинственный литератор не переписал опус старушки Кристи, ограничился лишь заимствованием заглавия.

Подоткнув под спину подушку и сунув в ноги мопса Хуча, я запустила левую руку в тарелку с орешками кешью, правой открыла книгу и погрузилась в чтение.

«Серо-синее небо, навевавшее тоску и депрессию на Владимира, сильно омрачало его настроение, испорченное плохим поведением Лизы, которая, полная злобы и ярости, сумела вогнать Владимира в колебания между жизнью и смертью, вызванные ершистыми раздумьями о месте Лизы в его жизни и неприятием ее измены, чисто духовной, не физической, телесную неверность Владимир понять мог, но ментальная набрасывала тяжесть психики, чему еще способствовало серо-синее небо мрачной осени его лета».

Я икнула, отпила воды из бутылки и попыталась понять смысл длинного и не вполне внятного предложения. Есть некий Владимир. Он очень расстроен изменой Лизы. Хорошо, читаем дальше:

«Круглые снежинки, нежно вздыхая, падали на его волосы, тусклые от горя и душевного состояния выхолощенного коня, пегие пряди ломало нездоровье».

Минуточку, здесь явная несостыковка. Только что автор упоминал «серо-синее небо мрачной осени его лета», и вот вам снег! Либо лето, либо осень! И откуда тогда снег?

«Душа томилась пониманием осмысления факта измены Владимира, который, сделав ложный шаг, вызвал к жизни прелюбодеяния Лизы, которая отомстила Владимиру, который не захотел остаться Владимиром, став жалкой тенью того, кого я любила много лет назад и кто согласился стать моей женой!»

Я перечитала текст. Кто из них Владимир? То есть автор, он кто? Лиза? Вова? Чья жена какого мужа? Кто кому сколько раз изменил? И почему автор решил, что он написал детектив? Хороший криминальный роман начинается с фразы: «Я наступила на руку трупа»[1], или на худой конец с предложения:

---

[1] См. книгу Дарьи Донцовой «Дантисты тоже плачут», издательство «Эксмо».

«С люстры, покачивая ногами, свешивалось тело электрика Петрова».

Решив подкрепиться, чтобы лучше разобраться в хитросплетениях сюжета, я насыпала в рот новую порцию орешков и сказала укоризненно смотрящему на меня Хучу:

— Да, дорогой, жизнь несправедлива! И твоей и моей печени вредны кешью, но ты не способен взять лакомство из шкафа, поэтому и не ешь его. А я, отвратительная обжора, спокойно лопаю орехи. Но тебе не дам, потому что забочусь о твоем собачьем здоровье и долголетии. Надеюсь, «серо-синее небо мрачной осени твоего лета» не станет еще депресивнее от осознания сей проблемы!

Хуч чихнул, спрыгнул с раскладушки и ушел в дом. Я попыталась продолжить чтение, но на пятой странице сдалась. К Владимиру и Лизе неожиданно присоединилась некая Барбара, которую я приняла за человека, однако через несколько абзацев стало понятно: Барбара — «ментальная сущность психического образа Владимира, астральное воплощение темного зла светлой души, оскорбленной изменой духа». В полной тоске я, не вникая в смысл, пролистала рукопись, открыла последнюю страницу и увидела: «Конец первой части».

Тут мои веки смежились, и я быстренько улетела в страну снов. Из дремоты меня вырвал звонок телефона.

— Насладились? — забыв поздороваться, спросил Благородный. — Уж пора бы!

— Да, — малодушно соврала я.

— Гениально?

И что ему ответить? Сказать честно: «Текст невыносимо скучен и бездарен, я заснула, не осилив первой главы»?

Я не способна на столь откровенные оценки чужого творчества. Меня воспитывала бабушка, которая частенько повторяла:

— Дашенька, всегда лучше похвалить человека, чем отругать. Тебе не трудно, а ему приятно!

— Гениально? — повторил писатель.

— Интересно, — обтекаемо ответила я. — Образы свежи, мысли оригинальны.

— Полянский снимет кино! — возликовал Благородный.

— Я ничего не могу вам гарантировать! — испугалась я.

— Он ваш муж!

— Бывший, — заскрипела я зубами. — Пожалуйста, попробуйте понять, наш брак давно расторгнут, я не имею на него никакого влияния.

— Вы озвучите свое мнение?

— Да, — пообещала я.

— Будете моим союзником?

— Непременно.

— Книга гениальна?

— Восхитительна, — подтвердила я, мечтая быстрее избавиться от графомана.

— Меня ждет «Оскар»!

— Конечно!

— Макс снимет фильм?

— Да, — не подумав, брякнула я.

— Обещаете?

— Да, — на автопилоте сказала я и тут же спохватилась: — Минуточку, Благородный, сколько раз вам повторять: я не могу ничего решать за бывшего мужа.

— Первое слово дороже второго, — по-детски отреагировал собеседник. — Жду объявления имени победителя! Спасибо! Вы замечательная! Самая лучшая! Возьму вас на церемонию вручения «Оскара»! В благодарственной речи скажу добрые слова о Даше Васильевой! Не сомневайтесь, вы имеете дело с аристократом духа, а не с хамом.

Избавившись от психа, я соединилась с Максом и спросила:

— Жюри прочитало все заявленные рукописи?

— Уж не хочешь ли ты поруководить процессом? — с ходу полез в бутылку Макс.

— Нет, мне интересно только имя победителя.

— Олег Красков, — ответил Макс, — надеюсь, ты понимаешь, что весь конкурс — липа, сценарий давно утвержден, и вручение премии «Народный детектив» — чистая пиар-акция.

— У меня есть небольшая просьба.

— Ну? — опечалился Макс.

— Сначала скажи, кто-нибудь прислал рукописи?

— Завалили нас по уши, — засмеялся Полянский. — Народ наивен!

— И как вы с ними поступите?

— Предлагаешь ездить по авторам и вытирать слезы?

— Можно дать им красивые дипломы с золотыми буквами, написать нечто вроде «Иванов Иван Иванович награждается за участие в конкурсе». Копеечное дело, а людям приятно, и на прессу это произведет хорошее впечатление.

— Ладно, — неожиданно согласился Макс, — идея не вредная.

В назначенный день я вручила Олегу Краскову суперприз, москвичам — участникам конкурса, приехавшим на церемонию, отдали дипломы, иногородним литераторам пообещали их выслать. Журналисты поговорили о наших с Максом отношениях, выпили, закусили, и я с чувством выполненного долга уехала домой, решив никогда более не принимать участия ни в каких викторинах, конкурсах и состязаниях.

Не успела я выехать на Новорижское шоссе, как телефон, стоящий в специальной подставке, затрясся от возбуждения. Мне не нравится система «хэндс-фри», поэтому, взяв аппарат и произнеся: «Слушаю вас», — я стала медленно съезжать на обочину.

— Ты еще пожалеешь о содеянном, — ледяным тоном сказал Благородный. — Я тебе отомщу!

— Не стоит так нервно реагировать, — засопела я. — Кстати, вы были на вручении наград?

— Нет!

— Очень жаль! Но не расстраивайтесь, вам непременно вышлют диплом!

— Подотрись своей поганой бумажонкой! — завизжал мой навязчивый собеседник. — Я хочу «Оскар»!

— Он непременно будет вашим, но придется написать другой сценарий.

— Издеваешься?

— Нет, нет, даю дружеский совет.

— Сука! Дрянь! Сволочь...

Я быстро выключила телефон и вытащила из него сим-карту. Увы! Как ни обидно, придется покупать другой номер, ведь сумасшедший не отстанет!

На следующий день я съездила в офис телефонной компании и успокоилась, а зря. Спустя сутки Ирка принесла новый конверт. Внутри лежал белый листок с текстом, отпечатанным на принтере.

«Здравствуй, Даша!

Читала ли ты гениальную книгу Благородного? Сильно сомневаюсь, потому что, ознакомившись с текстом, мигом бы поняла: ты держишь в руках великое произведение писателя, перед которым меркнет наследие Шекспира. Страсть! Ярость! Гнев! Вот чем наполнены страницы, написанные кровью сердца, а не расчетливой рукой тех жадных авторов, которых ты покупаешь в магазинах, способствуя их обогащению. Ты не поверила Благородному! Поленилась вскрыть посылку с рукописью? Разучилась воспринимать умный текст? Не способна переварить полноценную интеллектуальную пищу? Не знаю, но понимаю, что тебе нужно отомстить! Хотя, может, я ошибаюсь, и ты правда провела незабываемые часы с великим детективом? Что ж, твоя порядочность сильно упростит мою задачу. Итак! Мы воплотим в жизнь роман Благородного, пусть торговцы яйцами снимают блокбастеры по произведениям тупоголовых кретинов, мы перенесем действие в реальность, вместо актеров в нем будут участвовать живые люди, вот только они не узнают, что стали статистами. Страшные преступления произойдут в действительности, погибнут женщины, мужчины, дети... А кто в этом виноват? Ты, Даша! Тебе следовало уговорить Макса Полянского снять кино по этой книге! Не захотела? Теперь расхлебывай кашу. Убийств пока не произошло, они впереди. Ты можешь спасти «актеров», вот только надо знать: где, когда и с кем случится несчастье. Если ты читала книгу, сложностей не испытаешь, мы пойдем по сюжету, начнем с буквы «а». Произнесутся ли остальные буквы, зависит только от тебя. Сколько человек погибнет? Ответ в великом произведении «Десять негритят». Надеюсь, ты не выбросила его? Даю тебе время на прочтение, последний шанс! Не забудь внимательно изучить все, включая конверт! Неделя! Потом пробьют часы, и никто, кроме тебя, не сможет остановить меч, падающий на головы бренных. Бесполезно и даже опасно привлекать к делу милицию. Как только станет ясно: Дарья не одна, я изменю сюжет. Жертв станет больше. А кто виноват? Дарья! Не совершай новых ошибок. Помни, в твоих руках нить человеческой судьбы. Девочка Варвара погибнет! Ее украдут! Все по сюжету. Владимир Мерзкий уже готов. Ты исполнишь роль детектива, который в книге сумел распутать клубок. Удастся ли тебе подобное? Но тсс... Звенит звонок... скоро мы начинаем... Еще раз перечитай книгу. Благородный».

Глава 5

Думаю, вы понимаете, какие чувства овладели мною после прочтения этого письма. Сначала я впала в панику, потом решила успокоиться и трезво оценить ситуацию. Текст послания странный. Я прочитала несколько абзацев опуса «Десять негритят» и понимаю, что предложение «Вот чем наполнены страницы, написанные кровью сердца, а не расчетливой рукой тех жадных авторов, которых ты покупаешь в магазинах, способствуя их обогащению» вышли из-под пера законченного графомана, человека малограмотного. В магазине нельзя приобрести автора, там покупают книги. И концовка двусмысленна: чьему обогащению я способствую? Магазинов или все тех же пресловутых авторов?

Но остальной текст относительно связный, фразы короткие, даже газетные.

Неожиданно в голове всплыло воспоминание. В середине 70-х годов прошлого века случился громкий литературный скандал, настолько громкий, что о нем даже (вот уж немыслимое для советской страны дело) написали центральные газеты. Преамбула такова. Прозаик М. пошел гулять по Переделкину, зашел к своему близкому другу К. и обнаружил приятеля мертвым. К. был очень больным человеком, перенес несколько инфарктов. Его жена, дама экзальтированная, чтобы не сказать истеричная, запретила делать вскрытие покойного.

— Я до Брежнева дойду, — кричала она в кабинете парторга Союза писателей СССР, — но не дам издеваться над телом. Если к моему бедному мужу приблизятся с ножом, я публично покончу с собой!

От чего вдова впала в такой раж, осталось непонятно, но литературное начальство поговорило с кем надо и К. похоронили без вскрытия. Впрочем, повторяю, никто не сомневался в естественности его смерти.

И вот через год произошел шумный скандал. Одно московское издательство выпустило книгу М., большой роман, о котором сразу заговорили и критики и читатели. Успех был сокрушительный. М., до того времени средний, ничем не выделявшийся прозаик, моментально стал вровень с первыми лицами советского литературного олимпа. Но не успел он собрать урожай на ниве славы, как в московскую организацию Союза писателей пришла молодая особа, секретарь покойного К., и предъявила рукопись того самого шедевра М., написанную рукой... его умершего коллеги.

— Книга принадлежит К., — плакала женщина, — он сделал несколько вариантов романа, постоянно его переписывал, переделывал и за день до кончины отдал мне на перепечатку!

— Почему же вы не выполнили требование покойного? — только и смог спросить председатель Союза писателей. — Отчего не вернули труд вдове К. в подготовленном к публикации виде?

— Она... мы... — залепетала девушка, — в общем, К. любил меня, хотел развестись с женой, и...

Довольно быстро правда вылезла наружу. Супруга К. была старше мужа, кроме того, обладала властным характером и надоела супругу хуже горькой редьки. Литератор задумал с ней развестись и жениться на своей секретарше. Законная жена великолепно знала об адюльтере и пожаловалась М. Дальше все просто. М. лишил приятеля жизни, а в награду получил рукопись: бездарный прозаик жаждал славы и денег.

Это подлинная история. Шекспир отдыхает! Поэтому меня не удивило желание Благородного отомстить всему свету за свою бесталанность. Но способ, который избрал графоман, внушал ужас. Он собрался убивать невинных людей. Ему следовало обратить свой гнев против Макса, меня, издателя, который не хотел печатать его гениальный опус, в конце концов, под прицел мог попасть Олег Красков, по сценарию которого будут снимать фильм. Но посторонние люди?

На минуту мне стало страшно, но потом взял верх здравый смысл. Благородный просто решил меня испугать, обозлился на то, что не получил приза, и стал искать виноватого. Увы, немногие люди способны сказать себе:

— Я занимаюсь не своим делом, лучше получу какую-нибудь хорошую профессию, буду делать мебель (работать на конвейере, водить троллейбус, помогать больным людям, стричь собак, работать в магазине), писатель из меня как из веника самолет.

Нет, графоманы, подобные Благородному, уверены в собственной гениальности. Он решил психологически раздавить председательницу жюри, которая не соизволила прочитать «великий детективный роман». Ну и каким образом можно перенести его сюжет в реальную жизнь? Нужно нанять большое количество актеров, снять помещение, купить оружие, в конце концов, понадобится много денег. Да, я не продвинулась дальше первых пяти страниц романа Благородного, но до того как мне на жизненном пути попался озлобленный графоман, я прочитала огромное количество полицейских историй и знаю, все они строятся примерно по одной схеме. Найден труп — приезжает милиция, или комиссар Мегрэ, или сыщик Арчи Гудвин[1], неважно, и начинается поиск преступника.

И как изобразить такое в жизни? Нанять следственную бригаду, оперативников, экспертов?

Я пошла на кухню, заварила чай, положила в кружку три столовые ложки варенья, выпила и успокоилась. Благородный хочет просто напугать меня. Не следует идти на поводу у сумасшедшего. Может, рассказать об этом Дегтяреву? Но у толстяка запарка на работе, сразу несколько его сотрудников уволилось со службы, полковнику не хватает рук и ног, на несчастного Александра Михайловича с утра до ночи орет генерал... Нет, моему дорогому другу сейчас не до глупостей!

И, вероятно, графоман теперь от меня отстанет. Я сменила номер телефона, новый психу не узнать. Правда, он прислал письмо, а еще раньше роман, значит, где-то взял адрес...

Я спустилась на кухню и сказала:

— Ира, почта, которая приходит на мое имя, не должна валяться в холле.

— А куда ее девать? — изумилась домработница.

— Относи прямо в спальню.

— Чью? — уточнила Ирка.

— Замечательный вопрос! Ясное дело, если написано «Даше Васильевой», корреспонденцию следует передавать Зайке! — рассердилась я.

— Ага, — растерялась Ира.

---

[1] Даша вспоминает героев книг Жоржа Сименона и Рекса Стаута.

— В мою комнату! Мою! Мою! Сразу наверх! — заорала я. — Поняла?

— Угу, — кивнула Ирка. — Что тут не ясно?

Но, очевидно, было неясно, потому что на следующее утро я обнаружила на тумбочке у кровати конверт из суда, адресованный Аркадию, журнал «Рыбалка», который выписывает Дегтярев, газету «Ветеринарные новости» — любимое чтение Маруси, и штук десять приглашений на тусовки, где с нетерпением ожидали Зайку.

С тех пор я работаю почтальоном Печкиным: Ирка притаскивает почту в мою спальню, а я раздаю ее домашним. Радовало лишь одно: никаких вестей до вчерашнего вечера от Благородного не поступало.

Я уже лежала в кровати, когда затрезвонил телефон. На дисплее выскочила комбинация из одних нулей, но меня это не насторожило. Огромное количество моих подруг рассеяно по всему свету, и если меня разыскивает кто-то из Франции или Израиля, то номер не определится. Например, Лена Голикова, живущая сейчас в США, вечно забывает про разницу во времени. Она может звякнуть в три утра и спросить:

— Ау! Ты чего такая грустная? Как дела? У нас шикарная погода, сижу в офисе, пью кофе!

Но на этот раз в трубке была не Голикова, а засипел знакомый противный голос.

— Ну? Перечитала роман?

— Благородный! — ахнула я. — Где ты взял мой номер?

— Изучила книгу? — Псих проигнорировал мой вопрос.

— Да, — соврала я, — она гениальна, потрясающа, великолепна! Завтра же отправлю ее в Голливуд Спилбергу. Оставь мне, пожалуйста, свои координаты, Стивен пришлет тебе контракт. Ну, записываю...

— Включи завтра новости по каналу «КТК». Мы начинаем! Ты читала книгу?

— Да, — упорно лгала я, — наизусть выучила.

— Жди! Четвертое августа! Понедельник! Объявят! Ты совершила ошибку! Акция стартует!

Благородный отсоединился, я побежала к аптечке, накапала себе валокордина, съела таблетку снотворного и рухнула в кровать. Завтра придется опять поменять симку. Интересно, как псих узнал новый номер мобильника? Хотя у меня большое количество знакомых, которым я отправила эсэмэски с сообщением: «Это мой новый номер». Значит... что это значит?

Додумать мысль до конца не удалось, поскольку я, придавленная лекарствами, крепко заснула, а утром началась суета из-за неявившейся домработницы...

И вот теперь новости сообщили о похищении Варвары Гинзбург. А ведь в письме было сказано: «Девочка Варвара погибнет. Ее украдут».

— Мама, — прошептала я, — мама!

— Что случилось? — удивилась Саша, с интересом наблюдавшая за мной.

— Меня тошнит, — еле слышно ответила я. — Мигрень внезапно началась!

— Заварить вам чаю? — заботливо осведомилась гостья. — Если в стакан положить побольше сахара, лучше таблетки поможет! Хотите, я обед приготовлю?! Или лучше дом прибрать?

Но я уже, перепрыгивая через ступеньки, неслась к себе.

Неприятно признаваться, но в моей спальне не всегда царит идеальный порядок. Прочитанные журналы и газеты я сваливаю на подоконник и понятия не имею, куда их потом уносит Ирка. Книги же возвращаю на полки в библиотеке, но не сразу после прочтения: порой на тумбочке и журнальном столике скапливаются высокие стопки. Я люблю покупать книги в твердом переплете, они сразу не разваливаются, и бумага у них лучше. Конечно, такое издание чуть дороже, но за качество надо платить.

Я влетела в свою комнату и перевела дух. Спокойствие, только спокойствие. Где «великая книга»? Очень хорошо помню, как принесла рукопись, скрепленную пружиной, из сада и швырнула... куда? На стол? На диван? На тумбочку? Давай, Дашутка, напрягись, реконструируй события.

Я схватила плед и какое-то издание. Оно будет исполнять роль рукописи. Выскочила в коридор, сделала пару вдохов-выдохов, опять вошла в спальню и замерла. Значит, так, я пришла из сада... Что дальше?

Ноги понесли меня к дивану, шерстяное одеяло упало на подушки, том — на столик. Я стала просматривать гору изданий, громоздившихся на полированной столешнице. Четыре гламурных журнала и книги: детектив Смоляковой, пособия «Как правильно чистить собакам уши», «Ваш красивый сад», «Занимаемся йогой», новые романы двух Татьян — Поляковой и Устиновой... Еще там было несколько пустых пакетиков из-под кешью, пачка сигарет, упаковка бумажных носовых платков и туба с аспирином. «Десять негритят» исчезли.

Я села на диван. Ход событий восстановился неправильно. Наверное, сначала я пошла к кровати. Так, повторим: плед летит в дальний угол ложа, рукопись... э... на тумбочку!

Поскольку мне не нравится вскакивать ночью, чтобы бегать за бутылочкой минералки или таблетками от головной боли, я превратила прикроватную тумбочку в склад необходимых вещей. Тумбочкой мне служит полукруглая консоль с вместительным ящиком: в нем лежат лекарства и шоколадки, которые я люблю погрызть перед сном. А что на столешнице? Бутылка с минералкой, крем для рук, упаковка бумажных салфеток, калькулятор, ножницы, трубка стационарного телефона, пульты от телика и видика, DVD-диски с сериалом «Она написала убийство»... и никаких признаков рукописи мерзкого Благородного.

Трясясь от возбуждения, я перерыла всю комнату, нашла давно потерянный «парадный» ошейник Хуча, кучу искусственных костей, спрятанных от товарищей Снапом, авторучку Кеши, паспорт Маши, штук десять носков из разных пар, но рукопись Благородного испарилась.

В полном отчаянии я распахнула дверь в гардеробную — правильнее назвать ее небольшим шкафом, — щелкнула выключателем и заорала. Между вешалками маячило чудовище, ярко-красное, с черной головой, белыми зубами и отчаянно сверкающими глазами. Монстр вытянул вперед ужасные лапы, они начали удлиняться...

Я захлопнула створку и завопила:

— Помогите! Убивают!

В коридоре раздался топот, и в мою комнату влетела Маша с сачком в руке.

— Мышь? — деловито осведомилась она. — Не стоит поднимать панику. Это Альберта.

— Кто? — прошептала я.

— Альберта, — улыбнулась дочь, — пройда невероятная. Опять из клетки удрала. Мусечка, ты же не Зайка, не станешь падать в обморок при виде скромного белого хорошо воспитанного грызуна.

— То, что сидит в моей гардеробной, не маленькое и не белое, — выдавила я из себя. — Наоборот, оно громадное, черное, жуткое...

Манюня заморгала, дверь спальни распахнулась, и появились Кеша и Зайка, оба в голубых халатах.

— Сто раз говорила, не читай на ночь ужасы, — завела Ольга.

— Съеденный в большом количестве шоколад нарушает сон, — зевнул Аркадий, — а в соединении с орехами кешью и вовсе получается гремучая смесь!

— У нас что-то случилось? — всунулся в спальню Дегтярев.

Маша потрясла сачком.

— Альберта удрала, проникла в мамину гардеробную.

— Альберта? — изумился полковник. — У нас гости?

— Мыши, — пояснила Маруся, — белые.

— А-а-а! — взвизгнула Зайка и села в кресло, поджав ноги.

Аркашка закатил глаза.

— Хватит, время уже позднее, давайте спокойно разойдемся.

— Вы оставите меня с чудовищем? — возмутилась я. — Там монстр! С клыков у него капает пена! Когти полметра! Зубы как у акулы!

— О боги, — простонал Кеша. — Мать, признайся, тебе надоели детективы, ты стала увлекаться ужастиками?

— Он там, — показывала я пальцем в запертую гардеробную.

Аркадий распахнул створку.

— Ну и... — начал он и вдруг заорал: — Эй! Стой! Не двигаться!

— Мыши! — вопила Зайка, кутаясь в халат. — Мыши! Вау!

— Ноги на ширину плеч, руки за спину, большие пальцы вверх, встать, упереться лбом в стену, идти ко мне медленно, — заверещал Дегтярев, — неповиновение приравнивается к побегу. Шагать спокойно, стоять смирно!

Я вздрогнула. Может, криминальная ситуация в нашей стране изменится в лучшую сторону, если менты начнут изъясняться на понятном всем языке. Как можно выполнить отданный Дегтяревым приказ: «Шагать спокойно, стоять смирно»?

Но чудовище поняло полковника, оно выползло из шкафа с поднятыми руками.

— Амара! — ахнула я. — Что ты делаешь в моей спальне?

— Это кто? — воскликнули Зайка и Кеша.

— Только негров нам не хватало, — неполиткорректно высказался полковник. — Гастарбайтер из Замбии!

Амара затрясся.

— Минуточку внимания, — заявила я, — знакомьтесь, это Амара. Он временно поживет у нас в доме, поможет по хозяйству, ведь так?

Парень закивал:

— Очень, очень, очень хочу вам помочь! Мне велели слушаться... быть благодарным... я готов на все...

— Просто хижина дяди Тома какая-то, — хмыкнул Кеша. — Неужели в Москве трудно найти... э... э... женщину средних лет, хорошую повариху и уборщицу? Мать! Зачем...

Тут Аркадий прикусил язык, а Амара воскликнул:

— Я все умею! Мне приказали вам понравиться!

— Замечательно, — выдохнула я. — Теперь объясни, зачем ты влез в шкаф, и разойдемся.

— Кролик велел погладить платье, — прошептал

парень и втянул голову в плечи. — Быстро, он опаздывает.

— Кто? — хихикнула Зайка.

— Кролик, — еще тише ответил Амара.

— Вот здорово, — потер руки Аркадий, — смена литературных декораций. Имели роман Гарриет Бичер-Стоу, получили «Алису в Стране чудес». У нас, оказывается, проживают быстро плодящиеся длинноухие! Мне нравится такой поворот событий! Весело в доме!

— Хочешь сказать, что ты встретил в коридоре кролика, который велел привести в порядок его костюм? — откровенно веселилась Зайка.

— Нет, — Амара слегка приободрился. — Маша сказала: «У нас запущенное хозяйство, но начать надо с платьев кролика, он вечно опаздывает, орет по утрам. Если ты шмотки отгладишь, мы спокойно поспим, бери утюг и вперед. Очень истеричный кролик!» Я испугался, пошел искать платья, заблудился, открыл комнату, решил, что это кладовка...

— Ты принял мою спальню за чулан? — возмутилась я.

— Здесь очень много вещей, — заморгал Амара, — человеку столько не надо, и они разбросаны. А потом дверь заскрипела, я испугался и влез в шкаф.

Зайка опять противно захихикала, а негр продолжал:

— Я подумал, вдруг это кролик идет, он мне по морде надает! Маша предупредила, он — может! И тут... вы...

— Ясно, — кивнул Дегтярев, — у нас все как всегда, ничего нового! Единственное, что мне хочется узнать: Марья, где припадочный длинноухий? Ты приволокла из академии очередную жертву лабораторных исследований? Надо предупреждать!

Я не готов к встрече с безумным кроликом! Я его уже боюсь! Сегодня он требует выглаженное платье, завтра прикажет приготовить на ужин жаркое из Хуча!..

— Ни о каких кролях речи не было, — стала отбиваться Маруська, — только о мышах! Самая вредная Альберта — она выскочила из домика.

— А-а-а... — не преминула завизжать Зайка.

— Я в два счета поймаю беглянку, — потрясла сачком Маня.

— Давайте уточним ситуацию с кроликом, — попросила я. — Откуда он взялся, почему ходит по нашему дому и требует выглаженных платьев? Амара, отвечай!

— Не видел, не слышал, не знаю, — затряс головой домработник. — Маша мне сказала! Кролик псих! Истерик! Капризуля!

— Я? — подскочила Маня. — Ты что ел на ужин? Поганки или мухоморы?

— Нет, — чистосердечно ответил Амара, — чай пил, с печеньем. Ты сказала про кролика!

— Никогда, — топнула ногой Маруська.

— Да, — настаивал парень, — у меня замечательный слух.

— Лучше бы у тебя был такой же замечательный ум, — опустилась до оскорбления Маня.

— Эй, эй, тишина в зале, — прогремел Кеша, — у меня возникла интересная версия. Амара, ты уверен, что было произнесено слово «кролик»?

Парень размашисто перекрестился.

— Да.

— Именно «кролик»? — по-адвокатски занудно уточнил Аркадий.

— Да, — стоял на своем Амара.

— Может, Зайка? — спросил Кеша и сделал серьезное лицо.

— Точно! — хлопнул себя по лбу негр. — Зайка! Верно! Но какая разница? Что кролик, что заяц — однофигственно.

— Ну, я пошел, — мигом сориентировался Дегтярев и шмыгнул в коридор.

— Это же одно и то же, — растерянно повторил Амара.

— Не совсем, — пискнула Маша и стала отступать к двери.

— Очень даже «не совсем», — давясь смехом, уточнил Кеша. — Зайка в доме живет.

— Да? — наивно удивился Амара. — А нам в школе вроде наоборот говорили: кроликов в клетках разводят, а зайцы по лесу скачут.

— Некоторые в Ложкине, в коттедже, устроились, — не выдержал Кеша и поспешил на выход.

Не успели брат с сестрой убежать, как Зайка избавилась от временного паралича, медленно встала и, глядя на меня, грозно произнесла:

— Значит, тут появилась истеричная крольчиха, из-за которой никто не может нормально выспаться? Психопатка постоянно орет и скандалит?

— Я здесь ни при чем, — в подтверждение своих слов я замахала руками, — ни слова не произнесла!

— Ладно, — протянула Ольга, — я сделаю выводы.

Дверь хлопнула о косяк, Зайка удалилась, я села в кресло. Ну и ну! Интересно, что она сделает с Аркадием? И каково придется Мане?

— Случилась неприятность? — робко осведомился Амара.

Я кивнула.

— Из-за меня? — парень посерел.

— В некотором роде да.

Амара сжался в комок.

— Извините, простите, я не хотел, исправлюсь, больше никогда...

— Послушай, давай договоримся, ты у нас задержишься на месяц...

— Не выгоняйте меня, — чуть не зарыдал домработник.

— Ты у нас задержишься на месяц, — повторила я, — и при этом будешь молчать.

— Совсем? — ужаснулся Амара.

— Говори поменьше, всем лучше будет, — вздохнула я. — Если возникнут проблемы, обращайся только ко мне. Больше ни к кому.

Глава 6

Большую часть ночи я потратила на поиски книги, но так ее и не обнаружила. Скорей всего, придя из сада, я кинула сброшюрованные листы на подоконник, в пачку газет, предназначенных на выброс, а Ирка отволокла прессу на помойку. Я лишилась возможности с карандашом в руке прочитать «Десять негритят» и еле-еле дождалась утра, чтобы позвонить Рите Амаради.

— Алло, — бодро отозвалась знакомая.

— Надеюсь, не разбудила тебя! — обрадовалась я. — Это Даша Васильева, прости за слишком ранний звонок.

— Я всегда встаю в шесть, — отрапортовала Амаради, — пробежка, душ, здоровое питание, надеюсь дожить до пятисот лет.

Если Риту не перебить, она будет говорить без умолку, поэтому я задала вопрос:

— Ты по-прежнему преподаешь в музыкальном училище?

— Увы, родители не научили доченьку ничему полезному, — заерничала Ритка, — убивать, воровать, брать взятки я не умею! Приходится на скрипочке пиликать. Трень-брень.

— Тебе знакома фамилия Гинзбург? Юрий Гинзбург. У него есть дочь Варвара! Он композитор.

— Юрий... Юра... ах Юрка! Но какой же он музыкант! Пиликалка! Господи! Вот времена настали! Если человек ходил два года в музыкальную школу, а потом стал писать кретинские песенки типа «Ла-ла-ла — ты мой навсегда», он уже считается композитором. Фу! Юрка лабух! Цзынь-брынь! Но теперь время посредственностей, чем тупее, тем дороже!

— Ритуля, мне не нужна оценка творчества Гинзбурга. Расскажи мне о нем в общих чертах. Пожалуйста.

— Ха! Он педик! Это всем известно! Не секрет.

— А откуда у него дочь Варвара??

— Слушай, — заверещала Ритка.

Я села в кресле по-турецки: Аморади идеальный вариант, если вам нужно о ком-то подробно узнать. Сейчас Ритуля сообщит мне все: вес, рост, размер ноги, группу крови, опишет позу, в которой Юрий любит спать, перечислит жен, любовниц, тьфу, любовников, назовет излюбленные блюда Гинзбурга и размер его печени, определенный последним УЗИ.

Юрий Гинзбург происходил из семьи музыкантов. Мама играла в оркестре, отец стоял за дирижерским пультом. Скрипачка — это не балерина, конечно, и ей нужно выглядеть прилично, но пара-тройка лишних килограммов, налипших на талию Диты Гинзбург, никого не волновала. Дита родила троих сыновей и одну дочь. Дети выросли замечательные, все они, естественно, окончили музыкальную школу и стали профессионалами, хорошо устроились все, кроме самого младшего, Юрочки, маминого любимца.

Очевидно, на Юре природа не просто отдохнула — она на нем выспалась. Мальчика обучали в школе нотной грамоте и игре на фортепьяно только из уважения к его родителям и старшим братьям с сестрой. По-хорошему, Юру следовало отчислить, но он был одним из знаменитой творческой династии, поэтому получил диплом. Последнее, что успела сделать Дита перед смертью, это пристроить Юрочку в третьеразрядный оркестр.

— Ничего, солнышко, — утешила мать незадачливое чадо, — опыт наиграешь.

Дита кривила душой. Конечно, фанатичная работоспособность дает подчас потрясающие результаты, но одной техники мало, нужен еще и талант, а вот его запасы у Господа закончились на старших детях дирижера. С началом перестройки Гинзбурги разлетелись по свету. В Москве остался один Юра, некоторое время он сидел без работы, но никогда не нищенствовал.

Здесь надо упомянуть об одной особенности Юрия. Даже Ритка, пытаясь перечислить всех его любовниц, иссякла на сороковой фамилии.

— Всех его баб не назвать, — констатировала Аморади, — я могу выделить только тех, кто с нашим Дон Жуаном больше месяца продержался! Ты его видела?

— Юрия? Нет, — ответила я.

— Страшнее только голод, — вздохнула Рита, — маленький, кривоногий, носатый, лысый, волосатый, а дамы за него дерутся, подарками засыпают!

— Нельзя быть одновременно лысым и волосатым, — урезонила я разошедшуюся Аморади.

— Запросто, — не сдалась подруга. — На башке лысина, а тело будто в мохеровом свитере. Только не подумай про меня чего плохого! Я его голым на речке видела. С Юркой Света Лукашина жила, она с ним год продержалась, мы вместе на пляж ходили!

Такой гиббон, а бабы пачками падают! Хотя — с его-то деньгами! Если гоблин ездит на «Бентли» и имеет в бумажнике пару платиновых кредиток, он Аполлон.

— Постой, — удивилась я, — только что ты недвусмысленно намекнула, что Юрий существовал за счет любовниц.

— Было, было, но его подобрала Тина Рик, слышала про нее?

— Нет.

— Дашка! Ты где живешь?

— В Москве!

— Похоже, что в тундре! Тина Рик, звезда эстрады семидесятых. Она Юрочку из грязи вытащила, отмыла, одела, он за ней сумочки носил, а потом начал песни писать! Жуткие! Бренд-кенц! Та-та-та! И взлетел! Нынче он богатый, знаменитый, морда гладкая! Женился на проститутке, бывшей подпевке. Говорят, он ее у Вадима Колина отбил. Про него хоть слышала?

— Нет.

— Вау! Он царь пластиковых пакетов! Производит упаковку и мешки с логотипами. Прикинь объем торговли! Теперь Юрка на горе, а его братья и сестра в жопе. Что толку от их музыкального таланта? Один в Австралии, другой в Чехии, а сестричка на Мальте, всех Юрка содержит.

— Похоже, он добрый человек.

— Юрка? Нет, конечно. Ему приятно родственничкам рублик сунуть. «Ах, вы меня презирали, дерьмом считали? Ничего, теперь, чтобы с голоду не подохнуть, в пояс кланяйтесь!»

— Ты же говорила, что Юра мужчина нетрадиционной сексуальной ориентации! — вспомнила я начало беседы.

— И что? Он пидор!

— С огромным количеством любовниц?

— Душевный педераст!

— Ясно, теперь о дочери.

— Маленькая крыса! Вся в папочку, — вскипела Аморади, — я видела, как она няньку по морде колготками хлестала. Весьма крутое поведение для малолетних.

— Ты в курсе, что Варя пропала?

Ритка издала хрюкающий звук.

— Ну... вроде как! Вчера в новостях сообщили... хотя...

— Что?

— Ничего, — Аморади внезапно растеряла всю свою болтливость.

— Почему ты так странно отреагировала на вопрос о похищении? — наседала я.

— Нормально.

— Фраза «вроде как» звучит непонятно!

— Ну...

— Рита!

— Да!

— Это очень важно!

— Ой, прекрати, какое тебе дело до чужих детей! — отрубила Аморади.

Я насторожилась: если Рита пытается скрыть сведения, ежу понятно — они самые важные.

— Хорошо поболтали, — защебетала подруга, — жаль, что ты редко звонишь. Надо нам пересечься, потрепаться... Ну, ладно...

— Стой! Рита! Помнишь, ты сбила человека? Три года назад наехала на мужика, который упал пьяным с тротуара под колеса твоей машины! — Конечно, закон был на стороне Аморади, алкоголик сам оказался виноват, но было отягчающее обстоятельство. Риточка неслась со скоростью восемьдесят километров в час, наплевав на знак «сорок» перед въездом в городок. — И кто тебе тогда помог?

— Мне даже жена того урода «спасибо» сказала, — возмутилась Рита. — Обняла меня в кабинете у следователя и зарыдала от счастья, избавилась наконец от камня на шее, помер ее мучитель.

— Ага, жена всем хороша, только дело-то вела не она. Лучше ответь на вопрос: кто тебя выручил? Кто приехал в местную ментовку и вытащил госпожу Аморади из вонючего обезьянника?

— Дегтярев, — неохотно признала Рита.

— Долг платежом красен!

— И что тебе надо? — с тяжелым вздохом осведомилась Ритка.

— Александру Михайловичу поручили дело о похищении Варвары, — беззастенчиво соврала я. — Ему необходима подробная информация о семье и девочке. Начинай.

— Юрка пидор, богатая сволочь, живет в шикарном доме. Женат на Лизке. У Юрки полно баб, Лизка с ним не расходится, потому что ей это удобно, она дура, но ей повезло, работать не надо. — Рита заныла. — Не то что я, с утра в классе маячу. Юрка в шоу-бизе, значит, Лизку на тусовки зовут, она за вечер пять мест объезжает, вечно ее снимки в глянце. Дочка их Варька — дикое существо, хамка и сволочь в папу, дура в маму. Все.

— Мне показалось, что ты не веришь в версию с похищением, — заметила я.

— Я ничего не знаю!

— Рита! Вспомни про Дегтярева!

— Слушай, — зашептала Аморади. — Юрка мерзкий гад, говорят, он своих нераскрученных девчонок-певичек разным мужикам подкладывает, а если девки отказываются, ноги им ломает. Собрал компромат на всех! Обладает связями! С ним в открытую ругаться никак нельзя. Наболтаю лишнего, а мне потом пасть порвут! Мир тесен, кто-нибудь ляпнет, другой повторит, третий подхватит, четвертый Юрке нашепчет, он кому надо в училище свистнет, и что со мной станет? Рваной тряпкой буду мыть постамент памятника Петру Ильичу Чайковскому.

— Спасибо, — язвительно ответила я, — надеюсь, великий и ужасный Гинзбург никогда не узнает, что ты разносишь слухи о его яркой душевной голубизне.

— Подумаешь, это же глупости, — повеселела Рита.

— Значит, с Варей случилось нечто ужасное? — предположила я.

— Понятия не имею! И вообще! Сплетни я не повторяю, слухи не собираю.

— Ладно, — сдалась я, — но в следующий раз, если случится беда, не звони полковнику, он у нас человек добрый, но с плохой памятью, поэтому всегда записывает фамилии тех, кто его не отблагодарил, на всякий случай, чтобы потом не ошибиться и случайно не помочь во второй раз.

Рита засопела.

— Я правда ничего не знаю.

— Охотно верю, пока.

— Дашута!

— Слушаю.

— Это всего лишь догадки.

— Выкладывай.

— Пару дней назад журнал «Ах» проводил светский праздник: на благотворительном аукционе продавали рисунки малышей. Добрые папеньки выложили немалые денежки, выкупая творчество дочек и сыновей. Собрали изрядную сумму, которая пошла на лечение детей с больным сердцем. Надеюсь, деньги и впрямь достались тем, кто в них нуждается, а не осели в карманах организаторов. Так вот. Варьки среди участниц аукциона не было, хотя картина ее демонстрировалась. Лиза, которая там блистала, заявила, что дочь подхватила ветрянку.

— На мой взгляд, ничего странного, это распространенное детское заболевание, — осторожно заметила я.

— Ха! Ветряной оспой два раза не болеют!

— Не понимаю!

Аморади понизила голос до свистящего шепота.

— В прошлом году я отдыхала в Тунисе. Так себе курортик. Жила в трехзвездочном отеле, он стоял на левом берегу аквапарка, а на правом была более дорогая гостиница, но тоже не фонтан. Детей полно, орут, визжат, место на лежаке надо с шести утра занимать. Но нам, бедным преподавателям, к такому не привыкать.

Я чуть отодвинула от уха трубку: пластик нагрелся от долгой болтовни, а Рита продолжала вещать.

Глава 7

Устав от шума на берегу, Рита пошла искупаться, а когда вернулась к своему лежаку, обнаружила, что он занят девочкой, по виду школьницей младших классов. Тело ее было покрыто прыщами, полотенце Аморади и ее сумка валялись на песке.

— Деточка! — возмутилась Рита. — Немедленно встань!

Девочка даже не шевельнулась, Аморади ее толкнула.

— А-а-а! — заорала та.

— Как вы смеете! — завизжала сзади женщина. — Отвяжитесь от крошки!

— Она сбросила мои вещи, — начала Рита, повернулась и тоже взвизгнула: — Светка! Лукашина!

— Я, — с неохотой откликнулась бывшая любовница Гинзбурга. — Ты что здесь делаешь?

— Отдыхаю, — засмеялась Аморади. — А ты?

— Аналогично, — ответила Света.

— Откуда у тебя ребенок? — не утерпела Рита и тут же покривила душой. — Очень милая девочка, только она лежаки перепутала!

Светлана моргнула.

— Это Варя, дочь Юры и Лизы Гинзбург.

— Да ну? — поразилась Рита.

— Она заболела ветрянкой, — пояснила Светлана. — Юра с Лизаветой испугались, их в детстве инфекция миновала, ну и попросили меня Варьку увезти, ей солнце полезно.

— Странно, что они дочь на третьесортный курорт отправили, — пробормотала Рита.

Светлана села на песок.

— Торопились очень, горящие путевки схватили, в один день нас собрали.

— Что же няню не послали? — продолжала изумляться Аморади.

— Она за неделю до болезни Вари уволилась, новую пока не нашли, — объяснила Света.

— А ты, значит, вместо воспитательницы? — съехидничала Рита.

— Надо же друзьям помочь, — без налета агрессии сообщила Светка, — и на море хотелось смотаться, да у меня сейчас с деньгами туго. А тут прекрасный вариант — за счет Гинзбурга отдохнуть.

— Хочу колу, — заявила Варя.

— Солнышко, — засюсюкала Света, — тебе нельзя.

— Купи, — нахмурилась девочка.

— Нет, — твердо ответила Света, — врач запретил. Могу принести апельсиновый сок, свежевыжатый.

— Залей его себе в задницу, — заорала малышка. — Я буду пить только колу. Не хочешь принести, сама пойду, но потом папе расскажу, как ты за мной ухаживала! Давай кошелек!

— Варечка, смотри, включили самую большую горку, — Лукашина попыталась отвлечь внимание нахалки.

Но девочка встала и заявила:

— Деньги мои, что хочу, то и покупаю! Или отдавай валюту, или плохо будет!

Света протянула ей портмоне, Варвара выхватила его, показала Лукашиной язык, сделала несколько шагов, затем остановилась, обернулась и ткнула пальцем в Риту:

— У меня память как фотоаппарат! Один раз увижу и не забуду! Вернусь в Москву, расскажу папе, как ты меня с лежака скинула! Пнула! Наорала! Папа тебя накажет! Светка, как ее фамилия?

Лукашина заморгала.

— Хорошо, — процедила Варвара, — я все равно узнаю, а вас обеих папа из музыки выгонит! Даже в подземный переход пиликать не возьмут! Я скоро вернусь! Не хотите неприятностей, придется извиняться!

Высказавшись, исчадие ада бодрым шагом направилось к киоску, где торговали прохладительными напитками.

— Сколько ей лет? — спросила пораженная Рита.

— Девять, — мрачно ответила Света.

— Ну и ну, — пробормотала Аморади, — вроде у Гинзбурга семья приличная.

— Варя больна, — решила оправдать подопечную Лукашина, — температура высокая.

— И ты ее на пляж привела? — запоздало удивилась Рита.

— Педиатр сказал, что солнечные лучи благотворно действуют на сыпь, — пояснила Света.

— Ну ладно, — увидав, что Варя возвращается, Рита свернула беседу. — Удачи тебе и хорошего отдыха.

Следующие дни Аморади провела на пляже чужого отеля. Меньше всего ей хотелось снова пересечься с Варей.

— Вот какие люди бывают, — шипела сейчас Рита. — За свое здоровье испугались и отослали больную дочь подальше, на солнышко, но о других детях и не подумали. Варька — ходячая зараза! Сколько малышей из-за нее домой из Туниса ветрянку привезли! Понимаешь теперь? Два раза этой гадостью не болеют, вырабатывается стойкий иммунитет, практически на всю жизнь!

— Ну и что? Не вижу ничего странного, — заметила я.

— Лизка Варьку на самую пафосную детскую тусовку не привела, выдумала, что у нее ветрянка, почему?

— Объяснений много! Девочку наконец-то решили наказать и лишили праздника, — предположила я.

— Зачем про болезнь заливать?

— Не захотели сообщать правду окружающим, мало кому нравится посвящать посторонних в семейные проблемы.

— Лизка ради лицезрения собственной морды на глянце готова на все, — фыркнула Рита. — Под Новый год Варвара ногу на катке подвернула, она с мамулей тогда участвовала в забаве «Лед в парке». Знаменитости всякие катались, их журналисты снимали. Лиза с Варей взялись за руки и начали из себя олимпийских чемпионок изображать, но получилось плохо, обе упали. Лизка нормально встала, а у Вари колено в подушку прямо на глазах превратилось. И как поступила заботливая мать?

— Схватила ребенка в охапку и помчалась к врачу?

— Не угадала! — взвизгнула, забыв об осторожности, Рита. — Она ее на скамейку посадила и сказала: «Сиди тихо. Сейчас приедет телевидение, снимет нас, и мы отправимся в больницу». Для Лизы пиар всего важнее. А на вечеринке «Ах» Гинзбург-младшей не было. Тут что-то не так.

— Что?

— Не знаю, — понизила голос Аморади, — думаю... она давно пропала... вот почему на тусу не пришла... Можно по журналам проверить.

— Как? — не поняла я.

— Боже! Элементарно! Берешь, допустим, «Старз», он ежедневный, и смотришь снимки, они там про все вечеринки сообщают. Сразу ясно станет: когда Лиза веселиться перестала, тогда что-то и случилось.

— Здравая мысль, — протянула я. — Кстати, у тебя есть координаты Светы?

— Лукашиной? Естественно. Сейчас... где он... вот! И мобильный, и домашний, и рабочий, звони с утра до вечера, все сообщу, — сказала Рита, страшно довольная, что я перестала интересоваться Варей.

Сотовый Светланы не отвечал, к домашнему телефону тоже никто не подходил, а по рабочему откликнулась бойкая женщина:

— Продюсерский центр.

— Здравствуйте, — сказала я, — позовите Лукашину.

— Света, — заорали в трубке, — эй! Кто-нибудь видел Светку? Люди! Найдите Лукашину! Ее к телефону... Светка! Ау! Она не пришла пока, будет через час.

Последняя фраза относилась ко мне.

— Спасибо, а как к вам проехать? — спросила я.

Тетка, как пулемет, оттарабанила адрес.

— Светлана обязательно приедет? — решила уточнить я.

— Конечно, — заверили на том конце провода, — она всегда здесь!

Я быстро оделась, вышла из спальни и услышала басовитое:

— Хозяйка!

От неожиданности я вскрикнула:

— Ой! — Потом повернулась и увидела Амару, одетого, как и вчера, в идиотский красный костюм с золотыми пуговицами.

— Хозяйка, — повторил он.

— Что случилось? — напряглась я.

— Яйца! — закатил карие глаза парень. — Яйца! Вы о них знаете? Откуда они берутся?

— Из курицы, — растерялась я.

— А где живут куры?

— Во дворе, в сарае, — изумилась я, — или на птицефабрике.

— Понял, — кивнул Амара и испарился.

Я постояла пару секунд, спустилась по лестнице и снова услышала:

— Хозяйка!

— Ну?

— Во дворе нет сараев, — улыбаясь, заявил домработник, — и кур не видно.

— Мы не разводим птицу, — ошарашенно ответила я.

— А где же яйца взять? — заморгал Амара. — Вы сами сказали про кур!

Я уставилась на юношу, он, чуть приоткрыв рот, преданно смотрел мне в глаза, и тут до меня дошло, что временная прислуга... как бы это помягче выразиться, чтобы не обидеть...

— Ты идиот? — вырвалось у меня. — Ой, прости! Ищешь яйца? Хочешь сделать завтрак?

Амара кивнул.

— Да, да. Кролик велела быстро состряпать! Она приказала: «Что-нибудь по твоему вкусу», значит, яйца, а где их найти?

— В холодильнике.

— Там нет.

— Загляни в кладовку, Ира всегда держит про запас пару десятков.

— Понял, — кивнул Амара. — Вам сварить?

— Одно яйцо, — сказала я.

— Еще паштет, — заявил Амара, — этот толстый просит его к гренкам... Я все облазил. Не нашел.

— В шкафчике под кофемашиной есть банки, тебе нужна та, на которой написано «Патэ» и нарисована свинка.

— Понял, — затряс кудрявой головой Амара и убежал.

Минут через пятнадцать домашние уселись за стол, Амара внес блюдо, на котором лежало штук десять яиц, и торжественно водрузил его на стол, объявив:

— Горячая еда, пожалуйста.

— Очень мило, — приободрила я парня, схватила одно яйцо, поместила его в подставку и постучала ложкой по верхушке.

Скорлупа не дрогнула.

— Похоже, курам стали давать кальций в таблетках, — заметил Кеша, тоже безуспешно пытавшийся разбить скорлупу.

— Странные какие, — удивилась Маша, — не кокаются.

— Где мой паштет? — зашумел Дегтярев, входя в столовую. — Фу! Яйца! У меня от них изжога!

— И тебе приятного аппетита, — сказал Кеша. — Между прочим, моя печень приходит в ужас, глядя на твой жирный паштет!

— Печень не имеет глаз, — авторитетно заявила Маша. — Этот орган является непарным, он расположен в...

— Лучше без подробностей, — живо остановила я девочку и принялась изо всей силы бить по яйцу ложкой.

— Хочу паштета, — раскапризничался Александр Михайлович.

— Он здесь, — Амара ткнул пальцем в никелированную миску.

Я подавила улыбку. Парень старается изо всех сил, он учел мою просьбу говорить как можно меньше и обходится минимальным набором слов. А то, что Амара положил любимую еду полковника в миску, которой пользуется кошка Клеопатра, это пустяки. Клепа не обидится, она хорошо воспитана, а полковник не поймет, в чем паштет. Надо будет потом объяснить Амаре про разделение посуды на «человеческую» и «животную».

— Что-то вкус странный, — отметил Дегтярев, кусая бутерброд.

— Свинья, — гаркнул домработник.

Полковник уронил хлеб, намазанный толстым слоем паштета.

— Кто? — растерялся он.

— На банке свинья, — телеграфным стилем ответил Амара, — этикетка. Рисунок. Патэ. Все точно.

— Интересно, если я брошу яйцо на пол, оно треснет? — обозлилась Зайка.

— Можно попробовать, — оживилась Маня.

Я, тоже безуспешно боровшаяся с яйцом, не успела сказать «стой», как Манюня вскочила и швырнула «куриную икру» на плитку. Яйцо подпрыгнуло и укатилось. Жюли, решив, что ей купили новую игрушку, со счастливым визгом нырнула под сервант и выкатила абсолютно целое яйцо.

— Прикольно! — поразился Аркадий. — Интересненько, ну-ка...

Второе яйцо, упав на пол, тоже осталось целым. Радости Жюли не было предела, количество ее любимых мячиков резко увеличивалось.

— Дай сюда, — прокряхтел полковник и схватил стоявшую передо мною подставку, — вы хотели слопать ЭТО? Не поняли, что завтрак из пластика?

Маша и Кеша переглянулись, Зайка вперила взгляд в Амару.

— Ты решил пошутить? — зловещим тоном осведомилась она. — Здорово! Мы повеселились! А теперь неси настоящие яйца.

— Я думал, это куриные, — замямлил домработник. — Простите... я не хотел.

— Где ты их взял? — спросила Маша.

— В кладовке, на полке среди лампочек, хозяйка подсказала! — Парень решил спрятаться за меня.

— Это остатки муляжей для пасхальной росписи, — осенило меня. — Ну конечно! Я сама купила их ранней весной, потому что не хотела варить в луковой шелухе настоящие. Их потом никто не ест, продукты пропадают. Очень обрадовалась, когда увидела в супермаркете эрзац, а к нему коробочку с красками! Ирка разрисовала один десяток, а второй оставила про запас!

— Ловко, — ухмыльнулась Зайка. — Ты решила

подшутить над Амарой, а он купился. Но сегодня не первое апреля! Я хочу есть!

— И в мыслях у меня не было над вами издеваться! — попыталась я оправдаться. — Он спросил, я ответила, Амара сам перепутал.

— Поеду на работу голодной, — с мученическим видом протянула Ольга.

Амара испугался, сложил молитвенно руки, потом заорал густым басом:

— Кролик! Простите! Милый кролик! Не ругайте меня! Дорогой кролик! Извините! Более это не повторится! Ласковый кролик!

С каждым новым восклицанием глаза Зайки делались все круглее, Кеша с Машей потихонечку сползли под стол, один только Дегтярев как ни в чем не бывало продолжал бодро выковыривать паштет из кошкиной миски: ничто так не отвлекает полковника от реальности, как вкусная еда.

— Кролик! — всхлипнул в последний раз Амара. — Только не выгоняйте меня!

В столовой повисла тишина, нарушаемая только чавканьем Александра Михайловича. Я лишний раз удивилась экстрасенсорным способностям собак. Только что Жюли бойко катала по полу муляжи яиц, а остальные псы преданно смотрели на полковника в надежде, что он уронит на пол кусочек паштета. Но при первом стоне Амары про кролика все четвероногие испарились, даже глухая и почти слепая пуделиха Черри резво прогалопировала прочь. Говорят, у большинства японцев дома есть аквариумы, жители Страны восходящего солнца наблюдают за поведением рыбок и, если те начинают вести себя непривычно, понимают — скоро будет землетрясение. А наши собачки чуют приближение скандала и заранее смазывают лапы салом, чтобы не очутиться в его эпицентре.

Зая покраснела, выпрямилась во весь свой не особо большой рост, набрала полную грудь воздуха...

— Солнышко, — ласково сказал Аркадий, — мы же воспитывались в советские времена, читали книги о плохих белых плантаторах, которые убивали бедных рабов-негров! И глубоко осуждали рабовладельцев.

Ольга с шумом выдохнула и вылетела в холл.

— Ну я пошел, — весело сказал Кеша. — Медаль «Укротитель тигров» первой степени прошу вручить мне вечером, во время торжественной линейки.

— Довези меня до метро, — воскликнула Маня и ринулась за братом.

— Паштет суховат, — заметил Дегтярев, — покажи банку!

Амара мухой сносился на кухню и поставил перед полковником пустую жестянку.

— Вот, — ткнул он пальцем в картинку, — свинья.

Я заморгала.

— Так и знал, — кивнул Дегтярев, — купили другой сорт. Я всегда ел из красной упаковки, а эта бело-синяя. Ну ничего!

— Вы сердитесь! — опять ужаснулся Амара.

— Нет.

— Совсем?

— Конечно!

— Простите.

— Ты не виноват.

— Извините.

— Я не злюсь, — повысил голос толстяк.

— Ой! Вы нервничаете, — прошептал Амара.

— Нет!!! — завопил Дегтярев.

— Простите.

— Хорошо!!! — рявкнул толстяк. — Замолчи!

— Смерть пришла, — обморочным голосом заявил Амара, — можно, я водички перед кончиной хлебну?

Я, не в силах сказать ни слова, кивнула.

Домработник поплелся к раковине, Дегтярев вытер лысину салфеткой.

— Где ты взяла это чудо болотное? — спросил он.

— В агентстве «Подруга», — честно ответила я.

— Объясни ему, что у меня тихий, интеллигентный нрав, и я не собираюсь расстреливать его из-за перепутанных упаковок, — заорал полковник. — Донеси сию информацию до его мозга, запихни туда, утрамбуй и... и...

Я быстро подала приятелю стакан воды, Александр Михайлович залпом выпил и сказал:

— Ты совершила ошибку. Нужно было сначала объяснить Амаре, ху из ху в нашем доме, а уж потом требовать от него безупречной службы.

Глава 8

Домработника я нашла у разделочного столика.

— Амара, — окликнула я его.

— Что, хозяйка? — подпрыгнул парень.

— Зови меня просто Даша, понял?

— Да, хозяйка!

— Амара!

— Что, хозяйка?

— Меня зовут Дарья! Но лучше Даша!

— Да, хозяйка, — покорно кивнул юноша.

У меня зачесались руки, но тут я вспомнила слова Кеши о белых плантаторах и, навесив на лицо широкую улыбку, сказала:

— Каждый человек совершает ошибки.

— Да, хозяйка.

— Когда я пришла преподавать на кафедру, на

первом своем экзамене поставила «двойку» любимой внучке ректора. Оцениваешь, какой промах я допустила?

— Да, хозяйка.

— Прекрати звать меня «хозяйка»!

— Но вы же хозяйка! — чуть не заплакал Амара. — Меня предупредили, объяснили, велели быть очень почтительным, не мешать, не болтать, мыться каждый день...

Я потрясла головой.

— Что ж, тебе дали совсем неплохие советы. Человек, который регулярно принимает душ, держит язык за зубами и старательно выполняет просьбы нанимателя, имеет все шансы сделать карьеру. Начнет простым домработником, потом станет дворецким, понимаешь?

— Да, хозяйка, — закивал Амара, — все правильно говорите, хозяйка, йес, хозяйка!

— А теперь запомни! Ольгу дома зовут Зайка! Ни в коем случае не называй ее словом «Кролик».

— Да, хозяйка.

— Полковник Дегтярев обожает поесть, он не капризен, уничтожает любые продукты, но подавать ему к завтраку собачьи консервы не стоит! И не клади больше еду в кошачью миску! В принципе очень просто понять, какая посуда для людей, а какая для животных. Наша сделана из фарфора, а та, что для кисок и собак, — из блестящей стали. Никогда ее не бери, если собрался угощать членов нашей семьи!

— Вы сказали... банка со свиньей... — залепетал Амара. — Я вынул... просмотрел... там одни банки с нарисованными поросятами... штук сто...

Я постаралась не рассмеяться.

— На этикетке изображен мопс! Приглядись!

Амара покорно взял жестянку.

— Это свинья! Хвост крючком, нос пятачком!

— Мопс, — уперлась я, — у Хуча тоже закрученный хвостик, и то, что ты принял за пятачок, просто морда!

— Она черная!

— Верно, — закивала я, — окрас называется «маска», отличительный признак мопса.

— Я думал, это грязная свинская морда, — пояснил Амара. — Ну вылитый хряк! А черный, потому что извозился.

— Не все черное — грязное, — заявила я и прикусила язык. Сейчас Амара почувствует себя оскорбленным. Но он отреагировал на мое заявление иначе:

— Я видел мини-пигов, они вылитый Хуч!

— Правило номер три! Никогда не говори этого при Маше! Подведем итог: еда на кухне, там же вся посуда, металлическую не бери. Зайка не кролик! Хуч не свинья! Собачьи консервы в левом нижнем ящике, паштет полковника справа, Маша не пьет молоко, Кеша не любит рыбу, Ольга не притронется к хлебу. Утюг в гардеробной. Стиральная машина там же. На письменном столе у Кеши ничего переставлять нельзя! Понял?

— Да, хозяйка, — в полном ужасе прошептал Амара. — Йес, хозяйка, только не выгоняйте меня, хозяйка! Очень прошу! Запишу ваши указания! Выучу!

Наверное, я слишком загрузила юношу информацией.

— Амара, слушай. Можешь забыть все ранее сказанное. Главное: никогда не зови Зайку Кроликом! До сих пор не могу понять, каким образом ты сегодня остался жив.

— Ей не нравится именно «Кролик»? — неожиданно уточнил Амара.

— Тонко подмечено, — кивнула я. — Обратись ты к ней, допустим, «черепашка», Ольга бы просто посмеялась, но «кролик» — это нож в сердце!

— О'кей, хозяйка! — прижал руки к груди Амара. — Понял, хозяйка.

— Отлично, — улыбнулась я. — Ты молодец, прекрасно справляешься с работой. Сейчас убери со стола, помой посуду и займись спальнями. Я вернусь, очевидно, поздно. Ты сумеешь покормить собак? Надо открыть банку, положить содержимое в миски, размять вилкой и поставить на пол.

— Да, хозяйка, йес, хозяйка! — завел свой припев Амара.

Я, стараясь выглядеть приветливой, помахала ему рукой и пошла в холл. Конечно, Ирка бессовестная лентяйка, но она отлично знает, где что лежит, не угощает полковника лечебным кормом для ожиревших мопсов и помнит, как кого из нас зовут.

— Он дурак, — вдруг сказала Саша, выходя следом за мной, — полный идиот! Зачем брать на работу кретина? Хотите, я научу вашего негра уму-разуму?

Я открыла шкафчик, вытащила розовые балетки и ответила:

— Просто Амара неопытный, зато старательный. Опять надел свою идиотскую форму с золотыми пуговицами. Спасибо тебе за предложение, но лучше отдыхай, делай что хочешь! С хозяйством возиться не надо.

Саша обрадовалась.

— Супер! Аркадий обещал подвезти меня в город! Я правда могу делать что хочу?

— Конечно, — кивнула я.

Девушка вышла во двор, я быстро вернулась на кухню и сказала:

— Амара!

— Да, хозяйка.

— Я не настаиваю на непременном ношении
формы!

— Не понял, хозяйка!

— Если тебе неудобно в камзоле, спокойно можешь надеть другую одежду! Главное, чтобы она
была чистой!

Лицо Амары вытянулось.

— Это плохой сюртук?

— Очень хороший!

— Вам не понравился? Он лучший из всего моего гардероба... мне сказали... надо самое красивое...
шикарное...

— Замечательная вещь, — согласилась я, — но
узковатая. Жаркая. Оденься попроще, тяжело весь
день рассекать в униформе. Ира носит джинсы и
футболку. У тебя есть такие вещи?

— Да, хозяйка.

— Вот и замечательно, спокойно их носи.

— Да, хозяйка!

Неожиданно у меня началась мигрень. Я вернулась в прихожую, взяла ключи от машины и вышла
во двор. Может, позвонить в агентство и попросить
поменять парня на обычную девушку, украинку,
допустим? Но в ту же секунду я выбросила эту мысль
из головы. Представила, как буду выглядеть, заявив
администратору:

— Мне не нравится Амара!

Сотрудник фирмы непременно спросит:

— Чем он вам не угодил?

А я отвечу:

— Хочу взять в прислуги женщину с белым цве-
том кожи.

И что обо мне подумают в «Подруге»? Что мадам
Васильева отпетая расистка! Ладно, потерпим меся-
чишко, и потом, Амара только приступил к испол-

нению обязанностей, первый день в чужом доме, конечно, он все путает...

— Тебя Аркадий довезет? — спросила я у Саши, сидевшей во дворе на скамейке.

— Ага, — кивнула она, — через четверть часика двинем, он доставит меня до метро.

— Разберешься в переходах?

— Конечно, — засмеялась Мироненко.

— У тебя есть деньги?

Саша замялась, я вытащила кошелек, отсчитала несколько купюр и спросила:

— Когда думаешь вернуться?

— Не волнуйтесь. Отлично доберусь назад, сяду на маршрутку от «Тушинской».

— Если заплутаешь, звони, — сказала я.

Саша помахала мне рукой. Я села в машину и посмотрела на девушку в зеркало. Не знаю, каковы ее голосовые данные, но внешность у нее для сцены подходящая. Правда, начинающая певица очень маленького роста, но стройная, с длинными густыми волосами, и походка у нее как у балерины.

Отчего-то у меня дрожали пальцы, аккуратно нажать на кнопку брелока, который открывает ворота поселка, я не смогла.

Из будки высунулся охранник.

— Дарь Иванна! — закричал он.

— Что? — спросила я.

— Вам письмо, курьер принес, — сказал парень. — Лежит у нас с утра. Обычно Ирина за почтой приходит, но сегодня не явилась! Она не заболела?

— В отпуск уехала, — пояснила я, забирая конверт.

При виде послания руки затряслись еще сильней. «Дарье Васильевой, Ложкино» — было выведено на конверте.

Отъехав километр от поселка, я припарковалась у обочины, вскрыла конверт и вытащила листок с текстом. Похоже, это был отрывок из рукописи Благородного.

«Прежде чем окончательно привести себя в порядок, Светлана побежала в пиццерию. Владимир обожает лепешки, сдобренные сыром, жалкий фастфуд бедняков, дешевое лакомство плебеев. Но ведь он скоро придет, а Светлана хотела рассказать Владимиру Мерзкому о своих чувствах. Слова не шли из горла, лучше всего было, протянув ему пиццу, сказать:

— Дорогой, ты много сделал ради нашего счастья. Но теперь, когда Барбара убита, можешь вздохнуть спокойно. Месть свершилась, ты опишешь ее в своей книге. Барбаре следовало умереть, ее аура, смешавшись с чистыми помыслами, посветлела. И это не убийство, нет, это спасение грязной души избалованной девчонки, дочери жадного волка продюсера. Ты совершил благое дело, это так же верно, как то, что меня зовут Светлана Лукашина.

Пицца, простая пицца, купленная за углом дома, значила для Мерзкого много, и она стала бы поминальной трапезой по Барбаре.

Светлана вошла в зал, кассирша вдруг спросила...»

Текст оборвался, у меня закружилась голова. Владимир убил Барбару. На странице указана фамилия мужчины, но это либо прозвище, либо фантазия графомана, маловероятно, что в Москве найдется хоть один человек с фамилией Мерзкий. Еще здесь идет речь о Светлане Лукашиной, пицце и какой-то кассирше...

Я схватилась за руль и нажала на педаль газа.

В продюсерском центре кипела работа, по коридорам носились шумные люди, у каждого в руке по три телефона. Никакого реце́пшен тут не было, поэтому я толкнула первую дверь и чуть не задохнулась. В маленьком помещении клубился дым, на крохотном диванчике сидела тощая девица, размалеванная, как ярмарочная матрешка, в зубах у нее была зажата сигара, источавшая жуткий смрад. На подоконнике, болтая ногами, устроился парень в грязных джинсах.

— Выпускай дым красиво! — раздраженно сказал он. — Изобрази на морде удовольствие. Ты наслаждаешься!

— Больше не хочу, — канючила девушка.

— Надо, киса, надо!

— Меня тошнит!

— Учись! Сигара необходима для имиджа, она твоя фишка. Вам кого?

Я, едва сдерживая кашель, спросила:

— Подскажите, где найти Свету Лукашину?

Парень уставился на курильщицу.

— Ты Лукашина?

— Нет, — застонала несчастная и схватилась за горло, — моя фамилия Колпакова.

— Забудь ее, — посоветовал ей парень, — навсегда! Представляйся «Алмаза». Ну, раз, два, три, сигарка, дыми!

— Жесть, — скривилась Алмаза, — я сейчас умру.

— Что еще? — нахмурился парень, исподлобья глядя на меня.

— Ищу Лукашину, — повторила я.

— Она не она, и я не она! Что еще?

— Ничего, — пожала я плечами, — вашей подопечной сейчас станет плохо! Похоже, ее тошнит!

— Разберемся сами, идите по своим делам, — схамил юноша.

Я отправилась бродить по коридорам, вошла в другую комнату и на этот раз увидела даму, обвешанную браслетами, бусами, кожаными шнурками и разноцветными фенечками.

— Помогите мне, пожалуйста, найти Лукашину, — попросила я.

Мадам, звякнув бесчисленными подвесками, полистала свои записи.

— Ее нет в списках, — ответила она, не поднимая головы.

— А когда будет? — растерялась я.

— Понятия не имею.

— Может, подскажете, в какой комнате находится рабочее место Светланы? — смиренно попросила я.

Дама наконец-то соизволила посмотреть на посетительницу. Она обвела меня взглядом, задержалась на серьгах, часах и, очевидно, сделав некие подсчеты, расплылась в улыбке.

— Садитесь! Тут с этим конкурсом голова кругом идет. Люди невозможны! Объясняешь им: отбор производит комиссия! Нет, лезут сюда! Юрия довели до трясучки. Небось он сто раз пожалел, что ввязался в это дело. Вы хотите побеседовать о девочке Лукашиной?

Я на секунду заколебалась, по словам Риты, Светлана была любовницей Гинзбурга с самым длинным стажем. Вряд ли ее можно назвать девочкой! Но, с другой стороны, Лукашина и не мальчик!

— Да, — кивнула я, — очень хочу ее разыскать, но здесь творится нечто невообразимое. У вас всегда так?

— Почти, — согласилась дама, — но я никак не пойму: Лукашина ваше протеже или...

— Мэри, — заорал визгливый голос. — Мэри, папа приехал!

Дама подскочила над креслом.

— Скажи ему, что я уже в зале. Вот, держите!

Сунув мне в руки визитную карточку, женщина быстро вытолкала меня в коридор и резво побежала к группе людей, облаченных в грязные джинсы.

Я машинально посмотрела на визитку. «Мэри Амбарцумян. Координатор проекта «Старт звезды» на канале «КТК».

В голове стало проясняться. Понятно теперь, отчего тут сумасшедший дом: идет конкурс, победители которого выйдут на большую сцену и попытаются вскарабкаться на олимп шоу-бизнеса.

— Лукашина не пришла, — заорала в рацию толстенькая, похожая на свежевыпеченную булочку блондинка, одетая в рабочую униформу — замызганные синие штаны из корабельной парусины. — Блин! Вот сука! Опять запила!

Я схватила «булочку» за рукав.

— Вы знаете, где Лукашина?

Толстушка моргнула раз, другой, третий, потом на ее лице появилось осмысленное выражение.

— Кто? — с недоумением спросила она.

— Я ищу Светлану Лукашину!

— Пресса? Газета? Глянец?

— Нет. Я не имею никакого отношения к печатным изданиям, как, впрочем, и к радио вкупе с телевидением. Видите ли, Лукашина вела со мной переговоры о продюсировании девочки... э... Саши Мироненко.

«Пончик» посмотрела в блокнот.

— Мироненко нет в списках.

— Ой, правда? Я ее представитель и...

— Мы не работаем с посторонними, — перебила меня пампушка.

— Извините, наверное, я не так выразилась. Я не имею никакого отношения к шоу-бизнесу, владею мебельным салоном, — я на ходу придумала себе новую биографию.

— Супер, — обрадовалась пампушка, — меня зовут Ксю, я как раз квартиру обставляю! Скидки делаете?

— Непременно побеседуем с вами на тему скидок, — пообещала я, — но сейчас я озабочена поиском Светланы. Она собирается раскрутить Сашу, я готова вложить деньги в Мироненко.

В глазах Ксю мелькнул злой огонек.

— Стебно, — скривилась она, — Светусик лезет вверх! Не верьте ей. Кто вас надоумил связаться с этой алкоголичкой?

— Света пьет?

— Аки лошадь, — Ксю потерла руки, — она запойная. Может пропасть на неделю, потом является, рожа помятая, глаза, как у панды, в черных кругах, шатается, мятной жвачкой от нее за километр разит! Давайте пойдем ко мне, побеседуем спокойно. Вашей девочке сколько лет? Моложе пятнадцати мы не берем, и...

— Вы не дадите мне адрес Светы? — беззастенчиво перебила я Ксю.

Пампушка нежно заулыбалась.

— Забудьте Лукашину! Вам повезло, что встретили меня. Я, в отличие от Светки, человек дела, готова сразу четко обозначить бюджет и...

— Мне очень нужны координаты Лукашиной, — стояла я на своем.

— Ну елы-палы, — Ксю хлопнула себя рукой по бедру. — Хотите девочку в нормальные руки пристроить или нет?

— Сделать из Саши звезду — мечта всей моей жизни, — с жаром заверила я. — Дайте адрес Светы!

Ксю закатила глаза.

— Тебя как зовут?

— Даша, — представилась я.

— А я думала, ты Фрося из Урюпинска, — ухмыльнулась Ксю. — Сколько можно повторять одно и то же? Лукашина — это дохлый номер, ее тут из милости держат, давно бы выперли, но... впрочем, неважно! Пошли!

— Светлане уже заплачена определенная сумма, — кисло «призналась» я. — Ерунда, конечно, двадцать тысяч евро.

— Скока? — вытаращила глаза Ксю.

— Чуть-чуть, — подтвердила я. — Света сказала: надо отборочную комиссию подмазать, но Саши-то в списках нет.

— Нормально! — подпрыгнула Ксю. — Ты просто так бабки отдала? Без договора?

— Разве на взятки его можно оформить? — Я прикинулась клинической дурой.

— Нет, ты точно Фрося из Урюпинска. — Ксю даже покраснела. — Так дела не танцуют.

— Хочу получить деньги назад.

— Кто бы сомневался, но фиг у тебя это выйдет, — деловито заявила девица. — Даже если ты расписку с нее взяла, все равно гнилой вариант! По секрету скажу, и договор не всегда спасает. Поэтому надо обращаться только к проверенным людям.

— Таким, как вы, — не утерпела я.

Ксю кивнула.

— Конечно! О Ксении Гинзбург никто плохого слова не скажет.

— Вы родственница Юрия? Известного композитора?

Ксю взяла меня под руку.

— Вот была бы я мошенницей, сунула бы тебе сейчас под нос свой паспорт и запела: «Я Юрию двоюродная племянница». Но, повторяю, я никого не обманываю, а всем, кто задает этот вопрос, отве-

чаю правду: «Мы однофамильцы, Гинзбургов на
свете много». Ой, тут такой прикол был. С Лизой,
женой Юрия! Представляешь, приходит она в центр!
Вся такая модная! Платье от дизайнера, шелковое,
видно, дорогое! Туфли в комплекте! Фу-ты ну ты!
Рассекает по коридору в шлейфе духов, ищет мужа.
А у нас справа центр, а слева вход на канал «КТК»,
мы в одном здании сидим, вместе работаем. Я гляжу, Елизавета чешет по коридору, а навстречу ей
Светка Лукашина. Ха-ха-ха!

— И что тут смешного? — не поняла я.

Ксю затряслась от хохота.

— Так на Лукашке точь-в-точь такой прикид,
как на мадам Гинзбург! Цвет! Фасон! Туфли! Но
только Лизка свою обновку в бутике за тысячи евриков купила, а Светка на рынке за копейки. Дешевый самострок, но издали не отличить. Наши бабы
стали ржать. Светка живо смылась, а Лиза нос за-
драла и мне цедит:

— Ксения, увидите Юрия, немедленно ему скажите: жена в машине у входа ждет, он мне срочно
нужен!

Раскомандовалась! Ишь! Я ей кивнула и по своим делам ушла. Наши про эти платья до сих пор
сплетничают! И ржут! Ладно, хорош без дела языка-
ми трясти. Я вообще-то сплетни не распространяю,
о коллегах, даже безответственных пьяницах, не су-
дачу. Если решишь по-настоящему продвинуть протеже, обращайся.

В моих руках оказалась еще одна визитка. «Ксения Гинзбург. Продюсер. Группы «Аэроплан», «Тиг-
ры», «Пусики-кисики» и др.».

— Вы занимаетесь такими известными коллек-
тивами, — преувеличенно восхитилась я.

Ксю явно понравился мой восторг.

— Точно. Я в тени, но без меня звезда не зажжется, а та, что горела, начнет чадить, — кокетливо ответила она, потом поднесла к губам рацию и велела: — Катька, немедленно добудь адрес Лукашиной. Мне насрать, где ты! Через три секунды я хочу иметь ее координаты.

— Жестко вы с людьми. — у меня так не получается, — я решила на всякий случай подлизаться к Гинзбург.

— Ты же сама в бизнесе, — удивилась девица. — Неужели своим работникам пряники раздаешь? У нас нельзя без втыкалова. Чуть отпустишь вожжи, на голову сядут.

— Я вот заходила в кабинет к Амбарцумян, та даже не стала со мной говорить.

— Мэри сейчас крутая, — фыркнула Ксю, — координатор! Власть почуяла, сквозь зубы цедит. Одно до нее не доходит: конкурс на полгода, потом проект закроют, и куда она денется? Пойдет работу искать, тут-то ей кривую морду припомнят: если у тебя за спиной нету мужика—депутата—бизнесмена и сама без гроша, не фиг выпендриваться. Я правильно говорю?

— Амбарцумян позвали к Юрию, — уточнила я.

— И чего? Гинзбург тут каждый день, это его шоу! Сам затеял, сам курирует.

— У него же дочь похитили!

Ксю попятилась.

— Гонишь!

— Нет, вчера в новостях объявили, по телику, сообщил тот канал, где ваше шоу идет.

— Я чертов ящик не смотрю, — пробормотала Гинзбург, — я в нем работаю, — и опять поднесла к губам рацию.

— Да, слышу... улица Бромская? Такая в Москве есть? Ага, дом шесть, квартира тоже шесть. Знаю! Вчера по телику сообщили.

Ксю сунула рацию в карман.

— Слышала?

— Спасибо, вы мне очень помогли.

— Я не про адрес! Уже слух про похищение покатился.

— А Юрий Гинзбург приехал на работу. Я бы в такой ситуации уже лежала с инфарктом.

Ксю кашлянула.

— В шоу огромные бабки заряжены. Девочка небось с мальчиком удрала. Они теперь молодые, да ранние. Надумаешь свою Сашу толкать, приходи.

Рация снова запищала. Ксения схватилась за нее и, забыв со мной попрощаться, пошла по коридору, ее голос, отчитывающий очередного сотрудника, потонул в общем шуме. Я пошла на выход. Как поведет себя обычный отец, у которого украли десятилетнюю дочь? Даже если папаша не очень любит ребенка, он будет нервничать, а Юрий Гинзбург благополучно прибыл на совещание.

Глава 9

Москва давным-давно превратилась в государство. Я часто бываю во Франции и знаю о трудностях, подстерегающих парижанку, которая вышла замуж за парня из Нормандии, но все же нечто общее между Парижем и провинцией есть, а в столице России, перемещаясь с юго-запада на северо-восток, вы окажетесь в совершенно другой среде обитания. В Северном Бутове одни обычаи, в Солнцеве — другие, в Орехово-Борисове — третьи. Даже одеваются люди по-разному, и подчас в Москве можно обнаружить невероятные места.

Бромская улица оказалась пустырем. Сначала я долго искала съезд со МКАД, потом очутилась в промзоне, которая протянулась на несколько кило-метров, затем попала на шоссе, по обе стороны кото-рого высились серые бетонные заборы, разрисован-ные неприличными надписями, и в конце концов вырулила на четырехугольный пустырь, в правом углу которого сиротливо маячила автобусная остановка.

Я вышла из «букашки» и прочитала на табличке, висевшей на столбе: «Улица Бромская». Вокруг не было ни души, лишь три бродячие собаки с интере-сом наблюдали за мной. Я снова села за руль, пере-секла на машине вытоптанную площадку, увидела овраги, за ними желто-серую четырехэтажку, а еще дальше целый квартал блочных башен.

Минут пятнадцать ушло на то, чтобы сообразить, каким образом можно подъехать к зданию. В конце концов я оставила машину, пешком преодолела глубокую канаву и с огромной радостью обнаружи-ла на стене дома нарисованную черной краской цифру «6». Оставалось лишь удивляться, куда поде-вались первые пять домов.

Шестая квартира была на втором этаже, я нажа-ла на звонок, послушала, как за дверью весело раз-ливается «соловьиная» трель, и, вспомнив слова Ксю о любви Светланы к выпивке, решила повто-рить попытку, подняла руку и тут заметила на кося-ке странные темно-красные куски, похожие на пла-стилин. К ним прилип клочок бумажки. Я потрога-ла пальцем комочки и позвонила в соседнюю дверь. Та моментально отворилась, появилась девушка лет двадцати с вытравленными добела волосами.

— Че надо? — без всякой агрессии спросила она.
— Вы не знаете, где ваша соседка?
— Которая? — уточнила хозяйка.
— Светлана Лукашина.
— Она померла! — равнодушно сообщила девица.
— Когда? — ахнула я.

— Вчерась, — пожала плечами блондинка, — а че?

— Лукашина должна мне денег и...

— Тю! Она бухала, — радостно выпалила красавица. — То приличная ходит, то ужратая! Столкнешься в подъезде — не поздоровкается, глаза стеклянные! А еще она тут позавчера у окна наблевала, и ее Танька шваброй охреначила! Может, от побоев и померла! Позвонок ей Танька сломала!

Дверь квартиры, расположенной напротив, распахнулась и с глухим стуком ударилась о стену.

— Сволочь! — заорала толстая баба в слишком коротком и тесном ситцевом халате. — Сука! Не смей брехать. Вот Мишка вернется, он тебе, Ленк, язык выдернет!

— Тю! Танька! — не испугалась Лена. — У глазка караулишь? На лестницу пялишься?

— А че? Место куплено?

— Хоть обзырься, ничего интересного не увидишь! — застрекотала Таня. — Лучше за Мишкой присматривай! Он к Аське из двенадцатой шастает!

— Брехня!

— Вот те крест!

— Врешь!

— Ха! Откудова у Аськи новые туфли? Твой Мишка припер! И драку я видела! Светку рвало у подоконника, а ты высунулась со шваброй и как хренакнешь ее!

— Сама у глазка днями стоишь, — предприняла ответную атаку Таня, — ну вышла я, поддала ей! А кто тут лестницу шкрябает? Я! Остальным по барабану, насрут и пройдут! У нас в деревне и то чище!

— Чего ж ты в Москву приперла! Сидела бы у себя в Зажопье, — завизжала Лена.

— Гадина, — потрясла кулаком Таня.

— ...! — не осталась в долгу Лена.

— ...! — ответила Татьяна.

— ...! — отбила Лена.

— Дамы, спокойно, — приказала я.

— Да пошла ты, — в запале рявкнула Таня, — не стой под стрелой, по башке получишь.

— Полковник Дарья Васильева! — гаркнула я. — Московский уголовный розыск. Или замолчите, или обеих в обезьянник устрою, с комфортом!

— Ой! — пискнула Таня.

— Б...! — вырвалось у Лены. — Извините, я не нарочно! Не в ваш адрес говорено, просто так, в воздух.

— Надеюсь, вы прекратите ругаться и ответите на мои вопросы, — сурово сказала я.

На губах Тани появилась заискивающая улыбка.

— Мы дружим!

— Ага, — подтвердила Лена, — очень даже друг друга любим.

— Я заметила! А главное, услышала ваш обмен любезностями.

— По-соседски веселимся, — заявила Таня, — шуткуем. Правда, Лена?

— Точняк, — подтвердила та. — Поорем для тонуса и чай пить сядем. Нас ваще водой не разольешь.

— Отлично. Когда вы видели Светлану в последний раз? — приступила я к допросу.

— Позавчера, — бойко сообщила Ленка, — я мимо двери случайно шла, услыхала шум, в глазок торкнулась — Танька Лукашину шваброй хреначит!

— Да нет у меня швабры, — залепетала Таня. — Вот вы полковник...

Я кивком ее поощрила.

— Но ведь и баба! — продолжала Таня. — Скажите по-женски! Обидно ж, когда вымоешь, уберешь, а кто-то возьмет и нагадит! Я лестницу мою, очень грязь не люблю. Тока отскребла плитку, гляжу, Светка блюет! Ну не удержалась, отходила ее веником! Наркоманка хренова. Но ей ничего не сделалось, уползла к себе, слова не сказала.

— Почему наркоманка? — удивилась я.

— Алкоголем от нее не пахло, — пояснила Таня, — а вид безумный! Глаза выкатила, пена на губах, корчится. Фу! Обдолбанная по полной программе. Но она живая ушла! Чего от веника будет, он мягкий! Даже синяка не получится. А вчера вечером менты приперли! Их эта вызвала! Из четвертой квартиры!

— Килькина, — влезла Ленка.

— Учительница, — дополнила Таня, на лице которой появилось выражение кошки, обнаружившей в своей мисочке вместо жирных свежих сливок вчерашнюю чайную заварку.

— А кто сорвал печать? — спросила я.

— Чего-о? — в унисон протянули скандалистки.

— Милиция опечатала дверь, видите темно-красные следы и обрывок бумаги?

— Не я! — завопила Лена.

— И не я, — подхватила Таня. — Могу точно сказать: Ленка ни при чем! Она сегодня не высовывалась! Они позавчера около семи вечера как уехали с Муратом на дачу, так и вернулись вчера совсем ночью! Мурат у ней небось до сих пор в спальне сидит!

Лена покраснела.

— Ну и че? Мы бессемейные! И ваще...

— Лучше скажите соседке «спасибо», — купировала я начинающийся скандал, — она обеспечила вам алиби.

— Ага, — растерялась Ленка, — ваще-то... Мурат... он там... дрыхнет... устал... его трудно разбудить...

— Ухайдокала парня, — заржала Таня, — заезди-
ла до отключки!

— Скажешь тоже, — кокетливо сверкнула глазами Лена, — мы на даче устали!

— Во-во, — продолжала веселиться Таня, — и я
про усталость!

— Раз Лена не выходила, значит, печать сорвали
вы! — заявила я Татьяне. — Зачем полезли в квартиру покойной? Цель какая? Воровство?

Таня разинула рот.

— Она честная, — Лена неожиданно встала на
защиту соседки, — подсматривать любит, подслу-
шивать, всем сплетни расскажет, но стырить ничего
не способная! Таньке весь подъезд ключи оставляет,
когда в отпуск отваливают, цветы полить, газ проверить, все знают: она и щепки не возьмет. За фигом
ей к Светке переть? Там брать нечего! У Лукашиной
все на бухалово уходило, бедно жила.

— И врала много, — добавила Таня, — говорила,
на телике работает! Разве там такие есть? Тележлюди
все в золоте и брюликах! У них машины, и жить они
тут не станут!

— Светка Аське из двенадцатой пропуск на программу давала, — вдруг вспомнила Лена, — и провела ее через служебный ход.

— Ну, может, и работала в телецентре, — согласилась Таня, — уборщицей!

— Аська говорит, у Лукашиной рация была, и
она...

— Если вы не трогали печать, то кто ее сорвал? —
Я вернула балаболок к интересующей меня теме.

Таня и Лена переглянулись, первая молча ткнула в дверь с номером «4» и шепотом сказала:

— Может, она? Наталья Петровна?

Лена закивала.

— Очень уж она хорошая! Такая и спереть может! Идет иногда со своей внучкой и зудит: «Надо слушать маму и бабушку, выпрями спину, не шаркай ногами». Зануда.

— Правильная! — уточнила Таня.

— Зануда! — повторила Лена.

— Вечно умничает!

— Книги в библиотеке берет!

— Вежливая! Даже плюнуть в нее хочется, — шипела Лена, — прям не понимаю, как с такой разговаривать! Встретишь, она и давай гундеть: «Леночка, как вы замечательно выглядите! И беленькая кофточка вам к лицу!»

— Чистый сироп, — каркнула Таня.

— Может, Нинины дети печать содрали? — предположила Лена. — Неслись по лестнице и сдернули!

— Лен! — заорали из квартиры. — Чаю поставь!

— Мурат проснулся, — хихикнула Лена и скрылась в квартире.

— Во до чего одинокая жизнь довести может, — делано пригорюнилась Таня. — У этого Мурата баб как у нас тараканов. А Ленка верит, что она единственная. Жаль ее, хоть дура и неряха, но не противная, не завистливая, не то что Нинка из пятнадцатой, та, если у кого новые туфли увидит, — позеленеет вся! Извиняйте, я пойду мужу жрачку готовить!

Татьяна захлопнула дверь, я постояла мгновение, потом присела и подняла коврик у квартиры Лукашиной. Так и есть, некоторые людские привычки неискоренимы. Москвичи устанавливают бронированные двери, вешают камеры слежения, нанимают охрану, но по-прежнему кладут ключи под тряпку, о которую вытирают ноги!

Замок у Лукашиной был простенький, я легко повернула ключ и вошла в крохотную прихожую. Слева висела деревянная палка с крючками, на одном болтались старый бежевый тренч и древний шелковый платок. Дальше стоял небольшой холодильник. Размер его без слов сообщил о личной жизни Светы — у нее явно не было ни семьи, ни постоянного любовника. Если к вам часто заглядывает мужчина, придется ему готовить хоть какую-то еду, а в крохотный холодильник не влезет ни одна кастрюля.

Я распахнула дверцу и обнаружила на двух маленьких полочках стакан йогурта, бутылку кефира, три сосиски и несколько пластиковых контейнеров. В одном, к моему огромному удивлению, лежал кусок вполне свежей осетрины, во втором — граммов сто черной икры. Еще я увидела мешочек с черешней, давно сошедшей и поэтому недешевой, и несколько бутылочек натурального сока: апельсиновый и клубничный. Может, Светлана и была нищей, но на питании она не экономила. Ценники, приклеенные к пластиковым бутылочкам, поведали, где Лукашина покупала продукты: супермаркет «Рай еды»[1], один из самых пафосных и дорогих гастрономов столицы. 250 миллилитров выжимки из цитрусовых стоили там пятьсот рублей, а клубничный нектар того же объема зашкаливал за тысячу!

Я взяла стаканчик с йогуртом и удивилась: он был приобретен в «Гривеннике»[1], одном из самых дешевых супермаркетов. «Гривенник» постоянно ругают за товары низкого качества, но народ все равно его посещает. Однако странно! Получается, что Света одновременно ходила в две лавки: невероятно дорогую и очень дешевую. В «Рае еды» закупала соки, осетрину, черную икру и черешню, а в «Гривеннике» затаривалась йогуртом, кефиром и сосисками. Но если ты испытываешь финансовые трудно-

---

[1] Названия придуманы автором. Все совпадения случайны.

сти, зачем брать готовый сок? Легче купить фрукты и самой выдавить из них сок! Везде продаются соковыжималки на любой кошелек, и большинство из них вполне доступны.

Еще одна странность поджидала меня в ванной. Там на бачке унитаза стоял рулон туалетной бумаги самого плохого качества. Я пощупала пипифакс: да уж, следующий по жесткости — только наждак! Зато на держателе красуется нежно-розовая, трехслойная «катушка» с запахом персика. Не время, конечно, обсуждать вопрос, зачем ароматизировать то, что отправится в канализацию, но к чему Свете два варианта бумаги, и опять — самый дешевый и вызывающе дорогой? Кстати, купленный в том же «Гривеннике» рулон измотали больше чем наполовину, а персиковое безумие осталось почти целым. Шампунь, гель для душа, зубная паста и мыло удивления у меня не вызвали: простые, недорогие средства.

Глава 10

Комнат оказалось две. Одна выглядела обжитой, хоть и обставленной старой мебелью, но уютной. Похоже, Светлана испытывала большие финансовые трудности, у нее даже не было современного телевизора, на тумбочке высился двадцатилетней давности ящик.

В маленькой спальне стояли небольшой диван, письменный стол и кресло — все новое, купленное, похоже, не более месяца назад. Но постельные принадлежности, плед и даже занавески отсутствовали.

Я вернулась в большую комнату, села на продавленный диван, потом встала и отправилась на кухню. Первое, на чем задержался взгляд, была большая коробка с пиццей. Я открыла крышку. Кто-то съел несколько кусков, а на мойке обнаружились две вымытые тарелки и пара чистых чашек... Здесь явно ужинали двое.

Меня заколотило в ознобе. Сразу вспомнилась страничка из рукописи. Светлана Лукашина побежала купить Владимиру Мерзкому пиццу, она хотела таким образом продемонстрировать свою любовь к убийце Вари. Просто бред! Ни один нормальный человек в это не поверит. Но я сейчас нахожусь в квартире Светланы Лукашиной и вижу коробку, к крышке которой степлером прикреплен чек.

Я осторожно открепила бумажку и сунула в сумку. Неужели графоман и впрямь решил воплотить свой детективный шедевр в жизнь? Он прислал мне отрывок из рукописи... последняя фраза там была про кассиршу из пиццерии... Что она сказала Светлане? Надо узнать, где тут поблизости торгуют фастфудом, найти кассиршу и поговорить с ней. Похоже, я имею дело с психом. Он играет со мной, как кошка с мышкой! Мстит госпоже Васильевой за то, что та, являясь председателем жюри, не приказала присудить награду автору гениальной книги «Десять негритят»!

Я вскочила на ноги. Хватит сидеть, надо действовать! Для начала нужно снова переговорить со всеми соседками, которые обожают смотреть в глазок.

Татьяна распахнула дверь и улыбнулась мне, как старой знакомой.

— Че? Потрепались с Килькиной? Это она бумажку содрала?

— Немедленно расскажите все, что знаете, — рявкнула я.

— Не люблю про соседей сплетничать, — закатила глаза Таня, — и не уверена, лично не наблюдала... просто... ну почудилось!

— Начинай, — приказала я.

Таня вытерла руки о фартук.

— Может, зайдете? Только туфли скиньте, я на грязь нервная.

Крохотная кухня сияла удивительной чистотой, наверное, Таня с утра до ночи ходит по квартире с тряпкой и у нее явно нет домашних животных. Не успела последняя мысль прийти в голову, как из комнаты с громким мяуканьем вышла кошка-сфинкс, одетая в вязаную кофточку.

— Какая красавица! — воскликнула я. — Похожа на инопланетянку.

Таня подхватила киску и положила ее воротником себе на шею.

— Это моя доченька, — с гордостью сказала она. — Маркиза, победительница конкурсов, умница, вот только мерзнет все время, а летом, если солнце сильно печет, ее надо кремом от загара мазать.

— Давайте вспомним сегодняшнее утро, — велела я.

Татьяна стала гладить голову Маркизы.

— Встали мы поздно, вчера на выставке до вечера проколготились, котят всех продали. Повезло, влет весь помет ушел. Миша, муж мой, правда, сегодня с утра на рыбалку подался, у него работа сменная, три дня через три. А я до десяти провалялась. Пошла в туалет, слышу скрип Светкиной двери, она у нее такой звук издает, противный. Ну и посмотрела для порядка в глазок. Никого постороннего не увидела, только Килькина свою дверь открывала. Ну и запало мне сомнение: небось Наталья Петровна к Лукашиной шастала. Зачем? Ума не приложу! Может, это совпадение просто, да только дверь Светкина скрипела. Но не пойман — не вор.

— Как вы узнали, что Света умерла?

Таня заморгала.

— Просто! Менты вчера приехали, зашумели, у

нас здесь двери и стены картонные, расселить давно обещают, другие дома снесли, а наш никак. Я еще очень удивилась, когда Светка сюда въехала, здание идет под снос, прописаться здесь невозможно.

— Почему? — спросила я.

Таня с удивлением посмотрела на меня.

— Не понимаете? Жильцам должны квартиры хорошие дать, меньшую площадь не имеют права предложить! Если даже на одну у вас было сто метров, то и поселят в таких же хоромах. У нас тут кое-кто развелся, теперь по две фатерки загребут, шельмы! И никакие операции с недвижимостью в домах под снос производить нельзя, а Светка сюда два года назад попала, когда уже все решения по дому были приняты. Ленка болтала, что у Лукашиной любовник богатый, видела она Светку в центре, в дорогом ресторане, но, думаю, перепутала. Кому пьяница нужна... Хотя...

Таня сняла кошку с шеи и положила ее на полукруглый диванчик.

— Мне-то кажется, что Светка не пила. Не пахло от нее, хотя порой невменяемая делалась. Наверное, не бухала, а кололась! Вот жизнь какая штука! Я вчера Светку живой видела и здоровой, а теперь она померла. Жуть берет, когда понимаешь — мы на нитке у Бога висим.

— Вы вчера видели Лукашину? Когда? — уточнила я.

— Ага, — закивала Таня. — Мы с Мишкой с утра подались на выставку, в семь уехали, чтобы место хорошее занять! Котят отлично продали, «розетку» получили, я прям от радости чуть не заплакала, да, видать, рано радоваться-то было...

Я внимательно слушала рассказ.

Пока Таня собирала кошку домой, складывала вольер, миски, поводки и прочее, Миша куда-то исчез. Она стала искать мужа и обнаружила того пьяным в кафе у входа.

— Идиот! — налетела Татьяна на супруга. — Кретин! Как теперь машину поведешь?

— Отстань, — лениво ответил мужик, но Таня не успокаивалась, возмущалась, топала ногами и в конце концов побежала нанимать такси. До автомобиля Миша дошел спокойно, мирно доехал до дома, а потом заартачился. Хорошо, шофер попался жалостливый, помог Тане вытащить хозяина. С огромным трудом она дотянула Михаила до скамеечки, он сел на нее и категорически отказался двигаться. Добрых четверть часа Таня уговаривала его, а потом Миша ударил жену кулаком в лицо.

Таня очень близорукая. Когда она упала, потеряла линзы. Мир моментально утратил четкие очертания, вместо людей возникли разноцветные пятна. Танечка схватила перевозку с кошкой, ощупью добралась до подъезда, поковыляла по лестнице вверх и едва не столкнулась со Светой, бежавшей вниз.

— Как вы узнали Свету? — удивилась я.

— У ней платье есть, — пояснила Таня, — желтое с черным, цвет вырвиглаз. Лица мне сослепу было не разобрать, а одежду легко. Ни у кого из наших такого прикида нет, ну я и спросила, куда, мол, несешься?

Света хрипло ответила Тане:

— За пиццей.

— Че у тебя с голосом? — спросила соседка.

— Простыла, — кашлянула Лукашина.

— Слушай, — обрадовалась Таня, — ты небось в микрорайон побежишь?

— Угу.

— Купи мне линзы, — попросила Татьяна, — понимаешь, Мишка...

Узнав о неприятности, Света коротко пообещала:

— Хорошо, — а потом вдруг добавила: — я гостя жду, Володю, он пиццу обожает. Хочу ему приятное сделать, мерзавцу!

Спустя короткое время Лукашина принесла Тане коробочку с линзами и ушла к себе. Потом со двора поднялся слегка протрезвевший Михаил, супруги затеяли свару и прекратили лаяться лишь в тот момент, когда с лестницы раздался грохот. Таня глянула в глазок и обомлела. Из квартиры Светы двое парней самого мрачного вида вытаскивали носилки с черным мешком.

— Во как, — испуганно твердила Таня, — пару часов назад здоровая была, пиццу есть собиралась, а потом... тушите свечи.

— Вы не обратили случайно внимания, не приходил к Лукашиной мужчина?

Таня помотала головой.

— Мы с Мишкой отношения выясняли, не до соседей было.

— Спасибо, — кивнула я, — пойду к Лене.

— Они с Муратом на рынок поехали, — отрапортовала Таня, — с кошелкой вышли, а потом его «Жигули» под окном закряхтели. Раньше восьми назад не припрут.

— А Наталья Петровна у себя?

— Утром в аптеку шастала, — отчиталась Таня, — не в нашу, к метро. У ней гипертония, наверное, врач чего нового прописал.

Я заморгала.

— Танечка, каким образом вы вычислили, где Килькина отоварилась медикаментами?

Женщина засмеялась.

— А пакетик? Если чуть вперед пройти, там третий микрорайон будет, в нем аптека есть, называется

«Про»[1], они покупки в мешочки кладут, ярко-красные с синими буквами. Наши все в микрорайон бегают, близко, а к метро надо на автобусе катить, он по расписанию ходит, раз в час. Неудобно же! И у подземки все дороже: хлеб, газеты, аспирин. Но Наталья Петровна вернулась с желтым пакетом! А такие в аптеке «Цито»[1] дают. Раз она туда намылилась, значит, ей новые таблетки выписали, которых в «Про» нет!

— Здорово, — с восхищением воскликнула я, — вы можете работать следователем.

Татьяна засмеялась.

— Ну уж нет, нас и тут неплохо кормят! Я и еще кой-чего заметила. Наталья продуктов приволокла, дорогих! Пакетик был из «Рая еды», может, она гостей ждет! Наверное, внучку ей привезут. Такая шебутная девка, как появится, у меня стены дрожат, носится и мячом по ним колотит! Вот, жду неприятностей! Раз соседка жрачкой запаслась, ща девочка появится. Хотя она ей раньше деликатесов не брала.

Попрощавшись с чрезмерно любопытной бабой, я вновь очутилась на лестничной клетке и позвонила в дверь к Килькиной.

— Бегу, бегу, — донеслось из квартиры, створка открылась, и я невольно вздрогнула.

Из темного коридора выглядывала директриса из моей школы, Анна Николаевна, которую маленькая Дашенька в свое время боялась до икоты.

— Ой, — помимо воли сказала я, — здрасти.

— Добрый день, — хорошо поставленным голосом ответила дама, и наваждение исчезло. Мне стало понятно, что она лишь похожа на строгую Анну Николаевну. Те же седые высоко зачесанные воло-

---

[1] Названия придуманы автором. Все совпадения случайны. (*Прим. авт.*)

сы, холодные карие глаза, тонкие губы, прямой нос, та же светлая кофточка, заколотая под воротничком брошкой-камеей, юбка до середины икры...

— Вы ко мне? — осведомилась дама.

Я откашлялась.

— Полковник Дарья Васильева, Московский уголовный розыск. Килькина Наталья Петровна?

Учительница быстро поправила прическу и приложила палец к губам.

— Пожалуйста, тише, у меня внук заболел! Температура за сорок подскочила, я думала, врач пришла. В чем дело?

Я удивилась: вроде соседка говорила о внучке, но, может, есть еще и внук?

— У вас была соседка, Светлана Лукашина. Что вы можете о ней рассказать?

Наталья Петровна моргнула.

— Ничего. Мы не общались.

— Совсем?

— Практически нет, здоровались при встрече, но слова «добрый день» вряд ли можно считать дружеской беседой, — пояснила Наталья Петровна.

— Говорят, она крепко пила.

— Не замечала, — равнодушно ответила Килькина, — достаточно приветливая особа, выглядела аккуратно. Мне некогда следить за соседями, я очень занята.

— Вы жили на одной площадке, — не успокаивалась я.

— Верно, — согласилась учительница, — извините, я не приглашаю вас в дом, ребенок спит. И потом, откровенно говоря, я не знаю, какую инфекцию он подцепил, может быть, что-то заразное.

— Меня не смущает беседа на лестнице, — улыбнулась я.

Наталья Петровна вышла из квартиры и прикрыла дверь.

— Право, это неучтиво, но, принимая в расчет обстоятельства, придется тут беседовать. Спрашивайте, мой племянник юрист, я отлично понимаю, насколько важны показания свидетелей, вот только настоящим свидетелем меня назвать трудно!

— Как вы узнали о смерти Светланы?

— Услышала шум на лестнице — у нас двери и стены чересчур тонкие, — почти дословно повторила слова Татьяны Килькина. — Не в обиду вам будет сказано, милиция излишне шумела. Хорошо, хоть дверь Лукашиной не вышибли, хотя ей теперь это уже без разницы! Бедная девочка!

— Девочка? — переспросила я.

— Светлана совсем юная, — сказала Наталья Петровна, — она плохо выглядела, но я работаю в основном с молодыми людьми и поняла, что ей около тридцати, никак не больше!

— Хорош ребенок, — хмыкнула я.

Килькина сложила руки на груди.

— В мои семьдесят любой человек моложе сорока кажется ребенком.

— Вы замечательно выглядите, — отметила я.

Учительница выпрямилась.

— Слежу за собой, утром бегаю по пустырю, обливаюсь холодной водой, а главное, не допускаю в сознание мрачных, депрессивных мыслей, они старят хуже прожитых лет. Я и детей этому учу — думай о людях хорошо, и они к тебе отнесутся так же, прогнозируй благополучный исход любого предприятия, и дело завершится удачно.

— Мне нравится ваш оптимизм, но вернемся к Лукашиной. Вы не общались?

— Нет.

— Никаких подробностей о ней не расскажете?

— Рада бы помочь, но не владею информацией.

— Неужели Света ни разу к вам не заглянула?

— Зачем?

— Соли одолжить, сахара, денег?

— Нет, такого не случалось, — развела руками Наталья Петровна, — ни она ко мне, ни я к ней не заходила.

— Вы в курсе, где Лукашина держала ключи от двери?

Килькина растерялась.

— Наверное, в сумке, — предположила она.

— Вас видели выходящей из ее квартиры, — откровенно обвинила я учительницу.

— Невероятно, — спокойно ответила Килькина. — Думаю, ваш информатор ошибся. Позовите этого человека сюда, пусть при мне повторит сию глупость!

— А кто сорвал печать с двери?

— Даже предположить не могу, — склонила голову набок Наталья Петровна.

— Не вы?

— Конечно, нет, — засмеялась пожилая дама. — Какой мне смысл? Уж не подозреваете ли вы меня в воровстве? Кстати, у Светланы взять было нечего, вопиющая бедность! Девочка даже не имела приличного телевизора!

— А откуда вы видете? Вы же не общались!

— Однажды, довольно давно, я заглядывала к Свете — мне по ошибке прислали ее счета. А насчет печати... право... неудобно... не хочу никого обвинять... поймите меня правильно. В подъезде полно детей, кто-то, наверное, пошалил. Школьники не подозревали, что совершают преступление, может... это элементарное баловство. Разрешите дать вам совет?

— С удовольствием приму, — сказала я.

— Не надо ловить ведьм, — вздохнула Наталья Петровна. — Трудно поймать черную кошку в темной комнате, в особенности если она там отсутствует. Наклейте новую бумажку, и дело с концом! Простите, бога ради, у меня курица варится, хочу внука бульоном накормить. Если у вас все, я пойду?

— Большое спасибо за помощь, — сказала я, и Наталья Петровна быстро исчезла за дверью.

Очутившись на улице, я расправила чек, открепленный от коробки с пиццей. Как знать — может, это тоненькая ниточка, за которую стоит потянуть? На клочке бумаги достаточное количество информации. Для начала здесь есть название «ООО «Хитохлеб»[1], а еще указано время, когда касса пробила чек — 17.00. Будем надеяться, что кассирша запомнила женщину, которая купила «Четыре сыра» на вынос. Может, Светлана ей что-нибудь рассказала? Слабая надежда, но других зацепок у меня нет. Хотя кто-то ведь занимается делом об убийстве Лукашиной? И мне совсем не помешает пообщаться с этим человеком.

Я вынула телефон, набрала 02 и стала слушать бесконечные гудки. На двадцатом из аппарата понеслось частое пиканье. Я повторила попытку раз, другой, третий, потом обозлилась. Вот здорово, все операторы заняты, а если сейчас ко мне приближается громила с ножом? Без шансов быстро получить помощь от милиции! Между прочим, почти во всех американских детективных сериалах есть такая сцена: человек просыпается в своей спальне на втором этаже, слышит шум на первом, набирает «911», мгновенно слышит ответ, заявляет о грабителе, тут дверная ручка медленно поворачивается, дверь рас-

_____
[1] Название придумано автором, все совпадения случайны. (*Прим. авт.*)

пахивается, появляется черная фигура, но... Со двора доносится громкий рев сирены — это примчались американские полицейские, горящие желанием спасти законопослушного налогоплательщика! Интересно, это преувеличение киношников или в США и впрямь столь замечательно работает служба спасения?

Глава 11

— Милиция, говорите, — сухо произнес женский голос.

— Здравствуйте, я проживаю на Бромской улице, дом шесть, в какое отделение могу обратиться?

— Что случилось?

— У нас было совершено убийство, а я вспомнила...

— Соединяю, — перебила меня оператор, и через секунду я услышала грубый мужской голос: — Дежурный Ермаков слушает.

— Здравствуйте! С кем можно побеседовать о происшествии на Бромской, в доме шесть, в квартире шесть?

— Что у вас?

— Убили соседку.

— Имя, фамилия.

— Светлана Лукашина.

— Отчество? Прописка постоянная?

— Не знаю! — растерялась я.

— Не волнуйтесь, гражданка, — неожиданно приветливо сказал Ермаков, — ничего там не трогайте, не цапайте, лучше ваще выйдите и стойте на лестнице тихо...

— Ее убили вчера, милиция уже приезжала!

— Так в чем дело?

— Я свидетель, хочу дать показания.

— Ясненько, — перебил меня дежурный, — вас непременно вызовут.

— Мне надо сегодня! Скажите, к кому подойти.

— Ща, — протянул Ермаков, зашелестел бумагами, потом глухо сказал: — Слышь, Петь, тута свидетельница трезвонит. По Бромской, куда? Ясно. Гражданочка!

— Я здесь.

— Вам надо к Петру Сергеевичу Комарову, кабинет пятнадцать.

— Уже лечу, скажите ваш адрес.

— Третий микрорайон, корпус восемь, — отрапортовал дежурный.

Комарову на первый взгляд было лет сто. Его маленькие глазки прятались в опухших веках, щеки оплывали вниз, а количество подбородков было невозможно сосчитать: с каждым движением Петра Сергеевича число складок под нижней челюстью изменялось.

— Садитесь, гражданочка, — прохрипел он, — чего стряслось?

Я обворожительно улыбнулась.

— Разрешите представиться, Дарья Васильева, продюсер, работаю на телевидении.

В глазах Комарова мелькнула тень беспокойства.

— Жалобу кто-то накатал? — нервно спросил он.

— Нет, нет, — успокоила я пожилого капитана. — Вы ведете дело об убийстве нашей сотрудницы Светланы Лукашиной. Хочется узнать, как продвигается работа, может, вам чем помочь?

Петр Сергеевич с тоской покосился на запертый шкаф, громоздившийся в простенке.

— Ошибаетесь, гражданка Васильева, нет у нас дела Лукашиной.

— Как? — поразилась я.

Комаров тяжело вздохнул.

— Не возбуждено!

— Но ее убили!

— От кого ж у вас такие сведения?

Я замялась.

— Молодая женщина ни с того ни с сего не умрет.

— Случается, — грустно заявил Комаров.

— Но в ее квартиру приезжала милиция.

— Верно.

— И кто ее вызвал?

Комаров засопел.

— Гражданин, — наконец сказал он, — с автомата сообщил, от метро, он не назвался. А мы обязаны реагировать, поэтому поехали!

— И нашли труп!

Петр Сергеевич откашлялся.

— Кто сказал?

— Соседи, — ляпнула я.

— От бабье, — в сердцах воскликнул Комаров. — Жива ваша Лукашина.

— Как жива? — растерялась я.

— Ну, так случилось, — решил не уточнять капитан. — Ее по «Скорой» забрали, а мы уехали.

— И дверь опечатали?

— Нет, просто захлопнули, — помотал головой Комаров. — Нашего интереса не было, и на криминал не походило, ей плохо стало, рвало сильно, но непохоже, что она выпивкой траванулась.

— Почему? — насела я на мента.

— Послужите с мое, — грустно заметил капитан. — Непьющая она.

— Почему вы так думаете? Знаете, Света работу пропускала, потом приходила бледная, руки трясутся...

— От бабье! Говорю же, не употребляла она.

— Вы дружили с Лукашиной?

— Откуда? Не видел ее ни разу.

— Тогда почему вы так уверены, что она не пила?

Комаров встал, отпер сейф, вынул из него бутылку минералки, с наслаждением опустошил емкость, снова сел за стол, пригладил остатки волос и ответил:

— Видел я квартиры алкоголиков, не такие они! А у Лукашиной чисто! Болезнь ее скрутила. На двери у ней и до нас какая-то грязь висела, но это не печать, вроде дети пластилин намазали.

— В какую больницу отправили Свету?

Петр Сергеевич нахмурился.

— По справке узнайте!

— Пожалуйста, помогите, — взмолилась я.

Комаров тяжело вздохнул и взял телефон. Через пару минут он добыл нужные сведения и поделился ими со мной.

— Клиника имени Строкова, третий микрорайон, дом пятнадцать, это тут, рядом.

— Огромное спасибо.

— Рад помочь, — неожиданно улыбнулся Петр Сергеевич, и мне вдруг стало понятно — он не вредный, не противный, а просто бесконечно усталый мент, ждущий пенсии. Уж не знаю, из каких соображений он пошел служить в милицию, имел ли, как Дегтярев, романтическое желание выкорчевать преступность с корнем, но никакой карьеры капитан не сделал и теперь хочет только одного: очутиться с удочкой на берегу реки, в тишине и покое.

— Вы обыскивали квартиру Лукашиной? — спросила я.

— Зачем? — поразился Петр Сергеевич. — Дверь слесарь аккуратно вскрыл, замок не повредил. Вошли беспрепятственно, заглянули в комнату, обнаружили хозяйку на диване. Обстановка не криминальная, вещи на месте, следов взлома нет, ниче не побито, не поломано, женщина без следов насилия. Вызвали «Скорую», врачи быстро приехали и увезли вашу Лукашину.

Выйдя из милиции, я села в машину, проехала пару кварталов, нашла клинику и обратилась в справочную.

— Лукашина? — переспросила бабушка в белом халате. — Ступайте на второй этаж, к Родиону Ильичу!

В ординаторской обнаружился только один паренек, весьма юного вида. Я, решив, что это медбрат, спросила:

— Где можно найти Родиона Ильича?

— Слушаю, — ответил мальчишка.

— Мне нужен врач Родион Ильич.

— Я и есть врач Родион Ильич, — без всякого нажима подтвердил юнец.

— Простите, но...

— Вам показать паспорт и диплом?

— Что вы, конечно нет, просто вы очень молодо выглядите, — некорректно высказалась я.

— Это инъекции гормонов обезьян, — не моргнув глазом, заявил доктор. — На самом деле мне восемьдесят пять лет.

— Замечательно. Я пришла узнать о состоянии здоровья Светланы Лукашиной.

Родион потерял улыбку.

— Вы Барсукова? Нина вам дозвонилась?

— Нет, меня зовут Даша Васильева, я коллега Светы, мы обеспокоены ее состоянием и...

— Она скончалась, — перебил меня Родион.

— Когда? — заорала я. — Почему? Кто такая Барсукова?

Парнишка выдвинул ящик стола и подал мне небольшую ламинированную карточку.

— Это было у Лукашиной в кармане платья, — сказал он.

Я быстро прочитала: «Лукашина Светлана Сергеевна, 2 июня 1979 года рождения, прописана по адресу: Бромская, дом 6, кв. 6. Диагноз — эпилепсия. Аллергия на анальгин. В случае смерти сообщить Барсуковой Тельме Генриховне, проживающей по улице Морской, дом 98, корп. 6, кв. 17». Далее шел телефонный номер.

— Эпилепсия, — прошептала я, — вот почему она иногда казалась пьяной.

Родион кивнул.

— Больные часто ощущают приближение припадка, стараются сесть, лечь, но иногда приступ происходит мгновенно. Спровоцировать его, в принципе, может что угодно: громкая речь, моргающий свет, стресс. При всей изученности эпилепсии в ней много непонятного.

— Наверное, Светлана принимала таблетки, — прошептала я.

— Да, естественно, — согласился Родион. — Похоже, у нее был продвинутый врач, вот эта туба тоже лежала в кармане.

Я взяла цилиндр.

— «Спастимигин»[1].

— Новое, очень дорогое средство, — вздохнул Родион, — у меня мачеха болеет, поэтому я в курсе специальных препаратов. Этот — последнего поколения. Знаете, сколько стоят четыре таблетки?

— Откуда? Конечно, нет.

— Двадцать пять тысяч рублей.

— Ничего себе!

— Говорят, хорошо помогает, — пожал плечами

---

[1] Название придумано автором, все совпадения случайны. (*Прим. авт.*)

Родион, — но, боюсь, мало найдется больных, способных приобрести эти пилюли. Правда, их хватает надолго. Нужно принимать по одной в неделю, соответственно, тут на месяц.

— А сколько надо выпить, чтобы выздороветь?

Родион искоса посмотрел на меня.

— Вылечиться невозможно, этот препарат помогает, пока вы его пьете, если прекратили — ждите припадка. Хотя, повторяю, я не специалист в области эпилепсии. Лукашину привезли в больницу, ей была оказана помощь в полном объеме, но она умерла час назад. Мне жаль, но поделать что-либо было невозможно. Будет вскрытие, но, думаю, ничего нового не выяснится. Хотя вы знаете все обстоятельства?

— Какие? — насторожилась я.

Роман кашлянул.

— После припадка больной может впасть в кому. Это бывает порой с эпилептиками. Обычный человек легко примет такого больного за труп, дыхания почти не слышно, пульс руками не прощупать. В общем, наши бравые менты, войдя в комнату, увидели на диване тело и живо поставили диагноз — смерть. Вместо того чтобы вызвать «Скорую помощь», кликнули перевозку, а там два санитара, не очень трезвые, им какая печаль? Схватили Лукашину, в мешок запаковали — и в морг, хорошо, прозектор сообразил, что женщина жива. Ее тут же к нам на этаж и подняли.

— В милиции мне участковый ни слова об этом не обронил! — возмутилась я.

— Ничего удивительного, — сказал Роман. — Кому охота дураком выглядеть! Хотя, повторяю, немедик может легко ошибиться. Милиция, конечно, нарушила правила, им следовало врача вызвать, а не труповозку. Но какой смысл сейчас воздух сотрясать? Хотя, если б ее раньше привезли, может, и удалось бы спасти.

— В пять часов Света купила пиццу, вернулась домой, потом к ней пришел гость, — вздохнула я, — и вдруг смерть!

— Вы ошибаетесь, — покачал головой Роман, — думаю, припадок у нее случился позапрошлой ночью, а в кому она впала около пяти-шести утра. В больницу Лукашину доставили поздно вечером, она целый день лежала без помощи.

— Нет, нет, Света ходила в пиццерию! Ее встретила соседка! И Лукашина была бодра и здорова после семнадцати!

— Маловероятно, — стоял на своем Роман, — есть некие физиологические признаки, позволяющие точно определить, что кома наступила рано утром.

Я в растерянности уставилась на врача, а потом прошептала:

— Такая молодая.

Родион вынул пачку сигарет, потом положил назад в карман.

— К сожалению, смерть не всегда приходит за стариками, — сказал он. — Тело можно будет скоро забрать, прозектор не задержит, у нас отличный специалист, выдадим вам все необходимые бумаги. Можете заниматься похоронами. У Риммы, старшей медсестры, есть телефон ритуальной службы, правда, платной, но цена божеская и в конторе у них порядок: один раз отдадите оговоренную сумму и больше никому и ничего не должны. Да, и вещи Лукашиной заберите. Галя! Галя!

В кабинет заглянула отчаянно рыжая девушка, почти подросток.

— Слушаю, Родион Ильич, — почтительно сказала она.

— Отведи... э...

— Дашу, — подсказала я.

— Отведи Дарью на склад и оформи там выдачу, — распорядился врач. — Простите, у меня профессорский обход.

Не успела я моргнуть, как удивительно юный профессор ящерицей выскользнул в коридор.

— Вы родственница Фоменко? — с плохо скрытой жалостью поинтересовалась Галя. — Ой, он такой прикольный был, мы его тут все полюбили.

— Нет, я знакомая Лукашиной.

Галя нахмурилась.

— Кого?

— Женщины, которую вчера привезли. С эпилепсией.

— Ах вот оно что! — протянула Галя. — Пойдемте, склад в другом корпусе.

— Понимаете, я не имею права забирать ее вещи.

— Почему? — удивилась медсестра. — Там ничего особенного: платье и туфли без каблука.

— Вы помните, во что были одеты больные при поступлении? — поразилась я.

Галя покачала головой.

— Нет, тут людей очень много, просто у нас неожиданно перерыв случился, я журнал мод листала. А там картинка: желтое платье с большими черными пуговицами и туфли такие же, цвета лимона, и застежки с пряжками. Мне понравилось, красивый комплект, и внизу написано: «Пример того, как плохо выглядят тщательно подобранные части гардероба. Магазин «Винс»[1] предлагает подобный набор по демократичной цене, но, надев платье и обувь в столь агрессивной гамме, вы не станете краше...»,

---

[1] Название придумано автором, все совпадения случайны. (*Прим. авт.*)

ну и дальше. А я думаю: надо в этот «Винс» смотаться и купить, мне как раз все ну прямо очень понравилось. А тут из приемного заорали, я побежала — смотрю, тетка лежит, ну прям иллюстрация из журнала: те же платье и туфли. Я еще обрадовалась, сейчас, думаю, пощупаю и пойму: хороший материал или тряпка. Честно сказать, на картинке оно лучше смотрелось! Да так всегда и бывает... Кстати, белья на ней не было! Ни лифчика, ни трусиков! Немного странно, да? Так вы будете вещи забирать?

— Нет, — решительно ответила я, — от чего умерла Лукашина?

Галя замялась.

— Это к врачу, мое дело пятое, я здесь практикантка.

— Вы Светлану видели?

— Я ее раздевала, — кивнула Галя, — очень аккуратно, хоть Наташка и ругалась!

— Наташка?

— Медсестра, — пояснила Галя, — сунула мне ножницы и говорит: «Режь, не мучайся». Но ведь вещи денег стоят, человек выздоровеет, захочет надеть, а платья нет. Вот я и постаралась, стянула платье целым.

— Молодец, — похвалила я Галю, — раньше средний медицинский персонал называли «сестра милосердия», вот ты и продемонстрировала доброе сердце.

Девушка улыбнулась.

— Да уж! Тут такой народ! А Лукашина вам кто?

— Коллега.

— Ну тогда еще ничего, — по-старушечьи подперла щеку кулаком Галя. — Хотите совет? Если вам плохо станет, куда угодно ложитесь, только не сюда!

— Плохая клиника?

Галя оглянулась на дверь и зашептала:

— Бардак! Хирурги хорошие, и реанимация ничего, да только потом человека на этаж спускают, а там! В воскресенье Федор Семенович выпивши на смену пришел, перепутал больных, Сергеева и Семенова, назначил им лекарства. Сергееву — семеновские и наоборот, хорошо, Аська заметила! А ваша Лукашина? Ее ваще в коридоре оставили, потому что Родион Ильич с Мариной слишком заняты были. Ой, да чего там! Значит, вещи не возьмете? Меня ругать будут, что не отдала!

Я вытащила из сумки визитку.

— Здесь мои телефоны. Если в течение двух дней никто из друзей или родственников Лукашиной не объявится, позвони мне.

— Хорошо, — закивала Галя.

— На теле Светланы, когда ты ее раздела, не было синяков, ссадин, ушибов, ранений?

— Не-а, — замотала головой медсестра.

— Точно?

— Стопудово, — заверила девушка. — Ничего особенного.

— И Лукашина ничего не говорила?

— Ни слова, да ей так плохо было! Не до разговоров, когда трупом лежишь, — ответила Галина.

Номер Барсуковой я набрала сразу после разговора с Галей, но Тельма Генриховна не торопилась снять трубку: может, ушла на работу, может, еще куда. Я сунула телефон в карман, потом снова вытащила его и соединилась со справочной. Через пару минут у меня уже был адрес фирмы «Хитохлеб», изготовившей пиццу «Четыре сыра». Предприятие находилось совсем недалеко от дома Лукашиной, в самом начале микрорайона.

Пиццерия занимала часть первого этажа длинного блочного дома. Официанток не было, следовало самим взять поднос, отстоять очередь в кассу, заплатить деньги, получить у кассира еду, а потом бродить по залу, выискивая пустой столик. Недостаток обслуживания искупали демократичные цены, поэтому тут клубились студенты, школьники и не особо богатые бюджетники, решившие перекусить в середине дня.

Я честно отстояла очередь и получила от кассирши вымученную улыбку с традиционным вопросом:

— Чего желаете?

Я глянула на ее бейджик.

— Катя, посмотрите на чек, пожалуйста.

Девушка в форменной курточке моргнула, взяла чек и воскликнула:

— Ну?

— Не можете сказать, кто его выбивал?

— Пятая касса.

— А где она?

— Рядом! — буркнула Катя.

— Но там никого нет!

— Верно! Заказывайте.

— Мне нужно поговорить с той кассиршей, которая оформляла заказ!

Катя обернулась и заорала, как раненый слон:

— Леня!!!

Из глубины пиццерии вышел юноша в костюме и сорочке с галстуком.

— Проблемы? — хорошо поставленным баритоном осведомился он.

— Вот главный менеджер разберется, — избавилась от меня кассирша.

— Если не хотите покупать, отойдите, — возмутилась девчонка за моей спиной.

Леонид поманил меня пальцем.

— Давайте отойдем в сторонку. Не волнуйтесь, мы решим любую проблему в течение пяти минут.

Я покорно пошла в конец длинного прилавка, заставленного кассовыми аппаратами. Насчет решения любых проблем Леонид слегка погорячился. Что, если посетительница потребует вставить новые зубы взамен больных старых?

Глава 12

— Слушаю внимательно, — юноша расплылся в улыбке.

— Это чек из вашей пиццерии? — спросила я.

Леня внимательно изучил бумажку.

— Несомненно, — наконец подтвердил он, — а в чем дело?

— Он был прикреплен к коробке пиццы...

— Вас обсчитали? Немедленно уволим виноватого, — перебил меня Леонид. — Поверьте, перед началом каждой смены я твержу попугаем: «Будьте аккуратны с деньгами». Но, увы, встречаются безответственные, глупые...

— Вы меня не поняли, я не собираюсь предъявлять никаких претензий, — остановила я менеджера, — мне нужно лишь установить личность человека, который в пять вечера купил здесь пиццу!

Леонид поднял брови.

— Полковник Васильева, — лихо представилась я, — Московский уголовный розыск.

— Вау, — пролепетал парень, — идите сюда!

Быстрым движением Леонид поднял часть прилавка и предложил:

— Лучше в кабинете пожужжим, в зале шумно, ничего не слышно.

Я молча пошла за ним по узкому коридору, заставленному грязными ящиками. Пару раз пришлось прижаться к стене, потому что навстречу с подносами неслись девушки в не очень чистых белых куртках, ни у кого из поварят на головах не было колпаков... Не удивлюсь, если кому-то из обедающих уже досталась лепешка, приправленная волосами. Хотите совет? Если вы решили пообедать в незнакомом месте, выбирайте такое, где кухня находится в зале и посетители могут наблюдать процесс приготовления пищи. А перед тем, как сделать заказ, загляните в местный туалет, чтобы помыть руки, и внимательно изучите интерьер. Если в сортире грязно, уходите. Туалет — это лицо ресторана. И жаль, что основная масса клиентов не видит служебных помещений. Я, например, идя сейчас по «закулисью», твердо решила: пиццу в «Хитохлебе» покупать никогда не стану.

— Присаживайтесь, — засуетился Леня, распахивая дверь в маленький кабинетик, — хотите чайку? Пиццу? Нашу фирменную, королевскую.

— Спасибо, — остановила я парня, — вернемся к чеку. Кто его пробил?

— Минуточку, — снова затараторил Леня, — у нас, как в центре управления полетами, точнейшие расчеты, служащие получают почасовую оплату, поэтому... вот! Родионова Арина! Позвать?

— Она здесь? — обрадовалась я.

— На девятой кассе.

— Сделайте одолжение, отвлеките ее ненадолго.

Леня нажал пальцем кнопку селектора.

— Кассир Родионова, пройдите к главному менеджеру. Повторяю, кассир Родионова, немедленно пройдите к главному менеджеру.

Не успел парень замолчать, как в кабинет без стука влетела девушка с растрепанными волосами, на которых чудом держалась форменная шапочка.

— Чего еще? — сердито спросила она. — Мы обо всем вчера договорились и...

Продолжение фразы застряло у красавицы в горле. Леонид кашлянул.

— Арина, это полковник, из милиции.

— Что я сделала-то? — испугалась кассирша. — Неужели тот гондон нажаловался? Не верьте ему! Он меня попытался ущипнуть, а я...

— Это ваш чек? — перебила я поток слов.

— Ну? — осторожно протянула Арина.

— Ваш? — повторила я.

— Похоже, — признала кассирша. — А что не так?

— Все в полном порядке, — успокоила я девушку, — никаких претензий к заказу.

Арина шумно выдохнула.

— И что тогда?

— Попытайтесь вспомнить, как выглядел покупатель?

Кассирша засмеялась.

— Да вы что? Тут дурдом!

— Лето, — добавил менеджер, — приезжих полно.

— Зимой посетителей тоже хватает, — деловито добавила Арина.

— Значит, лица вы не запомнили, — разочарованно уточнила я.

— Я вообще их не вижу, на деньги гляжу, — пояснила Арина.

Но я решила не сдаваться.

— Давайте попробуем освежить вашу память. Наверное, вы к пяти устали.

— А кто не устанет двенадцать часов на ногах стоять? — резонно ответила Арина. — Я в шестнадцать сорок пять покурить пошла, от головной боли помогает.

— Арина! — возмутился Леонид.

— Использовала законный пятнадцатиминутный перерыв, — огрызнулась девушка, — дымила на улице, у бачков! Какие, блин, проблемы?

— Ты получила прибавку к зарплате, как расставшаяся с вредной привычкой! Выходит, ты обманула фирму, в следующий раз вычтем деньги, — пригрозил менеджер.

— А ты докажи, что я курю! — азартно воскликнула Арина.

— Сама только что призналась, — напомнил Леонид.

— Пошутила я! — засмеялась кассирша. — Я на улице яблоко ела! Вот! Теперь приведи свидетелей, которые другое скажут! Поосторожней с заявами!

Леонид, явно не ожидавший столь яростного отпора, притих, а я решила успокоить кассиршу.

— Арина, солнце, никто вас ни в чем не обвиняет, более того, за помощь следствию положена награда, не очень большая, но все же, вот, держите.

Девушка осторожно взяла купюру.

— Прикольно, — протянула она.

— А теперь начнем заново, вы ушли на перерыв в шестнадцать сорок пять...

— Да, — согласилась Арина.

— Отдыхали пятнадцать минут?

— Точно, больше не дадут, — нахмурилась кассирша.

— Значит, первый чек, вернувшись на место, вы пробили в семнадцать! — обрадовалась я.

— Верно, — мрачно подтвердила Арина.

— Думается, вы устали, и перерыв не очень-то помог.

— Ну... да.

— Хотели полежать, посмотреть телик, попить чайку...

— Не отказалась бы.

— И о чем думали, когда шли назад, к кассе?

Арина неожиданно улыбнулась.

— Отпуск у меня скоро, я путевку в Турцию купила...

— Так! Давайте последовательно, вы затушили сигарету и...

— Бросила ее в бачок с объедками, — подхватила Арина.

— А за это штраф! — ожил Леонид.

— Немедленно выйди вон, — обозлилась я.

— Вообще-то это мой кабинет, — растерялся менеджер.

— Сейчас арестую за противодействие следствию, — пообещала я.

Леонид вытаращил глаза, встал и, произнеся с достоинством: «Пора делать обход», — ушел.

— Кретин, — прошипела в спину начальству кассирша.

— Арина, вы бросили окурок в бачок, что дальше?

— Потопала по коридору в зал, думала о Турции, купальник надо купить, раздельный, я видела в магазине прикольный, с бантиками, — затараторила девушка, — даже настроение лучше стало, открыла аппарат, а тут эта! Ой! Дайте-ка чек! Ну точно! Она!

— Рассказывай скорей! — подпрыгнула я на стуле.

Вот она, польза чтения книг. Год назад мне попался на глаза сборник статей по психологии, в одной рассказывалось, каким образом можно помочь человеку вспомнить нужное: попросите его последовательно восстановить в памяти его действия, припомнить мысли, запахи, которые уловил его нос. Вот сейчас Арина сказала про перекур, затем про предстоящий отдых, и все получилось.

— Такая, вообще, зануда! — застрекотала Арина. — Оделась с претензией: платье желтое, пуговицы здоровенные, черные, на морде темные очки. Я еще подумала: чего только бабы не сделают ради выпендрежа!

— Желтое платье с черными пуговицами? — эхом повторила я.

— Жесть, да? — засмеялась Арина. — Типа, модная девушка! А потом она как начала!

Я внимательно слушала кассиршу. Посетительница выбрала самый дешевый вариант пиццы и велела упаковать ее в коробку. Когда Арина принесла заказ, женщина приказала:

— Откройте крышку.

Кассирша подчинилась, а клиентка с подозрением спросила:

— Что там такое, серо-зеленое?

— Приправа, — пояснила Арина, — базилик.

— Я ее не просила! Уберите траву! — отчеканила посетительница.

— И как я, по-вашему, это сделаю? — удивилась Арина.

— Не знаю, — капризно протянула тетка, — стряхните!

— Не получится!

— Сделайте новую пиццу, без добавок!

— А эту куда?

— Понятия не имею!

— Оплачивайте товар, — не пошла у нее на поводу кассир.

— Еще чего! У меня на базилик аллергия! Вот помру, тебе отвечать! Не буду платить за плохую еду.

— Пицца свежая, качественная.

— Я не смогу ее съесть.

— Следовало предупредить заранее!

— Сами базилик жрите!

— Не хами! — перешла на «ты» Арина. — Вон табличка висит: «Ассортимент не подлежит обмену».

— Я пока его не купила, — уточнила нахалка.

Хорошее настроение Арины мигом улетучилось: если гадкая бабенка уйдет, не расплатившись, у кассирши из зарплаты вычтут стоимость пиццы, сумма небольшая, но у Арины и получка не велика.

— Надо меню внимательно читать! — заорала она. — Вон, написано! Пицца «Четыре сыра с базиликом»!

— Где? — прищурилась клиентка.

— На витрине.

— Не вижу!

— Глаза разуй!

— Она еще и грубит! Зови сюда начальника!

— Сначала деньги отдай.

— Дура!

— Сама идиотка, — завизжала Арина. — Делать тебе нечего! Вот и устраиваешь скандал!

— Стерва, — затопала ногами покупательница, — сука!

Арина схватила пустой поднос, еще бы секунда, и кассирша опустила бы его на голову наглой бабе, но та вдруг схватилась за сердце и осела на пол.

— Эй, — испугалась Арина, — тебе плохо?

— Дай воды, — прошептала скандалистка.

Арина совсем не злой человек, поэтому она моментально налила в стакан минералки, выбежала из-за прилавка и протянула незнакомке.

— Спасибо, — еле слышно сказала та, — помоги встать!

В харчевне было полно народа, кое-кто из посетителей с явным интересом наблюдал за скандалом. Арина понимала, что на нее могут наложить штраф, поэтому быстренько подхватила бабу, посадила ее за самый дальний столик и сказала:

— Хрен с ней, с пиццей! Сама заплачу!

— Извини, — прошелестела тетка, — эпилепсия у меня.

— Ой, мамочки! — испугалась Арина.

— Это не заразно, — улыбнулась баба, — но перед припадком у меня всегда истерика начинается. Извини, я не хотела скандалить, само вышло. Вот деньги, принеси мою пиццу. Я гостя жду, Володю мерзкого, он «Четыре сыра» обожает!

— Пицца с базиликом, — напомнила Арина.

— Ничего, я его дома выковыряю, — мирно сказала баба.

Кассирша приволокла коробку и вернулась на рабочее место...

— Однако странно, — запоздало удивлялась она сейчас.

— Что тебя удивило?

Арина откинулась на спинку стула.

— Она парня угостить хотела, а сама мерзким его назвала! Платье у нее было шикарное, шелковое, дорогое, я такое в журнале «Око» видела, а она пришла в «Хитохлеб».

— Ты уверена? — спросила я.

Арина кивнула.

— Я всегда «Око» читаю, сама такие вещи не покупаю, зато настропалилась мигом определять, кто во что одет.

— Да? — с недоверием спросила я.

Арина ткнула пальцем в мою футболку.

— «Марк Джейкобс», последняя коллекция, есть только в фирменном магазине, а джинсы «April 22», они запредельно стоят. Баретки от «Прады», а вот кардиганчик сделала «Мануш», фирма не особо дорогая, на фоне «Марка Джейкобса», конечно. Хотя мне и к «Мануш» не подойти! Скажи, они прикольные вещи делают?

— С твоим талантом надо работать в бутике, — поразилась я.

Кассирша сложила руки на груди.

— Ну, может, и так! Желтое платье, то, что в журнале, итальянской фирмы, и стоит оно дорого!

— Одна женщина, тоже любительница гламурных изданий, но не таких, как «Око», а рангом пониже, сказала мне, будто видела этот наряд вместе с туфлями в простом магазине «Винс», он дорогими вещами не торгует, — возразила я.

— Ошибаешься, — снисходительно ухмыльнулась Арина, — там полно итальянцев. Вернее, ярлыки ихние, а шмотки на коленке сшиты. Выпустит модный Дом новинку, она тут же самостроком тиражируется! В «Винсе» до фига «брендов», да только они паленые. Там сумочки Луи Вюиттон за сто баксов купить можно и часики от «Шанель» недорого. На самом деле китайцы постарались, но я никогда до таких шмоток не опущусь, знаешь, почему?

Я помотала головой, Арина положила ногу на ногу.

— Они некачественные. У нас Нинка туфли хапнула, на лейбл польстилась, а они назавтра развалились, каблук отлетел. И потом... Иногда идет по улице мочалка, вся в ярлыках, но за километр понятно — дешевка, на рынке отоварилась, хочет выглядеть на миллион долларов, а у самой в кошельке и ста рублей нет. Надо на волосы смотреть.

— Куда? — не поняла я.

Арина снисходительно прищурилась.

— На прическу! Если ее в хорошем салоне сделать, где правильно мелируют, тогда один вид, а когда сама из коробочки краску на башку намазюкаешь, другой. Еще ногти! Дуры на них картинки рисуют: цветочки — бабочки — драконы. А те, кто поумней, френч наводят. Да только полоску белую зафигачат в полногтя, для экономии. Но дорогие мастера «живописью» не занимаются и каемочку на френч чуть-чуть дают. Ходят богатые бабы по-другому, разговаривают они... увереннее, что ли. На детальки нужно внимание обращать. Ты ведь не из милиции?

— Нет, — призналась я, — преклоняюсь перед твоей прозорливостью. Леонид поверил «полковнику» безоговорочно.

— Ленька — дурак, — засмеялась Арина. — У меня папа мент, я знаю, сколько они получают! Твои шмотки им не купить. Мужа выслеживаешь? Любовницу его ищешь, да? Эта тетка в желтом тебе дорогу перебежала?

— Ты опять меня поразила, — похвалила я Арину.

— Наплюй и разотри, — посоветовала девушка, — если мужик налево пошел, здесь два варианта: или его вон гнать, или приспосабливаться.

— Полагаешь, клиентка в желтом платье богатая дама? — сместила я разговор в нужном направлении.

— Очки у нее из последней коллекции «Диор», — задумчиво протянула Арина, — платье не копеечное! И еще! Браслет!

— Браслет? — эхом повторила я. — Какой?

— Очень красивый, с лимонными и коньячными бриллиантами, уж я-то настоящие камни от стразов отличаю, — оживилась Арина, — на нем цветочки сделаны. Элегантная вещь! Есть сеть ювелирных магазинов, торгующих смоленскими бриллиантами. Я люблю к ним в салоны заходить, там продавщицы вышколенные, стоят, улыбаются, все померить дадут. Может, конечно, меня за нищету и считают, но вида не показывают. У них точно такой же браслетик есть, а к нему серьги. Но у той бабы в желтом платье только браслет, в ушах ничего не было. Правда, я заметила одну странность.

— Какую? — моментально насторожилась я.

Арина вздохнула.

— Я шмотки люблю, побрякушки еще больше. Понимаю, что у меня их никогда не будет, а непременно в ювелирный салон зайду. Недавно себе книгу купила про алмазы, их огранку. Много интересного почерпнула. Оказывается, в Смоленске есть завод «Кристалл», там почти полвека с камнями работают, придумали «русскую огранку», а эксперты во всем мире называют продукцию этого предприятия «Роллс-Ройс среди бриллиантов». Даже при десятикратном увеличении все грани совершенны! Во как!

— И что за странность ты увидела на браслете у женщины в приметном платье? — я вернула Арину из мира алмазов в пиццерию.

— Симпатичное украшение, вроде ничего особенного, но... в самом центре у него — большой эксклюзивный камень! Восхитительный! Очень красивый! В магазине я таких не видела! Там были браслеты с алмазной россыпью. А тут! Я чуть не задохнулась, когда он засверкал!

— Ты не ошибаешься!

— Я? Разбираюсь в камушках! Камень не простой!

— Ты уверена? — не успокаивалась я.

— Стопудово!

— Платье от дорогого модельера и браслет с раритетными бриллиантами?

— Ага, — кивнула Арина, — вот цирк. Расфуфырилась, а гостю на стол пиццу купила! Хоть есть такие, жадные!

— Спасибо, — поблагодарила я Арину. — Выведи меня отсюда, пожалуйста.

Глава 13

Над Москвой плыла жара, я добежала до «букашки», села на раскаленное сиденье, включила на всю мощь кондиционер и попыталась связаться с Барсуковой. Но Тельма Генриховна опять не спешила взять трубку. Я уже хотела отсоединиться, но тут вдруг услышала:

— Алло.

— Можно Барсукову? — обрадовалась я.

— А кто ее спрашивает?

— Дарья Васильева.

— Васильева? — с удивлением переспросила женщина. — Васильева...

— Мы не знакомы, я должна передать Тельме Генриховне информацию.

— Какую?

— Очень личную, мне желательно поговорить с самой Барсуковой, — решительно сказала я.

— Слушаю.

— Это вы?

— Да. О каких сведениях идет речь?

— Сегодня в больнице скончалась Лукашина, — ляпнула я и рассердилась на себя.

Ну Дашутка! Сейчас ты продемонстрировала крайнюю «деликатность», ну прямо как в известном анекдоте, когда полковник отправляет прапорщика в дом погибшего военнослужащего Иванова и говорит:

— Осторожно сообщи его жене о несчастье, не руби сплеча, подготовь бабу.

Прапорщик едет по указанному адресу, звонит в дверь и на вопрос «кто там?» бойко отвечает:

— Скажите, вдова Иванова здесь проживает?

Вот и я хороша! Барсукова, похоже, лишилась дара речи!

— Извините, — сказала Тельма Генриховна, — я не совсем вас поняла. Вы говорите, скончалась некая Лукашина?

— Да, все правильно.

— И что?

Теперь растерялась я.

— Разве вы не были близкими подругами?

— Нет. Я впервые слышу об этой женщине.

— В кармане Лукашиной нашли записку.

— Очень интересно.

— В случае своей смерти она просила известить вас.

— Это ошибка.

— Вы Тельма Генриховна Барсукова? Проживаете по адресу Морская улица, дом девяносто восемь, корпус шесть, квартира семнадцать?

— Верно.

— Значит, Лукашина упомянула вас.

— Извините, я не могу даже припомнить женщину с такой фамилией, — заявила собеседница.

— Уверены?

— Конечно. Я никогда ничего не слышала о Светлане Лукашиной, — продолжала Барсукова.

— Ясно, — бормотнула я, — извините за беспокойство.

— Пустяки, — вежливо отозвалась Тельма, — время еще не позднее, никакого неудобства я не испытала. До свидания.

Из трубки понеслись короткие гудки. Я аккуратно поставила телефон в держатель и вынула атлас. Где в Москве Морская улица? Сейчас же поеду к Барсуковой и приложу все старания, чтобы выяснить, по какой причине Тельма Генриховна солгала мне.

По дороге я старательно пыталась проанализировать полученные сведения. Увы, пока их было немного. Некий Владимир решил наказать обманувшую его Лизу. Чтобы отомстить прелюбодейке, он похитил девочку Барбару, которую обрек на мучительную смерть. Каким-то образом в этой истории запутана Светлана Лукашина, похоже, она знала Владимира и помогала ему. Но Лукашина неожиданно скончалась, она не может ничего рассказать. Зато существует Тельма Барсукова, вроде бы закадычная подруга Светланы. Вряд ли человек захочет, чтобы его похоронами занималась абсолютно посторонняя личность. И вот теперь к старым вопросам добавился новый: почему Тельма Генриховна отрицает знакомство с Лукашиной?..

— Кто там? — звонко спросила Барсукова и распахнула дверь.

— Здрасти, — улыбнулась я.

Тельма Генриховна оказалась крепко сбитой и, вот уж странность для старушки, очень высокой дамой.

— Добрый вечер, — после небольшого колебания ответила хозяйка, — вы кто?

— Даша Васильева, — весело объявила я.

Простая фамилия вновь удивила Барсукову.

— Васильева, Васильева...

— Час назад я сообщила вам о смерти Лукашиной!

Тельма Генриховна сдвинула брови к переносице.

— Я уже ответила, что не знакома с ней! Право слово, вы назойливы.

— Зато я редко вру! — парировала я. — Давайте сократим путь к правде. Во время нашей беседы по телефону я ни разу не назвала имени умершей, произносила только ее фамилию, а вы в какой-то момент заявили, что ничего не знаете о Светлане Лукашиной. Откуда вы знаете, как звали умершую?

Тельма Генриховна заморгала, потом сделала рукой приглашающий жест.

— Прошу.

Я вошла в темный, кажущийся бесконечным коридор, хозяйка с грохотом закрыла дверь.

— Кто вы? — зло спросила она.

— Даша Васильева.

— Назваться можно хоть царицей Савской, покажите паспорт!

— Он остался дома, права подойдут?

— Давайте!

Я протянула Тельме Генриховне заламинированные права.

— Ладно, — спустя короткое время сказала хозяйка, — допустим, вы Васильева. Дальше что?

— Светлана Лукашина умерла.

— Мне до нее нет дела!

— Светлана была одинока.

— Каждый достоин своей судьбы.

— Тело лежит в больничном морге!

— Ну и?

— Надо ее похоронить.

— И что?

— Наверное, она предвидела свой конец.

— Ну и? — тупо твердила Барсукова.

— Неужели вам ее не жаль?

— Каждый достоин своей судьбы, — повторила старуха. — Я тоже живу одна, хоть и вырастила четверых. Светлана о матери вспоминала? Звонила ей? Интересовалась, как я живу? Нет! Я, между прочим, знаю, что значит одиночество, поэтому давно на похороны деньги отложила, в случае чего соседи меня упокоят, а дочки не придут! Хотя...

Барсукова махнула рукой.

— Светлана ваша дочь! — ахнула я. — Простите, не знала! Понимаете... тут... наверное, неуместно сейчас... лучше завтра... но... дело не терпит отлагательств, девочка может погибнуть... и...

Тельма Генриховна вскинула голову.

— Не лопочи, — оборвала она меня, — Света мне не родная, я ее мачеха.

— Фу, — выдохнула я, — пожалуйста, помогите! Похоже, Лукашина попала в криминальную историю.

Барсукова внимательно осмотрела меня с головы до ног и решительно сказала:

— Пошли на кухню.

Едва я устроилась за большим столом, как хозяйка велела:

— Рассказывай.

Пришлось излагать слегка подкорректированный вариант событий: я убрала писателя-графомана, оставила лишь похищенную девочку и задала главный вопрос:

— Подскажите, есть ли у Светланы знакомый Владимир и где его искать?

Тельма Генриховна положила руки на стол.

— Мы давно не виделись.

— Очень жаль, — расстроилась я, — но вы говорили про четверых дочерей, значит, у Светы есть три сестры?

— Сестры? — скорчила гримасу Барсукова. — Ах, сестры! Да уж! Родственные души!

— Может, дадите мне их телефончики? — попросила я.

— Зачем? — спокойно осведомилась старуха.

— Похищенная девочка, — напомнила я, — вероятно, Света поддерживала отношения с родственницами, делилась с ними...

— С кем? — неожиданно засмеялась Тельма. — С девками? Нет, конечно! Они друг друга ненавидели! У вас есть сестры?

— Нет, — покачала я головой.

— Вот и скажите спасибо родителям, — заявила Тельма. — А Сергей со Златой сумасшедшие были. Вернее, он нормальный, только слабый, а она!..

— Вы вторая жена Сергея?

— Верно.

— А девочки — его дочери от первого брака?

— Можно и так сказать, — загадочно ответила Тельма. — Злата начудила по полной программе, богомолка наша! Встречаются люди, которые всем активно добра хотят! Мой вам совет от всей души, стороной слишком ласковых людей обходите, иначе они вас утопят в дерьме собственных добрых дел!

— Похоже, Злата вам чем-то досадила, — констатировала я.

Тельма опять скорчила гримасу.

— Вам придет в голову удочерить троих детей, неизвестно чьих, без роду без племени, чужих спиногрызов, и устроить собственному ребенку ад кромешный? Детей имеете?

— Двоих, — коротко ответила я.

— А если к ним еще пяток подзаборников предложат, возьмете?

Я стала перебирать пальцем рассыпанные по клеенке крошки. И Аркадия, и Машу я не рожала. Кеша достался мне в детском возрасте, а Маша — младенцем в пеленках. Но я всегда считала, что поговорка: «Не та мать, что родила, а та, что вырастила» — верна на сто процентов.

Барсукова продолжала смотреть на меня, я покачала головой.

— Пять детей большая ответственность, наверное, я не рискнула бы взвалить ее на свои плечи. И потом, их надо накормить, одеть, выучить, может, я слишком приземленная, но считаю, что, рожая нового человека или беря его на воспитание, следует подумать и о материальной стороне вопроса. Ну, грубо говоря, посчитать: ты способен купить одну пару ботиночек или две? Хотя я видела очень счастливые семьи, где ели месяцами одни пустые макароны, а младшие донашивали одежду за старшими и были очень довольны. С другой стороны, я встречала несчастных детей, в распоряжении которых был трехэтажный дом, личный шофер, пони и горы игрушек.

— Брат с сестрой или два однополых спиногрыза всегда будут ненавидеть друг друга, — запальчиво воскликнула Тельма.

— По-моему, вы ошибаетесь, — тихо сказала я.

— Нет, — старуха стукнула кулаком по столу, — просто одни умеют притворяться, а другие нет. В раннем детстве милые детки постоянно дерутся, в подростковом возрасте ненавидят родителей за то, что те нарожали кучу отпрысков. Чем старше становятся кровные родственнички, тем сильнее их ревность и ненависть! Один брат основывает бизнес, добивается успеха, живет шикарно, а другой неудачник. И если первый патронирует второго, берет его к себе на работу, платит хорошие деньги... ох, беда! Зреет в этой семье взрыв, перед которым атомная война — игрушки! А после смерти родителей? Грызня за наследство! Ради сарая на шести сотках сестрички готовы глотки друг другу перегрызть!

— Похоже, вам здорово не повезло в жизни, — вздохнула я.

Тельма Генриховна скрестила руки на груди.

— Ну это как сказать! Была любовь! Ты что предпочитаешь: самой любить или быть любимой?

— Лучше, когда чувства взаимны, — ответила я.

— Так не бывает, — безапелляционно заявила старуха. — Всегда один целует, а другой подставляет щеку. Семейная жизнь — компромисс, вопрос, кто больше прогибается! Да вот только порой... долго стоишь мордой в землю, а все равно — нелюбимая! Используют тебя... считают домработницей... Света правда умерла?

— Да, — кивнула я.

— Не врешь?

— Разве можно лгать по такому поводу? И зачем мне вас вводить в заблуждение?

— Светка могла тебя подослать, она уже раз сюда одну направила! Сучонка! Ладно, говори номер больницы.

Я открыла сумочку, вынула листок и протянула старухе.

— Позвоните по этому телефону, врач Родион Ильич, он подтвердит информацию о кончине Лукашиной.

— Нашла дуру, — скривилась старушка, — нет уж! Я и номер больницы уточню! А ты тут посиди пока!

Через полчаса Тельма Генриховна, не демонстрируя никаких признаков волнения или горя, вернулась на кухню.

— Говорят, тело в морге, — сказала она, — но, пока я сама его не увижу, не поверю ни в какие сказки! Тут дело непростое, Светка дурит не первый раз!

— У вашей падчерицы была эпилепсия?

— Билась в припадках, — равнодушно констатировала бабуля, — да только она прикидывалась! Актриса! Здорово научилась, пена изо рта, корчится, даже энурез был! Но я понимала: врет она!

Я разинула рот, Тельма Генриховна усмехнулась.

— Не знаешь, какие девки бывают. Светка хитрее лисы, она меня с Сергеем ссорила, устраивала корчи у него на глазах. Нарочно. Последняя в доме осталась, остальные шалавы раньше удрали! После того, как убили...

— Убили? — растерянно повторила я. — Может, расскажете, что у них в семье происходило?

— Зачем? — нахмурилась Тельма. — Все прошло, быльем поросло, нет нужды землю перекапывать. А Светлане передай, что я, в отличие от нее, не вру! Я просто правды не знаю! Злата унесла ее в могилу! Хватит ко мне людей подсылать!

— Светлана умерла, вам же в больнице сказали!

— Врут, — убежденно заявила Барсукова. — Светка договорилась, она может! Такая актриса! Припадки натуральные устраивала, но они почему-то всегда в тот момент происходили, когда Сергей деньги получал! Воровка!

— Кто? — совершенно потерялась я.

Тельма Генриховна неожиданно засмеялась.

— Напела она тебе про злую мачеху! Все, недосуг мне болтать. Ступай. Не вышло меня обмануть.

— Тельма Генриховна, милая, — взмолилась я, — мне неинтересны ваши тайны, я спросила о семейной жизни просто для поддержания разговора, я ищу Владимира! Речь идет о жизни маленькой девочки! Пожалуйста, вспомните, вдруг ваша падчерица упоминала это имя!

Старуха подошла к серванту, выдвинула ящик и стала в нем рыться.

— Давно я эту стервозу не видела, — холодно сказала она. — С кем она жила, понятия не имею. Вот, держи. Некоторое время назад приходила сюда эта мадам с тем же заявлением, что и ты: Света скончалась, хочет быть похоронена вами и чтобы на камне была надпись: «Единственная родная дочь Лукашиных». А потом стыдить меня попробовала, мол, выгнали больную, не лечили ее, теперь обязаны ей правду открыть! Еле ее вытолкала, так эта хамка визитку оставила, и еще велела позвонить, когда у меня совесть проснется! Вот и болтай с ней, небось она всю правду про Лукашину знает. Хотя, думаю, нет! Светка из них самая умная была! Такие язык не распускают! Теперь убирайся вон! Живо!

Старуха сжала кулаки, ее блекло-серые глаза стали синими, нижняя губа оттопырилась, по шее поползли красные пятна. Тут только до меня дошло: очевидно, Тельма Генриховна не совсем нормальна, я общалась с психически нестабильной женщиной, которая несла полусвязный бред.

— Сама уйдешь или придать ускорение? — мрачно поинтересовалась Барсукова, потом сунула руку в небольшое пространство между стеной и холодильником и вытащила оттуда палку для раздвигания занавесок...

Я невольно взвизгнула и бросилась в коридор, очень надеясь, что смогу быстро справиться с замком.

Глава 14

Чтобы слегка прийти в себя, я заглянула в торговый центр, расположенный напротив дома, где жила безумная Барсукова. Иногда псих выглядит вполне обычно, и вы, ничего не подозревая, общаетесь с ним, как с нормальным человеком. Но потом неосторожно брошенное вами слово действует на несчастного, как спичка, кинутая на облитые бензином газеты. Хорошо, что я успела убежать до того, как Тельма Генриховна, окончательно возбудившись, стала крушить все вокруг палкой с железным крючком! Теперь мне нужно успокоиться, а лучшим средством от стресса для меня является поход в магазин, где я куплю ерунду: чашки, полотенца для кухни, картинки с изображением щенков, — и сразу сделается легче. Ну-ка, где здесь лавчонки, торгующие всякими пустяками?

Я бродила по галерее, рассматривая прилавки, и в конце концов наткнулась на милую плюшевую собачку в розовой шляпе и белом платье. Комок, стоявший в горле, стек в желудок.

— Сколько стоит? — спросила я продавщицу, показывая на игрушку.

— Пятьсот один рубль, — ответила девушка.

Я полезла в сумку. Интересная вещь — ценообразование. Ну кто придумал эту сумму с одним рублем? И покупателю, и торговцу крайне неудобно!

— Неосторожно кошелек носите! — внезапно сказала девочка за прилавком. — Разве можно его так открыто таскать, сопрут! И телефон у вас дорогой рядом лежит, его тоже прихватят.

— Стараюсь быть внимательной, — улыбнулась я, — но порой теряю мобильный, он маленький, сам вываливается.

— Вам нужен пояс, — сказала продавщица.

— Простите? — не поняла я.

Девушка приподняла свою блузку.

— Вот, глядите. Вдеваете ремень в петли на брюках или в поясе юбки, фиксируете специальными кнопками-зажимами по всей длине. Сорвать его невозможно, но пояс очень мягкий, движений не стесняет. Видите два кармана? В боковой вкладываете мобильный, он засовывается до щелчка, и выскакивают лапки, которые не дают телефону вывалиться! Хоть на голову встань, сотовый не шевельнется. Зазвенит звонок, кнопочку нажимаете, вот так! Опля! Болтаем спокойно!

— Удобная вещь, — согласилась я, — но, боюсь, я забуду положить аппарат в карман после беседы.

— Цепочка есть, — пояснила продавщица, — вы ее пристегиваете, отпускаете мобилу, она повисает...

Ловко придумано. Берите, последний остался, немцы делают, они в этом понимают. И стоит подъемно! Вот, гляньте!

Девушка опустила блузку, достала с полки коробку и положила на прилавок.

— Для кошелька есть свой карман, — тараторила она, — сзади заправляется внутрь, загибается за пояс, ну ни один вор туда лапу не засунет. Там тоже фиксаторы, держат хорошо, ни за что не откроются сами по себе. А вот если вы кнопочку нажмете, то кошелечек выскочит, он тоже на цепочке. Стопроцентная антивандальная гарантия.

— Давайте, — согласилась я.

— И собачку берем?

— Непременно.

— Скидочку сделаю, за игрушечку тогда ровно полтысячи, — решила обрадовать меня девушка, — и талончик на кофе. Кто у нас покупает, тому обеспечен бесплатный латте на втором этаже, только покажите квиточек!

Я вполне способна заплатить за чашечку бодрящего напитка, но подарки всегда радуют.

— Спасибо, очень мило с вашей стороны, — поблагодарила я продавщицу.

— Спасибо, что зашли в наш магазин, — продемонстрировала хорошее воспитание девушка. — Давайте поясок на вас наденем, сразу и телефон, и кошелечек уберем. Так, задний кармашек за джинсы загнем... Удобно?

— В принципе, да, — кивнула я, — хотя ощущение немного странное.

— Привыкнете, — пообещала девушка, — обратите внимание, какие немцы предусмотрительные. Карман для кошелька внутри кожаный, а снаружи, там, где он к телу прилегает, обшит фланелью! Ну, достаньте сотовый. Ой, здорово! Нравится?

— Отличная вещь, спасибо, — кивнула я и пошла к двери.

— Кофейку попить не забудьте, — крикнула мне вслед продавщица.

Я поднялась на второй этаж, отдала купон официанту и была обласкана по полной программе. Меня усадили на удобный диванчик, принесли стакан с латте, два небольших печеньица, и все это с ласковой улыбкой и заявлением:

— Угощение абсолютно бесплатное!

Я очень хорошо знаю, что в качестве подарков в магазинах, как правило, раздают залежалый товар не самого первоклассного качества, поэтому сейчас осторожно отхлебнула кофе и пришла в восторг. Жизнь показалась прекрасной. Ну-ка, посмотрим полученную от Тельмы Генриховны визитку.

Я вынула из сумки белую карточку. «Мирошниченко Ирина Вадимовна, менеджер по работе с клиентами, фирма «Солс». Ну неужели трудно указать, чем занимается контора? Некоторые люди явно переоценивают свою известность и значимость!

Пальцы нащупали на новом поясе нужную кнопочку, нажали на нее, раздался тихий щелчок. Сотовый очутился в руке. Настроение у меня стало еще лучше: продавщица не обманула, немцы сделали замечательное приспособление, жаль, что пояс был последним, непременно нужно купить подобный Маше, Зайке, Оксанке, Ирке...

— Фирма «Солс», мы рады вам помочь, — заученно сказал женский голос.

— Позовите Ирину Вадимовну Мирошниченко, — попросила я.

— Она в данное время отсутствует.

— А когда вернется?

— Очень прошу простить, Ирина повела клиента на демонстрационную площадку. Может ли кто-нибудь ее заменить?

— До которого часа Мирошниченко будет на работе? — поинтересовалась я, бросая взгляд на часы.

— Мы открыты для вас круглосуточно.

— Наверное, Ирина все же уходит спать! — предположила я.

— Сегодня ее смена.

— Значит, я могу приехать даже в полночь и ее застану?

— Обязательно, мы работаем для вас, — заученно повторила собеседница.

К сожалению, люди, которые придумывают правила дорожного движения, иногда ошибаются, забывая про то, что шоферу подчас требуется развернуться. Я аккуратный водитель, поэтому сейчас ехала в левом ряду, напряженно всматриваясь в знаки. Ну где же нужная стрелка? Похоже, придется катить до Петербурга! Так и не увидав разрешения на разворот, я посмотрела в зеркальце. Может, нарушить? Вот Аркадий бы не сомневался! Магистраль пустынна, она явно не пользуется популярностью у шоферов и, скорей всего, закончится тупиком! Пешеходов тоже не видно! Эх, была не была! Я предусмотрительно включила поворотник, крутанула рулем и мгновенно оказалась на противоположной стороне дороги. Фу! Вовсе не страшно! Естественно, на оживленном шоссе среди мощного потока автомобилей я бы никогда не решилась на столь наглый маневр! Но сейчас-то вокруг никого нет, я не создала аварийную ситуацию, и меня не видела ни одна душа! Можно спокойно направляться к Мирошниченко.

И тут из-за ларька с газетами, размахивая полосатым жезлом, выскочил гаишник. Я вмиг вспотела — вот оно, Дашуткино счастье во всей красе! И откуда он только взялся на мою голову?

Припарковавшись у бордюра, я опустила стекло и заискивающе заулыбалась, глядя, как плотная фигура в форме медленно приближается к «букашке». Чем короче становилась дистанция, разделявшая нас со стражем дорог, тем сильнее меня охватывало уныние. Да уж, с этим, мягко говоря, немолодым дядечкой договориться будет трудно, похоже, он поступил на службу в тот год, когда я появилась на свет. Ну, моя дорогая, ты влипла.

— Старший лейтенант Приходько, — мрачно козырнул дед, — документики попрошу.

— Пожалуйста, пожалуйста, — заверещала я, — права, страховка, техпаспорт, у меня много лет безаварийной езды!

— Что же вы, гражданка Васильева, нарушаете, — с укоризной протянул Приходько. — Ладно бы тока за руль сели и головы не имели, но ведь возраст уже почтенный, а ведете себя по-детски! Пересекли двойную сплошную!

— Извините, — забормотала я, — это случайно вышло!

— А мне думается, нарочно, — иезуитски протянул лейтенант. — Лучше признать свою вину честно, тогда мы договоримся! Очень не люблю нераскаявшихся преступников, испытываю желание наказать их по полной!

— Ой, виновата, — чуть не заплакала я, — торопилась по делу!

— Так, — закивал гаишник, — уже лучше.

— Вот и решила: никто не увидит!

— Совсем хорошо, — улыбнулся Приходько, — теперь попросим прощения!

— У кого? — удивилась я.

— У меня, — пояснил лейтенант, — я страдаю, когда вижу факт вопиющего наплевательства на правила.

— Виновата, исправлюсь. — опустила я голову, — больше это не повторится.

— Правильное поведение, — обрадовался Приходько, — уважительное раскаяние. Я вас отпущу без последствий, вот только, ну... кхм... не могли бы вы мне тысячу рублей разменять, по две!

— Тысячу по две? — не поняла я. — То есть по пятьсот?

— Нет, — закатил глаза лейтенант, — одну по две! Я покажу вам одну бумажку и уберу, а вы мне две такие дадите!

— Понятно, — кивнула я и открыла сумку.

В первую минуту, не обнаружив портмоне на месте, я испугалась, но потом вспомнила про пояс и попробовала дотянуться до кармана. Руки не хватило.

— Чегой-то вы так странно выгибаетесь? — насторожился Приходько.

— Пытаюсь выудить кошелек, — пропыхтела я.

— В странное место ты его засунула, — перешел на отеческое «ты» гаишник, — бабы деньги в лифчик прячут, в задницу никогда.

— Я купила специальный пояс, — попыталась я объяснять ситуацию, — прикрепила его к джинсам...

— Хорошая система, — одобрил гаишник, уяснив суть, — но вот деньги никак не добыть!

Я вылезла из «букашки», приподняла футболку, повернулась спиной к лейтенанту и сказала:

— Видите кнопочку?

— Черненькую?

— Да. Нажмите на нее, портмоне и выскочит.

Воцарилась тишина, прерываемая лишь сопением.

— Ну, — поторопила я, — как?

— Ни фига, — по-детски ответил Приходько, — тычу, а оно не работает!

— А рядом, на поясе? Жмите на все, ремень отстегнется, я его сниму и вытащу кошелек.

— Ни одна не пашет, — сказал через минуту Приходько, — сломались все разом. Не отстегиваются.

— Тогда попробуйте засунуть руку за пояс и вытащить наружу карман, — попросила я: зря на немецкое качество понадеялась!

— Неудобно как-то, — промямлил лейтенант.

— Вы же хотите денег?

— Ну... Да! — не сумел справиться с алчностью гаишник.

— В портмоне кредитки и наличка, похоже, мне одной, без посторонней помощи, его не выудить, — констатировала я.

— Что люди скажут? — пробубнил Приходько. — С какой радости я к вам в штаны лапу запустил?

— Тут никого нет, но, если хотите, можем сесть в машину, — предложила я.

— В твою? — хмыкнул лейтенант.

— Давайте в вашу! — пошла я на компромисс.

— Стой уж, — приказал Приходько и засопел еще сильней.

— Ой! — взвизгнула я.

— Чего? — прошипел лейтенант.

— Вы царапаетесь! Когда маникюр в последний раз делали?

— Что я тебе, гомик, ногти полировать? — возмутился Приходько. — Не вертись, сейчас добуду!

Я замерла на месте. Милый дедушка-лейтенант считает, что аккуратные руки и ноги — признак человека с нетрадиционной сексуальной ориентацией. Настоящий мужчина должен быть вонючим, менять носки на Новый год и мыть голову на Пасху.

— Черт! — прошипел Приходько. — Вот блин!

Я изогнула спину.

— Не получается?

— Палец застрял, — пропыхтел лейтенант, — там какие-то лапки, они мою руку не пускают.

— Ладно, вытаскивайте руку, попробуем изъять кошелек другим способом, — бойко предложила я.

— Не вынимается, — прохрипел Приходько.

— Вы о чем?

— Объяснил уже, палец попал в какую-то штуку, она щелкнула и теперь держит его крепко.

Я замерла.

— Ваша рука застряла у меня в джинсах?

— Так точно.

— И что теперь делать?

— Не знаю, — растерянно ответил лейтенант.

— Дерните посильней!

— Ща! Ой! Больно! Кожа слезает!

— Фиг с ней! Попробуйте еще раз.

— Ишь, какая хитрая, — закряхтел гаишник, — кожа-то моя, живая!

— Прикажете теперь с вами тут до утра торчать? — возмутилась я.

— Не надо, — испуганно ответил Приходько, — моя смена через полчаса заканчивается!

Из-за угла вынырнула старенькая «Волга», поравнялась с нами, притормозила, стекло в водительской двери опустилось, высунулся мужик лет пятидесяти.

— Слышь, командир, — спросил он, — как на Рагозина проехать?

— До конца и налево, — просипел Приходько.

Шофер кивнул, но не нажал на газ, некоторое время он смотрел на нас, потом тихо спросил:

— А чего ты с бабой делаешь?

— Он деньги достает, — честно сказала я, — за кошельком полез.

— Езжайте по своим делам, — занервничал Приходько, — нечего тут цирк устраивать.

— Дорога общая, — меланхолично ответил водитель.

— Тут парковка запрещена, — огрызнулся лейтенант.

— Я не паркуюсь, просто остановился, — гудел дядька.

— Сейчас оштрафую, — пригрозил Приходько.

— Во гаишники, совсем охамели, — покачал головой мужик. — Среди белого дня на дороге к бабе пристал. А ты чего молчишь, дура! Зови на помощь!

— Она сама меня попросила! — зашипел Приходько. — Кошелек вытащить надо.

— Из задницы? — заржал шофер. — Ну, дела! Ох, жаль, шурин не видит! Красота!

— Уважаемый, — стараясь сохранить достоинство, сказала я, — проезжайте спокойно, мы сами разберемся.

— По обоюдному согласию, — вякнул Приходько, — где двое договорились, третий не нужон! Лишний он!

— Хоть бы в машину сели, — не успокаивался идиот, — не на шоссе же.

— Где хотим, там и стоим! — гаркнула я.

— Вот бабы, — запричитал шофер, поднял стекло, и «Волга», чихнув пару раз, уехала.

— Что делать? — нервно спросил лейтенант.

— Снимать штаны, — бодро сказала я.

— Чьи? — взвизгнул лейтенант.

Мне стало смешно.

— Ясное дело, не ваши. Стойте спокойно, я сейчас!

— Эй, эй, — занервничал Приходько, — чего возишься?

— Джинсы расстегиваю.

— Зачем?

— Сейчас стяну их, а вы посмотрите, куда попал палец, и в крайнем случае сломаем его пассатижами.

— Не позволю палец калечить! — взвыл Приходько.

— Я имею в виду защелкнувшееся антивандальное устройство, — успокоила я дурака и не удержалась от справедливого упрека: — Кабы не чья-то жадность, не случилось бы беды!

— Только кретинка кошелек в задницу сует, — потерял остатки воспитания лейтенант.

— Вот не сниму джинсы, так и будешь стоять за моей спиной, — пригрозила я.

— А ты куда денешься? — спросил гаишник.

Я признала справедливость аргумента и предложила:

— Поскольку временно мы являемся сиамскими близнецами, давай не лаяться. Предлагаю познакомиться поближе и разрулить незадачу. Я Даша.

— Павел Федорович, — прокряхтело за спиной.

— Отлично, — кивнула я и попыталась сдернуть джинсы.

— Стой, — зашипел лейтенант, — не на улице же! Вон автобус катит, остановка в трех метрах, мы тут толпу соберем. И что народ подумает? Баба в трусах на шоссе, милиционер рядом! Что может быть хуже?

— Думаю, совсем голая женщина на магистрали привлечет больше внимания, — вздохнула я, — у меня футболка длинная, сойдет за мини-платье.

— Иди в машину, — скомандовал Павел Федорович.

Мы, как балетная пара, исполняющая па-де-де,
досеменили до «букашки», и тут я впала в задумчи-
вость.

— Как садиться будем?

— Давай на заднее сиденье, — велел Приходько, — ты первая, я за тобой.

Глава 15

Если кто-то из вас решит переодеться на заднем
сиденье крохотной малолитражки, сразу скажу: даже
не пробуйте, ничего хорошего не получится. А если
учесть, что я сидела боком, имея за спиной Приходько, то понятно, почему потерпела фиаско.

Минут десять я пыталась избавиться от штанов,
но так и не сумела этого сделать.

— Что? Не выходит? — не выдержал Приходько.

— Нет, — сквозь зубы процедила я.

— Почему? — задал воистину философский вопрос гаишник.

— Это суперфайны, — ответила я.

— Чего? — не понял не разбирающийся в моде
Павел Федорович.

— Очень узкая модель, — пояснила я, — в облип-
ку. Я их и дома-то с посторонней помощью стяги-
ваю, а уж в тесноте и вовсе без шансов. Тут ноги не
выпрямить.

— Ну ваще! — простонал гаишник.

— Главное, не отчаиваться, — оптимистично
воскликнула я, — безвыходных положений не бывает! Пошли в вашу машину, она намного шире.

Сказано — сделано. Приходько, матерясь сквозь
зубы, задом выполз из «букашки», за ним буквой

«зю» выкарабкалась я. Пригнув голову и нервно вздрагивая, мы мелкими шажочками дотащились до патрульной девятки и вползли на заднее сиденье.

— Тут значительно лучше, — констатировала я, — думаю, предприятие завершится успешно.

Прошло десять минут, и джинсы оказались на коврике.

— Слава богу! — простонал Павел Федорович, хватая штаны. — Сиди, не рыпайся, у меня инструмент в багажнике.

Лейтенант вышел, я откинулась на спинку сиденья. Ну почему я с завидным постоянством попадаю в идиотские ситуации? У продавщицы в торговом центре пояс работал безотказно, а у меня заклинило, да еще лейтенант со своим пальцем!

С улицы послышался шум, я глянула в окно и вздрогнула: прямо около автомобиля Приходько притормозила еще одна бело-синяя «девятка», из нее вышел жилистый, тоже немолодой мент, дернул водительскую дверь, распахнул ее, заглянул внутрь и заорал:

— Федорыч! Ты где?

— Он пошел за инструментом, — пискнула я.

— Куда? — изумился милиционер.

— В багажник.

— А ты кто?

— Э... э... знакомая, — ответила я.

— Интересненько, — протянул гаишник, — Федорыча нигде нет, багажник закрыт, а ты тут восседаешь. А ну, выходи.

— Нет, — возразила я.

— Вылазь, говорю!

— Не хочу!

— Это приказ!

— Вы не имеете права мною командовать, я не за рулем, просто гражданка!

— Вот я сейчас позову ребят, и выясним, какая такая «просто гражданка» в патрульной машине в одиночестве балуется, — пригрозил мужик. — Давай на шоссе, а то хуже будет.

— Извините, но я без брюк, — призналась я.

— Не понял, — отпрянул гаишник.

— На мне только футболка, — пояснила я, — она, правда, длинная, но у меня незагорелые ноги, хоть лето и в разгаре, однако я пока до пляжа не добралась.

— А где штаны-то? — пришел в изумление коллега Приходьки.

— Их Павел Федорович унес.

— Зачем?

Я откашлялась.

— Начну сначала. Я нарушила правила.

— Ну?

— Пересекла две двойные, развернулась в неположенном месте.

— Ну?

— Приходько меня остановил.

— Ну?

Я примолкла. Наверное, неправильно сообщать про вымогательство Павла Федоровича, надо обойти стороной эту ситуацию.

— Дальше, — поторопил меня гаишник.

— Его рука оказалась в брюках, — зачастила я, — абсолютно случайно туда попала и застряла.

— Где?

— В джинсах, — заискивающе улыбнулась я.

— В чьих?

— В моих.

— Зачем?

Я заблеяла.

— Вы только не волнуйтесь. Дело житейское,

я нарушила правила! Павел Федорович мои штанишки унес, он сейчас вернется.

— Так, — протянул мужчина, — от кого, от кого, а от Павлухи не ожидал. Ты кто?

— Нарушитель Дарья Васильева.

— Выходи!

— Я без брюк.

— Почему?

Вот тут мое терпение лопнуло, я открыла рот и... увидела Приходько, который шел к машине. Огромная радость залила душу, я закричала:

— Павел Федорович! Миленький! Солнышко! Объясните своему коллеге суть вопроса, а то он меня голой на дорогу гонит.

— «Миленький! Солнышко!» — повторил подъехавший мент. — Блин! Павлуха! Что Катька скажет?

— Ей вообще лучше молчать, — отрезал Приходько, — я с женой служебные моменты не обсуждаю!

— И часто у тебя голые бабы в работе? — прозвучало в ответ.

— Ты, Леха, дурак, — покраснел Приходько, — тут ничего личного! У ней в штанах... э... э...

Павел Федорович примолк, очевидно, он не имел ни малейшего желания сообщать про охоту на взятку.

— И чего у ней в джинсах интересного? — заржал Леха. — Расскажи, пожалуйста!

Приходько замялся.

— Давай, давай, — саркастически торопил его Алексей.

Я решила прийти лейтенанту на помощь.

— Как вам не стыдно! Павел Федорович искал лекарство!

Леха выпучил красноватые глазки.

— Таблетки?

— Меня остановили за нарушение правил, я очень испугалась, ощутила усиление сердцебиения, попросила сотрудника ГАИ достать лекарство, он сунул руку в брюки, а его палец попал...

— Значитца, так, — с нехорошей улыбочкой перебил меня Леха, — я уезжаю на десять минут. Вернусь — чтоб никого, кроме тебя, Федорыч, не было! Так и быть, я смолчу, но хочу за это спиннинг! Твой новый, финский!

— Обалдел? — возмутился Приходько. — Мне его на день рождения подарили! Я ни разу еще его не пробовал!

— Ну как знаешь, — развел руками Леха, — я могу не удержаться, выпью, сболтну Катьке.

— Ладно, — процедил Приходько, — шантажист.

— Кто из нас бабу без штанов в патрульную машину посадил?

— Это случайность, — я предприняла новую попытку спасти лейтенанта.

— Молчи! — отмахнулся Алексей.

— Вы дурно воспитанный человек, — не успокаивалась я.

Не соизволив ответить, Алексей пошел к своей машине.

— Знаешь, кто это был? — с тоской спросил Приходько, возвращая мне джинсы.

— Начальник? — предположила я.

— Хуже, брат жены, — окончательно загрустил Павел Федорович. — Ну зачем я тебя тормознул? Настрогал беду! Ступай к себе! Надеюсь, больше не встретимся!

Я быстро влезла в джинсы, схватила пояс с мобильным и кошельком, вылезла из «девятки», села в «букашку», завела мотор и увидела Павла Федоровича, который шел в мою сторону, размахивая палкой.

«Дубль два, милиция возвращается», — промелькнуло в голове.

— Эй, — трагическим шепотом произнес Приходько, наклонившись к окну, — а деньги?

— Ой, простите, — засуетилась я, — вот, держите.

— Счастливой дороги, не нарушайте правила, — напутствовал меня гаишник, — я честный человек, другой бы всю наличку забрал на новый спиннинг, но мы ж договорились на две штуки!

Я помахала ему рукой и нажала на педаль газа.

Фирма «Солс» торговала автомобилями, причем не какими-нибудь, а очень дорогими. Клиенты здесь тоже были солидными, моя «букашечка» затерялась на парковке среди стада «Бентли» и «Порше», кажется, там даже был один «Роллс-Ройс». Под стать был и офис, сплошь из стекла, деревянных и пластмассовых конструкций.

— Могу я вам помочь? — спросила блондинка, восседавшая на рецепшен.

— Я ищу Ирину Мирошниченко.

— Она за пятой стойкой, вон там, у окна, видите?

Я кивнула и пошла по залу. Интересно, дизайнер, предложивший положить на пол белую глянцевую плитку, постелил бы такую же там, где бывает регулярно? У меня такое покрытие вызывает приступ морской болезни, хуже его может быть только выполненная целиком из стекла лестница, которую возвели в одном московском ресторане.

— Вы Ирина Вадимовна? — спросила я, подойдя к симпатичной брюнеточке.

Мирошниченко отложила бумаги.

— Можно просто Ира, — улыбнулась она.

— Тогда я Даша!

— Очень приятно. Чем могу вам помочь?

— Сразу и не объяснить, — бормотнула я.

— Большинство клиентов не может четко назвать марку машины, говорят: «Хочу красную, чтобы быстро ехала», — засмеялась Ирина, — лучше я буду спрашивать. Автомобиль вам нужен для семейного пользования?

— Нет, речь идет не о машине.

— Комплект зимней резины? Очень предусмотрительно, — похвалила меня Мирошниченко, — сейчас он вам обойдется намного дешевле, чем в сезон.

— Вы знали Лукашину? — в лоб спросила я.

Ирина замерла, потом неуверенно уточнила:

— Свету? Конечно. Мы довольно длительное время тесно общались. А что?

Улыбка на лице девушки погасла.

— Понимаю, — сказала она, — Света попросила вас со мной поговорить. Но зря. Навряд ли нам удастся восстановить отношения... лучше не тратьте попусту времени.

— Вы поругались? — спросила я.

Мирошниченко сложила стопкой валявшиеся на столе бумаги.

— Нет, я не сторонник бурного выяснения отношений, просто, когда поняла, что мною манипулируют... отошла в сторону. И, уж извините, дам вам совет: не привязывайтесь к Светлане, она неискренна.

— Лукашина умерла.

Ирина вытянула губы трубочкой, потом усмехнулась.

— Понятно. Света повторяется, или у нее плохо с памятью, один раз она уже использовала этот прием!

— Это когда вы к Тельме Генриховне приходили? — осведомилась я.

Мирошниченко улыбнулась.

— Забавно. И странно. Неужели она вам рассказала? Что ей от меня-то надо?

— Светлана правда умерла.

— Да ну?

— Вы же с ней дружили?

— Можно и так сказать.

— Лукашина когда-нибудь упоминала имя Владимир? Был ли в ее окружении парень, которого Света считала мерзким и при этом любила?

Ирина встала.

— Пойдемте на улицу, там есть маленькое кафе, как правило, пустое.

Я кивнула, и мы двинулись к двери. Ирина повернулась к администратору за стойкой рецепшен и приветливо сказала:

— Олечка, мы с клиенткой чайку попьем, если Олег Сергеевич спохватится, скажи — я с человеком работаю.

— Не волнуйся, Ира, — донеслось в ответ, — покупка машины — дело серьезное, обсудите все как следует!

Сев за маленький столик, Мирошниченко положила перед собой сжатые в кулаки руки и без профессиональной улыбки сказала:

— Выкладывай, зачем пришла!

Я последовательно изложила события, показала свои документы, дала телефон Родиона Ильича, рассказала про похищение Вари. По мере моего рассказа лицо Мирошниченко вытягивалось.

— Значит, Света правда умерла? — выдавила она из себя.

— Ну да, — подтвердила я, — врач сказал, сердце не выдержало.

— Одно время я ей верила, — прошептала Ира, — потом поняла: она все врет! У Светки лишь одна мысль была: документы добыть, и отчего-то она не сомневалась, что Злата их Тельме отдала! Она хотела, чтобы на ее могиле написали: «Родная дочь Лукашиных». Но это же глупо! Они там все психи!

Я подалась вперед и взяла Иру за руку.

— Кто? Пожалуйста, расскажите! Мне поможет любая информация о Светлане, вдруг мелькнет имя Владимир, знаете, как бывает: вроде вы забыли, но, излагая факты, вспомните.

Мирошниченко выпрямилась.

— Ладно, попробую.

Ира и Света познакомились в школе, вместе пошли в первый класс, сидели за одной партой и не расставались десять лет. Ирочка росла в неполной семье, ее воспитывала мама — районный педиатр. Анна Ивановна в любую погоду носилась по больным детям, на Иру у нее времени не хватало. Только не надо думать, что девочка голодала и сидела в грязной квартире. Нет, Анна Ивановна исправно готовила, забивала холодильник продуктами, покупала дочери обновки, игрушки, книжки, но вот разговоры за жизнь усталая мать не вела. После занятий Ира приходила домой, разогревала обед, делала уроки и тосковала в пустых комнатах, часто ей приходилось одной ложиться спать. Не всякому ребенку нравится оставаться без присмотра, а Ирочка была из тех детей, которым просто необходима компания. Один раз Лукашина спросила соседку по парте:

— Ты окна мыть умеешь?

— Не-а, — затрясла головой семилетняя Ира.

— Научиться хочешь?

— Ага, — обрадовалась новой забаве Ирина.

— Тогда после уроков идем ко мне, — предложила Светлана.

Вот так Ирочка впервые очутилась у Лукашиных и поняла, что жизнь может быть другой. В трехкомнатной, не очень большой квартире, такой же, в какой они с мамой обитали вдвоем, толкалась куча народа. Родители, Злата и Сергей, занимали одну спальню, во второй теснилось четверо их дочерей: Эля, Нина, Света и Жанна, а на кухне спала Тельма, няня и домработница. Отчего-то она не ложилась на диван в гостиной, а предпочитала расставлять раскладушку около плиты. И еще здесь во всех углах висели иконы, темные, с зажженными лампадками. Лукашины жили бедно, но весело, Злата работала медсестрой в больнице, Сергей ездил по городам на огромной фуре, Тельма вела хозяйство. Она готовила, ходила за продуктами, а вот все остальное — уборку, глажку, стирку — осуществляли девочки. Квартира Лукашиных никогда не была пустой, Ирину тянуло туда, словно магнитом. У Мирошниченко в холодильнике лежали копченая колбаска и хороший сыр, но деликатесы не лезли Ире в горло, зато пустые макароны у Лукашиных съедались ею в одно мгновенье.

Один раз Света сказала:

— Ты у нас постоянно жрешь!

— А что, нельзя? — испугалась Ира. — Меня твоя мама угощает!

Светлана скорчила гримаску.

— Она такая! Вечно все для посторонних, а своим — фигу. Ты налопаешься, а нам потом добавки нет. Мы бедные, многодетные, рассчитываем получку до копеечки. Хорошо у таких каждый день ужинать?

— Извини, — прошептала Ира, — я не знала!

— Вокруг посмотри, — разозлилась Света, —

в чем мы ходим! Ни машины, ни дачи, только на еду хватает! Нахлебников много, один папа нормально зарабатывает. Злата немного получает, она дура, бесплатно больных обслуживает, денег с них не берет, а какой оклад у медсестры?

— Разве можно так о маме говорить? — возмутилась Ира.

— О маме нельзя, а о Злате можно, — загадочно ответила Света.

С тех пор Ира старалась к Мирошниченко с пустыми руками не ходить, она стала приносить продукты из дома. У девочки открылись глаза, она увидела заштопанные кофточки сестер, убогость обстановки, скудность рациона Лукашиных, а Тельма и вовсе ходила весь год в одном сером платье. Полкило шоколадных конфет, принесенных Мирошниченко, расхватывались враз. Сестры не уступали друг другу, жили по принципу: «В большой семье клювом не щелкай», да и Тельма не желала делиться, она первая отрезала себе кусок от колбасы, которую оставляла на кухне Ира.

Через месяц безостановочного таскания харчей в чужой дом Ира почувствовала вину перед мамой. Анна Ивановна, с изумлением отметив: «Что-то я стала больше на хозяйство тратить», — взяла себе еще полставки и окончательно поселилась на службе.

Света как-то недовольно сказала:

— Хорош жрачку носить!

— Я от души, — заблеяла Ира, — нехорошо вас объедать.

— Ты меня обжираешь. МЕНЯ, — подчеркнула Света, — а не их. Им ты не подруга! Значит, угощать надо меня! Лучше я у тебя гостить буду!

Ситуация изменилась. Теперь Лукашина прибегала к Мирошниченко, по-хозяйски распахивала холодильник, вытаскивала кастрюльки, наедалась до отвала, падала на диван и вздыхала:

— Хорошо-то как! Тишина.

— У вас весело, — однажды сказала Ира, — а у нас тоска.

Света свесилась с дивана.

— Ты когда-нибудь жила вчетвером в одной комнате?

— Нет, — призналась подруга.

— Вот и молчи, — отрезала Лукашина, — лучше быть единственным ребенком в семье, а не вороной в стае.

Глава 16

На лето мама отправляла Иру к бабушке в деревню, в дружбе с Лукашиной наступал трехмесячный перерыв. Но первого сентября все начиналось заново. Вот только когда Мирошниченко пошла в девятый класс, Света почему-то не явилась на торжественную линейку.

После уроков Ира побежала к Лукашиным, дверь ей открыла Нина.

— Что тебе? — неприветливо спросила она.

— Света в школу не пришла.

— И что? Она заболела. В больницу попала!

— Ой! — испугалась Ира. — Куда? Я хочу навестить ее!

— Кто там дверь открытой держит? — прозвучал гневный голос, и в коридор выплыла Тельма. — Нинка, чего бездельничаешь? Белье недостирано.

— Не командуй, — огрызнулась девочка.

— Сейчас тебя накажу! — пригрозила Тельма. — Вот Сережа придет — выпорет! Будешь знать, как мне хамить!

Ира растерянно заморгала. Тельма была у Лука-

шиных приживалкой, она никогда не открывала
рта, казалась немой, носила мешкообразное серое
платье, волосы стягивала на затылке черной «апте-
карской» резинкой и выглядела старухой. А сейчас
в прихожей стояла вполне симпатичная блондинка
в обтягивающем сарафане. У Тельмы обнаружились
и грудь, и бедра, на старуху она теперь совсем не
походила.

— Зачем пришла? — зло спросила Тельма у
Ирочки.

— К Свете... — растерянно ответила та.

— Незваный гость хуже татарина, — отрезала
Тельма, — до свидания. И не шляйся сюда! Без тебя
хлопот не оберешься.

Ира побежала по лестнице вниз. Как она искала
адрес клиники, в которой лежала Света, это отдель-
ная история, но в конце концов Ира разузнала ее
координаты и поехала к подруге.

Света лежала в восьмиместной палате, выглядела ужасно и мало обрадовалась при виде Иры.

— Это ты? — вяло сказала одноклассница. — Ну,
привет!

— Что случилось? — спросила Ира.

— Болею.

— Чем?

— Ерунда, — отмахнулась Лукашина, — голова
ноет.

— Тельма покрасилась в блондинку, — хихикнула Ира, — чума!

— Знаю, — совсем помрачнела Светка, — она
теперь вместо Златки, они поженились.

— Кто с кем? — не поняла Ира.

Светка встала, накинула халат и, приказав:

— Иди за мной, — побежала в парк, окружав-
ший клинику.

Сев на скамейку, Света спросила:

— Ты что, ничего не поняла? Про нашу семью?

— Нет, — покачала головой Ира и добавила: — Вроде нормальные люди, только детей много!

Светка захохотала.

— Ой, ты и дура! И все доченьки одного возраста?

Ира разинула рот. Действительно!

— И че? Так бывает? — продолжала веселиться подруга. — Хоть девять месяцев разницы положено!

— Ну, вообще! — пролепетала Ира. — Так вы кто друг другу?

Света сложила руки на коленях.

— Злата и Серега — муж с женой. Она на всю голову больная была! В Бога верила! К попу вечно таскалась! У нее отец в церковном хоре работал, ну, этим, вроде дирижером.

— Регентом, — поправила более образованная Ира.

— Хочешь правду знать — слушай, не умничай, — обозлилась Света, — а нет, так я замолчу.

— Все, все, — замахала руками Ира, — извини.

Злата выросла в небольшом подмосковном местечке, воспитывалась верующими родителями и нашла мужа себе под стать. Сергей тоже посещал службы, не пил, не курил, не ругался. Жили молодые счастливо, у них была хорошая трехкомнатная квартира и неплохой достаток. Злата и Сергей сильно отличались от людей своего возраста, они соблюдали пост и пытались не грешить, по воскресеньям непременно посещали службу, друзей не имели. Сергей, когда мог, пел в хоре, у него был красивый тенор. Одна беда — у молодых никак не получался ребенок, а оба хотели иметь большую семью, и дочек не меньше трех. Через год бесплодных попыток они сходили к доктору, им провели все обследования, и выяснилось: здоровья у супругов через край, с медицинской точки зрения никаких препятствий к зачатию нет.

— Почему же я не могу забеременеть? — заплакала Злата.

— Такое бывает, — ответил врач, — Бог не дает.

Оставим последнее заявление на совести доктора, скорей всего, в обследованиях была неточность, опытный специалист посоветовал бы Лукашиным еще раз сдать анализы, но Злате и Сергею не повезло с лекарем. Заявление о Божьей немилости было воспринято религиозными людьми как руководство к действию. Они поехали по монастырям, молились у положенных икон, просили даровать им хоть одну дочь, но толку не было.

В конце концов Сергей сказал:

— На все Божья воля, значит, у нас судьба такая.

Ночью Злата разбудила мужа и зашептала:

— Съездим в деревню Савелово, мне сон привиделся, к нам там подойдет монашка, она поможет.

В ближайшее воскресенье супруги отправились в Савелово, а дальше начались чудеса. К ним на самом деле приблизилась женщина, с головы до ног укутанная в черное.

— О большой семье мечтаете? — без предисловий поинтересовалась она.

— Да, матушка, — пролепетала Злата.

— Хорошее дело, — одобрила монашка. — Но Господь вам всего одного ребенка пошлет, и то если обет дадите.

— Какой? — хором спросили супруги. — Мы на все готовы.

— Когда твоей дочери исполнится год, приедешь сюда и возьмешь из приюта трех сирот, — приказала монашка, — позовешь меня, мать Евдокию, я тебе детей укажу, все формальности с законом на себя возьму. Согласны?

— Да, — сразу ответила Злата.

— Да, — чуть помедлив, подтвердил Сергей.

— Ну и ладно, — кивнула Евдокия, — через неделю ты забеременеешь.

У Лукашиных родилась дочь, а спустя двенадцать месяцев счастливые родители приехали к Евдокии и враз стали многодетными.

Сейчас кое-кто, читая эти строки, удивляется, ну почему Злата и Сергей выполнили данное обещание? По какой причине они взвалили на свои плечи заботу о посторонних детях? Неужели нельзя было забыть о разговоре и спокойно воспитывать родного малыша? Повторяю, Злата и Сергей были искренне верующими людьми, не прикидывались религиозными, а являлись по-настоящему воцерковленными. Им и в голову не могло прийти нарушить обет. Сергей впрягся в работу, Злата осела дома, но ей одной было трудно справиться с ордой малышей. Как-то раз, приведя весь свой «детский сад» в поликлинику, Злата наслушалась нелестных слов от других матерей. «Понарожала крикунов», «Притащила армию, нам теперь в кабинет не попасть», «Плодятся как кролики», — много чего высказали вслух злые бабы, когда врач, выглянув из кабинета, заявил:

— Лукашины последние, других не приму, не собираюсь тут с вами до ночи куковать.

Как назло, шаловливые малышки разбегались, кричали, капризничали, плакали. Лучше всех Злату могли понять родители близнецов, да и то если умножат на два свои проблемы. В какой-то момент у Златы опустились руки, и она заплакала.

— Давайте я вам помогу, — произнес тихий голос, — меня зовут Тельма, я работаю здесь уборщицей.

Через неделю Тельма перебралась к Лукашиным, она не имела ни родни, ни жилплощади, приехала в Москву из Тмутаракани за счастьем, но жизнь у нее сложилась не самым лучшим образом.

Злата и Тельма были одногодками, они довольно скоро подружились. Лукашина не платила домработнице денег, та работала за кров и еду. Девочки звали Тельму тетей, а посторонние люди считали няньку близкой родственницей Лукашиных.

Злата была своеобразным человеком, поэтому от детей скрывать правду не стала. С ранних лет Нина, Жанна, Эля и Света знали: они не родные друг другу, приемные, взятые из интерната при монастыре и удочеренные Лукашиными. Девочки носили одинаковую фамилию новых родителей и отчество — Сергеевна, но это было единственной связующей их нитью. И, самое главное, девочки не знали, кто из них является родной дочерью Лукашиных.

— Почему? — удивилась Ира.

Света поежилась.

— Идиоты. Злата с Серегой мечтали о такой семье, где все друг друга обожают, по вечерам вместе сидят, папа читает книгу, мама шьет, дети вяжут! Мрак! Что у нас, каменный век? Ты тоже дура, неужели не поняла, как мы друг друга ненавидим? Знаешь, что у нас в спальне по ночам творилось? Мы дрались до крови, но тихо, чтобы Злата не услышала. Сергей, он попроще, поругает нас и уйдет, а Златка ныть начинала: «Как вам не стыдно! Вы должны любить друг друга! Помните — мы одна семья», и ду-ду-ду, зу-зу-зу, гу-гу-гу! На полночи заводилась!

— Почему же они родному ребенку правду не открыли? — недоумевала Ира.

— Хотели, чтобы мы все находились в равных условиях, — свистящим от злости голосом пояснила

Светка, — дескать, если свое дитя, то оно выделится, загордится! Суки!

— Нехорошо так говорить, — дрожащим голосом перебила Ирочка подружку.

Света вскочила, схватила одноклассницу за плечи и затрясла.

— А хорошо нас травить? Мы с пяти лет покой потеряли! Каждая считала: это ее мама с папой! Мы любую мелочь замечали! Эльку единственную из нас в музыкалку отдали! Значит, она родная? Златка, правда, на все вопросы ответы имела, отправила Элю на занятия и сказала нам:

«Выбрали самую талантливую, Элю!»

Я после этих слов месяц спать не могла, верчусь с бока на бок и думаю:

«Неужели она своя, а я приемыш!»

Потом Жанке стали вещи новые приобретать: и пальто ей, и туфли, и платье! А остальным обноски! Приедет Златка из магазина, припрет пакеты и вздыхает:

«Денег у нас мало! Жанна самая крупная, и ступня у нее уже тридцать девятого размера, поэтому приходится ей новые вещи покупать, вы мельче, походите в недоношенном сестрой».

Супер, да? Вроде мать все объяснила, а я опять в истерике. Жанка родная!

И так все время! Один раз Нинка Жанку вилкой пырнула, кровища хлещет, Жанна орет, а Нина и говорит:

«Вот подохнешь, нас меньше будет, мне обновки достанутся!»

— Ой, — Ира закрыла лицо руками, — а мама что?

— Она не узнала, — скривилась Света. — Она вообще ничего не видела, в церковь нас приведет и велит: «Молитесь, девочки». Вот скукотень, стой

столбом, придурочные бормотания слушай. Ну я
Жанке потихоньку на ногу встану и давлю до боли.
У той слезы из глаз льются, но она молчит, меня в
отместку за задницу щиплет. Так и пинаемся — чем
одной больней, тем другой лучше. Закончится служба, Златка вздыхает:

«Ох, благостно, от души помолились».

Вообще тронутая. Но знаешь, я уверена, все сестры были приемные, кроме меня!

Света заплакала. Ире стало жаль подругу, она
погладила ее по голове.

— Успокойся, поговори со Златой, поделись с
нею своими мучениями, она тебе правду расскажет.

Светлана вывернулась из-под руки однокласс-
ницы.

— Дура! Сто раз я ее умоляла! Знаешь, что она
отвечала? «Никогда тайны я тебе не открою. А если
и скажу, то не тебе, надо суетность победить. Унесу
тайну с собой в могилу». И ведь унесла, сука.

— Куда? — растерялась Ира.

— Ты не знаешь? — заморгала Света.

— Что-то случилось? — насторожилась Ира.

— Я же тебе сказала! Тельма с Серегой в загс
сходили! — напомнила Света.

— Ну... я подумала... что ты пошутила...

— Ха! Вовсе нет! Жанка из окна вывалилась, —
сообщила Света, — нас, вот уж радость, на одну
меньше стало! А Златка померла! Инфаркт у нее
случился! Она домой вернулась, идет по двору, а там
народу! Милиция! «Скорая»! Мы с Элькой в лагере
были, а Жанка дома осталась! И Нинка к подруге
уехала!

Ира вжалась в скамейку. С большим трудом она
разобралась в сути дела. Жанна решила помыть окно
и упала с большой высоты. Злата вернулась с работы, увидела еще не увезенное тело ребенка, зачем-

то поднялась в квартиру и там свалилась с инфарктом. Сергей похоронил жену и быстро расписался с Тельмой.

Через два года после несчастья умер и Сергей, а Тельма выжила падчериц из дома, раздувая взаимную неприязнь, довела воспитанниц до побега. Эля, хорошо игравшая на скрипке, пристроилась к какой-то второсортной певичке, аккомпанировала ей, моталась по гастролям. Нина вышла замуж за военного и отправилась с ним в далекий гарнизон, а Света после долгих мытарств оказалась на телеканале, работала помощником режиссера, перебегала с передачи на передачу.

— Эпилепсия у нее развилась, — пояснила Ира. — Первый припадок случился, когда она о смерти Златы узнала, вот почему ее в больницу и засунули. А потом пошло-поехало. Светка болезнь от всех скрывала, никому про нее не говорила! До глупости дошло, одни считали ее алкоголичкой, другие наркоманкой. А что можно подумать, если она вдруг на пару дней пропадает, потом появляется, синяя, руки трясутся! Но ей было плевать на слухи, главное, чтобы об эпилепсии не узнали!

— Почему? — удивилась я. — Болеть не стыдно!

Мирошниченко обхватила руками колени.

— Тельма это ей внушила, без конца повторяла: «Наказал тебя Бог за плохое поведение, сумасшедшей сделал». Вот Светка и считала, что эпилепсия — позор! Никому ни словечка не говорила. Уж как ей удавалось от любовников болячку скрывать, не понимаю! Хотя Светка медицинские журналы выписывала, она про свой недуг больше любого врача знала, постоянно покупала очень дорогие лекарства, новинки на себе пробовала. Только-только в Америке что-то появится, через неделю оно у Светы в аптечке. Она все деньги на медикаменты тратила, на жизнь ей копейки оставались. Пару раз она чуть не умерла.

— Почему? — заинтересовалась я.

— Один раз аллергия случилась, потом — сердечный припадок, — пояснила Ира, — она ведь с врачом не советовалась, а таблетки глотала! И ведь добилась своего! На людях ее не корежило! А потом она черт-те что придумала. Велела мне к Тельме пойти и сказать:

«Света умерла, очень просит ее похоронить и написать на могиле: «Родная дочь Лукашиных». Отдай мне настоящую справку из роддома, там имя матери указано».

— И вы поехали!

— Я не хотела, но Света умела людьми манипулировать, схватилась за грудь, закричала: «Ирочка, теперь я точно знаю, у Тельмы все бумаги на нас сохранились! Я измучилась в неизвестности. Проси, умоляй ее! Главное, чтобы она с тобой разговаривала в кухне, а пока ты ее отвлекаешь, я в спальне пошарю, ты дверь не захлопывай, я зайду тайком в квартиру, знаю все потайные местечки, найду справки». Но ничего не вышло.

— Почему?

— Тельма замок заперла, а меня почти сразу вытолкала, никакие уговоры не помогли, она мне не поверила. Я вернулась к Свете, а та орать: «Скотина! Ты нарочно сделала так, чтобы я не вошла в квартиру. Ты с Тельмой заодно!» И ударила меня, видите шрам?

Я кивнула.

— Кто же после такой беседы дружить с ней будет? — резонно заметила Ира. — Вот мы и не общаемся!

— Жаль Лукашину, — вздохнула я, — похоже, у нее была несчастливая жизнь.

— Как сказать, — улыбнулась Ира, — она захомутала Юрия Гинзбурга, богатого папика, жила у него в любовницах. Юра ей квартирку приобрел в доме под снос. Гинзбург еще тот жук, не захотел особо тратиться, что-то нахимичил, и Светке площадь задарма досталась. Квартирка убогая, жуткая, но в перспективе маячила новая норка, в хорошем районе. Затем Юра Свету бросил, но она ухитрилась стать подругой его жене Лизе и продолжала бывать в доме. Не всякая на такое способна.

— Хорошо, я понимаю, что Светлана была не сахар, но, если честно, меня волнует Варя.

— Барбара, — поправила Ира, — девочку в доме звали на иностранный лад.

— Это о ней идет речь в рукописи! Ира, вы должны вспомнить Владимира! Непременно! Он существует и, похоже, является близким приятелем Светы. Владимир знает, где девочка. Ира, вся надежда на вас!

Глава 17

Мирошниченко промокнула лоб носовым платком.

— Владимир? Мы со Светой давно не перезванивались. Может, у нее завелся новый любовник? Или это коллега по работе?

— Ищите ближе, — сказала я, — отношения были весьма доверительными.

— Вам лучше побеседовать с Лизой, — вдруг сказала Ира, — женой Юры. Они со Светой неразлейвода были! Могу дать ее телефон.

— Звонить матери похищенной девочки?

— Непременно и как можно быстрее, в особенности если вы имеете какие-то предположения по поводу пропавшего ребенка. Странно, что вы до сих пор не обратились к Лизе, — засуетилась Ира, вытаскивая телефон.

— Преступник велел мне действовать в одиночку, — я попыталась оправдаться, но в глубине души понимала: Ирина абсолютно права!

Ну почему я занялась Лукашиной? Да из-за Владимира! Не могу же я одновременно бежать в двух направлениях.

— Я сначала сама поговорю с Лизой, — предложила Ира, — мы знакомы. Гинзбургу наш салон машины дает в качестве рекламной акции.

Я почувствовала облегчение.

— Огромное спасибо.

— Но только говорить буду по вашей мобиле, на моей денег мало, — заявила собеседница.

Я протянула трубку, Ирина набрала номер.

— Лиза? Добрый день! Мирошниченко беспокоит, как дела, не спрашиваю, слышала объявление по телевизору. В общем, ко мне обратилась женщина, она, похоже, может выйти на след преступника. Ее зовут Даша. На!

Я схватила трубку.

— Сколько? — донесся из нее нервный голос. — Назовите сумму! Я заплачу любую.

— Здрасти! — воскликнула я. — Мне деньги не нужны.

— Сцена? Песня? Диск? Юра в два счета сделает вас звездой! Где Барбара?

— Не знаю, но...

— Это глупая шутка? — заплакала Лиза. — Ирина решила поиздеваться надо мной?

— Конечно, нет! Вы дружили с Лукашиной?

— Да, — прошептала Лиза, — Света замечательный человек!

— У нее был друг по имени Володя? Очень близкий Свете человек!

— О чем вы говорите, — еле слышно сказала Лиза, — кто вы? Что происходит?

— Меня зовут Даша Васильева, я непременно вам объясню все, но потом. Лучше сосредоточиться на Владимире! Вы должны его знать!

— Это шантаж? — совсем потеряла голос мадам Гинзбург. — Вы... знаете и... подумали... сколько вы хотите? У меня горе, дочь украли! Ей-богу, мне теперь все равно, зачем только я согласилась, ведь чувствовала: добром это не кончится!

Из трубки донеслось шуршание, потом всхлипывание.

— Давайте я приеду, говорите адрес, — предложила я.

— Нет! — с ужасом воскликнула Лиза. — Это невозможно! Тут... здесь... улицу Нижняя Масловка знаете?

— Район метро «Динамо»?

— Там, через два часа, — зашептала Лиза, — большой серый дом, а в нем кафе «Помидорчик».

— Ладно, — согласилась я, удивленная выбранным для встречи местом, — нет проблем, надеюсь, я прибуду в назначенное время, несмотря на пробки в городе.

— Я дождусь вас, с места не сдвинусь, — пообещала Лиза.

Забегаловка, в которой Лиза назначила мне встречу, оказалась неожиданно уютной: шесть столиков, покрытых ярко-красными скатертями, приглушенный свет и две официантки, скользящие словно тени. Одна из них, заученно улыбнувшись, протянула мне меню, я открыла книжечку и спросила:

— Чай листовой или из пакетика?

Подавальщица напряженно смотрела мне в рот.

— Чай листовой? — повторила я.

Девушка затрясла головой.

— Несите, — сказала я, — с лимоном.

Не успела официантка отойти, как в кафе вошла молодая худенькая женщина в джинсах, споткнувшись о порог, она кинулась ко мне.

— Это вы звонили?

Я кивнула.

— Здравствуйте, Лиза.

Мать Вари упала на стул.

— Говорите, что вы знаете!

Я решила изложить только самую суть.

— У вашей подруги Светланы Лукашиной был приятель, Владимир. Похоже, это он организатор похищения Барбары.

Лиза вцепилась пальцами в край стола.

— Это невозможно!

— Значит, вы его знаете! — обрадовалась я.

Лиза, не ответив, выхватила из сумки мобильный.

— Подождите, — испугалась я, — не нужно соединяться с сумасшедшим!

Лиза вздрогнула.

— Вы знаете? Откуда?

— Что? — в свою очередь удивилась я.

— Ну... про... мерзкого...

— Владимир, конечно, неприятная личность, — согласилась я, — хотя эпитет «мерзкий» в отношении типа, который украл у родителей маленькую девочку, звучит слишком мягко. Парень — негодяй и преступник, а еще он... Ладно, давайте его адрес!

Лиза поманила официантку пальцем.

— Принеси воды, — очень четко и медленно сказала она, — минералки, без газа, поняла?

Девушка кивнула и ушла.

— Странные здесь работники, — удивилась я, — молчат, как рыбы.

— Они глухонемые, — пояснила Лиза, — по губам читают. Если хотите с кем-то в тишине поговорить, «Помидорчик» лучшее место.

— Понятно, — кивнула я, глядя, как подавальщица идет к нам через зал с подносом, на котором стоят чайник, чашка, стакан и бутылка.

— Мерзкий — это фамилия, — вдруг сказала Лиза, — Владимир Мерзкий.

— Да ну? — удивилась я.

— Он писатель, — добавила Лиза, — но его не печатают, хотя Володя, на мой взгляд, талантлив, работает в жанре детектива, взял себе псевдоним Благородный. Очень смешно, если учесть, какая у него фамилия!

Я вскочила и чуть не опрокинула столик.

— Это он! Графоман и негодяй. Не зря у него фамилия Мерзкий.

Лиза прижала руки к груди.

— Володя не мог сделать ничего плохого Барбаре! Никогда! И он не знаком со Светой.

— Вот тут вы ошибаетесь, — закричала я. — Где живет этот подлец? Адрес вам известен?

Лиза кивнула.

— Поехали, Барбара там! — приказала я.

— Невероятно, — прошептала Лиза, — откуда он узнал? Хотя... Ой, нет! Тут какая-то ошибка! Света... я до нее дозвониться не могу! Почему она не берет трубку? Юра меня убьет! Черт! Так я и знала, что все сорвется! Ладно, хорошо! Хватит миндальничать! Сколько ты хочешь за молчание? Я готова платить! Любую сумму! Но в обмен на исчерпывающую информацию: кто сообщил тебе правду? Откуда протекло? Свидетелей не было! Одна Светка в курсе. Какого черта она в подполье ушла!

Тут только до меня дошло, что собеседница не знает о смерти Лукашиной.

— Лиза, Светлана умерла.

Гинзбург отхлебнула воды из стакана.

— Говорила я Юрке, что это отвратительная затея! А он! «Решу финансовые проблемы!» Как — умерла???!!

— После очередного припадка эпилепсии у нее случился сердечный приступ.

Лиза уставилась на меня.

— Эпилепсии?

— Вы не знали, что Лукашина больна? — поразилась я.

— Она в детстве переболела лихорадкой, — растерянно ответила собеседница, — жила с родителями-дипломатами в Африке и подцепила эту дрянь. Болезнь перешла в хроническую стадию. Света не была заразной, но ей делалось плохо при смене сезонов или при стрессе, поднималась температура, начинался озноб.

— Светлана скрывала, что больна эпилепсией, — сказала я, — она пыталась лечиться, пила много лекарств, но все-таки умерла.

— А где моя дочь? — заорала Лиза. — Где Барбара? Где?

Меня удивило странное поведение госпожи Гинзбург. Может, у нее проблемы с головой? Девочку украли, я вот уже четверть часа пытаюсь убедить мать дать мне адрес писателя с «благозвучной» фамилией Мерзкий, но Лиза не торопится это сделать. Она говорила о шантаже, предлагала мне денег и как-то вяло реагировала на происходящее. А сейчас вдруг аффект! Да такой шумный!

— Что это? Что? — тряслась Лиза, хватаясь за телефон. — Юра! Да ответь же! Не подходит! Выключил мобилу! Нет, я не верю! Барбара! Боже! Нет! Да что происходит?

— Выпейте воды, — предложила я, — попытаемся рассуждать спокойно! Вы знаете Владимира, это понятно! Давайте поедем к нему и...

Я залпом осушила чашку с чаем и рассказала Лизе всю правду про конкурс, «Десять негритят» и историю, в которую меня втянул безумный графоман.

Елизавета вскочила на ноги.

— Поехали. Ты на машине?

— Да, а ты пешком? — удивилась я.

— На такси, — пояснила Лиза, — нам на Якиманку, знаешь, где это?

— Живу в Москве с рождения, — пожала я плечами.

Сев в «букашку», Лиза открыла сумку. Я машинально бросила взгляд внутрь, увидела баллончик с бензином для зажигалок, кошелек, бутылку воды... Лиза стала рыться в содержимом, вытащила элегантную электронную зажигалку, чиркнула ею, закурила и сказала:

— Я в ужасном положении, катастрофическом, безысходном...

— Думаю, Барбара у Владимира, — воскликнула я, — как ты считаешь, он способен причинить ребенку зло?

— Вовка? Конечно, нет! Хотя в последнее время он совсем обезумел, — вздохнула Лиза, — напрочь головы лишился! Его не печатают, куда ни отнесет свою гениальную рукопись, везде отказ.

Я покрепче вцепилась в руль. Ну погоди, Мерзкий! Еще час, и ты ответишь за все.

— Обиде́ть Барбару он не способен! — закончила Лиза. — Но как дочка к нему попала?

— Каким-то образом Владимир уговорил Свету увести девочку и отдать ему, — предположила я. — Лукашина — ваша близкая подруга, Варя без колебаний отправилась с ней!

Лиза уставилась в боковое окно.

— Ладно, — с трудом выдавила она из себя, — я теперь от тебя завишу, хотя никак не пойму, ну как подобное могло случиться! Барбару никто не похищал!

Я нажала на тор… оз, сзади послышались нервные гудки.

— Как? И где девочка?

— Она была у Светы, — пояснила Лиза, — нам дом на окраине показался лучшим местом!

— Икра и осетрина! — осенило меня. — Черешня из пафосного супермаркета! Новый DVD-проигрыватель!

— Ты о чем?

— Меня удивило содержимое холодильника Лукашиной. Дешевый йогурт и деликатесы. Теперь я понимаю, продукты она покупала для девочки.

— Ну да, — кивнула Лиза, — мы дали Светке приличную сумму. Купили в маленькую комнату новую мебель, подушки, одеяло, игрушки. Барбара бы не согласилась жить в грязи, хоть она и не стала капризничать, испугалась!

— Что за дикая идея инсценировать похищение собственного ребенка? — поразилась я.

Лиза поправила ремень безопасности.

— Это Юркина идея. Кредит в банке.

— Извини, не понимаю!

Гинзбург спросила:

— Ты кем работаешь?

— Имею диплом преподавателя французского языка.

— Не нашего полета птичка, — протянула Лиза, — хорошо, слушай.

Через десять минут исповеди госпожи Гинзбург я очень порадовалась тому, что никто из моих домашних не поет на сцене песни про любовь. Похоже, в мире шоу-бизнеса бытуют весьма своеобразные представления о порядочности, любви и долге.

Юра поднялся в середине девяностых, написал несколько мелодий для группы «Сладкий июнь» и разбогател. Три мальчика, голосившие про цветущую сирень, падающие звезды и белые облака, гребли деньги лопатой. Бойбэнд колесил по всей России, собирал стадионы, а Юра пек новые хиты, мало чем отличающиеся друг от друга. Публика ломилась на концерты, певцы зазвездились, подсели на кокаин, стали срывать гастроли, потом переругались из-за денег, решили начать каждый по отдельности сольную карьеру и сгинули в неизвестности. Юра не растерялся, занялся певицей Амантой, вложил в нее деньги, написал парочку хитов, вывел красотку на сцену и стал получать прибыль. Но тут Аманту приметил богатый «папик», он предложил девочке руку, сердце и кошелек в придачу. Это был тяжелый удар, но Гинзбург перенес его стойко и сделал нужные выводы. Следующим его проектом оказалась Вишенка — девушка из очень обеспеченной семьи. Богатый отец согласился вложить немалые средства в раскрутку дочери, не пожалел денег на оплату ротаций на радио, телевидении, на интервью и съемки. В результате Вишенка, все с теми же песенками про цветочки — облака — раненое сердце, весьма успешно заняла свою нишу, позвездила два года, затем устала и уехала в Лондон учиться. А Юра основал продюсерский центр и стал искать новые таланты. Гинзбурга считали богатым и влиятельным. Юра оброс связями, но вот с деньгами дела обстояли не так уж и радужно. Нет, Юра ездил на «Бентли», «Мазератти», «Порше» с шофером, имел роскошный загородный дом, носил Гуччи — Прада — Кавалли. Но никто не знал, что пафосные автомобили ему давали в качестве рекламной акции салоны, водила месяцами не получал зарплату, а особняк на Рублевке Юрка получил в качестве отступных, когда развелся со своей первой женой. Сделка произошла в доисторические времена, мало кто помнил, что Гинзбург был когда-то женат на дочери академика, и тесть, мечтавший избавиться от неприятного зятя, отдал ему дачу.

Иногда ситуация бывала парадоксальной. Юра, шикарно одетый, приезжал в пафосной тачке на встречу с очередными родителями или мужьями, желавшими сделать звезд из своих детей или жен, но в кармане у Гинзбурга не было даже мелочи на кофе.

Тем не менее продюсер держался на плаву, выглядел успешным, даже Лиза не понимала, что семья постоянно балансирует на грани разорения.

Глаза у нее раскрылись три месяца назад, когда ей в фитнес-клубе на рецепшен сказали:

— Простите, вам велено не давать ключ, пока не оплатите счета. У вас большой долг за тренировки и СПА-процедуры.

Лиза вернулась в особняк и сказала Юре, который, как на грех, оказался дома:

— Милый, там какая-то непонятка со счетами! Мы задолжали спортклубу и...

Договорить ей не удалось, муж швырнул об пол чашку и заорал:

— Блин! Еще и дурацкие тренажеры!

— Тише, тише, — испугалась Лиза, но Юру уже понесло, он выложил супруге правду.

— Мы нищие! — визжал Юра. — Чертова кукла Лаура! Ее отец требует назад вложения, девчонка ни одной премии не получила, никто ее вой пением не считает. Лаура дура, дура и лентяйка. Тут никакие миллионы не помогут! Группа «Флип» развалилась, солист в наркологии лежит, новый парень, тот, что из Екатеринбурга, хорош, но он без богатых родственников, я в него вбухал половину бабок Лауры! Блин! И тут еще ты с этим фитнесом! У нас счета за электричество с января не оплачены! За Варькину школу долг! Няня зарплату просит!

Лиза заплакала, Юра замолчал.

— Не реви, — уже спокойно сказал он, — выкрутимся, не первый раз.

Но, похоже, удача навсегда отвернулась от Гинзбурга. «Желтуха» напечатала заметку под названием «Голый продюсер». Журналист прямо написал: «Гинзбург банкрот, его проекты проваливаются, денег нет». В шоу-бизнесе очень важно создать о себе нужное впечатление, слух о финансовой несостоятельности может убить продюсера, и Юра задергался. Пустив в ход все свое обаяние и дернув за огромное количество ниточек, он сумел встать во главе крупного телепроекта. Конечно, не на центральном канале, а на заштатном КТК, но все равно большая аудитория Юрию была обеспечена. По Москве объявили конкурс, тысячи молодых людей бросились штурмовать студию, все хотели петь на сцене. Юра договорился с парочкой обеспеченных людей, которые желали видеть своих родственников в победителях. Казалось, Фортуна снова раскрыла Юрию свои объятия, но это была только видимость успеха. Для участия в телемарафоне понадобились средства, олигархи не захотели вкладываться в раскрутку неизвестно кого, осторожничали. И Гинзбург, надеясь на успех затеянного дела и понимая, что он потом получит навар, влез в долги. Лиза, которая теперь была полностью в курсе дел мужа, попыталась удержать его от обращения к банкирам.

— А вдруг что-то случится? — боязливо говорила жена.

— Не каркай, — оборвал ее Юра.

Елизавета словно в воду глядела: одна из богатых девочек заартачилась и отказалась от проекта, вторая вдрызг разругалась со своим «папиком», и тот с ней расстался. У Юры теперь были только долги, недоделанные подзвездки и неясные перспективы. Победить в конкурсе должны были те самые ушедшие девочки. Как только «киски» получили бы первые места, богатые Буратины мигом бы раскрыли кошельки. Но сейчас Юре предстояло раскручивать оставшихся самому.

— Ты накликала беду! — наорал на жену Гинзбург. — Ходила, стонала, вот и вышло, как ты ныла! Сглазила меня, дура!

Лиза привычно заплакала.

— Ладно, — опомнился Юра, — я что-нибудь скумекаю! Глобальное!

И придумал.

— У нас украдут Барбару, — сказал он жене, — похитят, потребуют выкуп, пару миллионов долларов. Я его заплачу, верну дочь. Банкиры хоть и суки, но тоже люди, у всех есть дети. Приду к ним со слезами на глазах! «Простите, ребята, весь свободный капитал за жизнь ребенка отдал, подождите с полгода, верну вам долг непременно».

Лиза разинула рот, а Юра возбужденно продолжал:

— Если они откажут, начнут давить, я пообещаю дать газетам интервью. Ну, типа, вот какие сволочи встречаются! Человек с себя последнее снял, за девочку заплатил, а его к земле долгом пригнули. Будет мне двойной пиар: фамилия по прессе прокатится, и заимодавцы притихнут. Все-таки похищенный ребенок! Можно имидж потерять, если не протянуть отцу руку помощи в такой беде!

Елизавета схватила мужа за плечо.

— А вдруг похитители напугают Барбару? Причинят ей вред?

Юрий заржал.

— Я знал, что ты идиотка! Но такое сказануть! Я просто спрячу девчонку!

— Где? — ахнула Лиза.

— Я придумал гениальный план, — ухмыльнулся муж.

Глава 18

Гинзбург великолепно понимал, что отправить Барбару за границу не получится, на паспортном контроле останутся все сведения о ребенке. Нельзя было и запереть ее в особняке, няня и шофер тогда бы оказались в курсе дела. Поэтому к процессу была привлечена одна Светлана Лукашина, бывшая любовница Юры и лучшая подруга Лизы.

Для начала Гинзбург оборудовал комнату в квартире Светланы. Действовал он очень осторожно, процесс закупки вещей растянулся на две недели. Света небольшими порциями оттаскивала шмотки к себе. Барбаре предстояло сидеть довольно долго в убогой квартире, во избежание скандала капризной девочке нужно было создать комфортные условия.

Когда подготовили спальню, Юрий сказал дочери:

— Ты уже взрослая, слушай внимательно. У меня есть враги, они грозятся убить нашу семью, абсолютно всех, включая тебя, поэтому тебе временно придется спрятаться.

— Хорошо, папочка, — испуганно прошептала Варя.

— Поедешь к тете Свете.

— Да, папочка, — лепетала дочь.

— Поживешь у нее, на улицу выходить нельзя, если кто в квартиру позвонит, ты будешь сидеть безвылазно в своей спальне.

— Да, папочка.

— Дней десять!

— Да, папочка, — съежившись, повторяла Варя.

Юра перевел дух: похоже, он сильно напугал дочь, раз избалованная истеричная малышка ведет себя столь послушно.

— Все уладится, — сбавил накал отец, — я справлюсь с врагом.

— Папочка, ты самый сильный, — прошептала Варя, — я тебя очень люблю.

Юра обнял дочь.

— Помни, выходить из квартиры нельзя, а тетя Света выполнит любые твои приказания.

— Она хорошая, — согласилась Варя.

— Разве я доверю тебя плохому человеку? — серьезно спросил отец. — Теперь о главном. Через неделю мама поедет с тобой в торговый центр, там много народу и никто ни за кем не следит. Туда же явится и тетя Света. Ты уедешь с Лукашиной и помни: наша жизнь и благополучие зависят от твоего умения держать язык за зубами и способности переносить испытания.

— Да, папочка, — поддакнула Варя.

Через семь дней акция «Похищение» успешно стартовала в торговом центре. Никто из посетителей магазина не обратил внимания на маленькую девочку, которая пришла с одной, а ушла с другой женщиной. Варя была одета неброско, красивые бриллиантовые сережки, подаренные папой, она оставила дома, ее пышные волосы спрятали под кепку. Света и Варя сели в метро, добрались до нужной станции. В десять вечера Лукашина и десятилетка вошли в парк. Света достала спрятанную в укромном месте сумку на колесах, хрупкая тощая Варя залезла в нее, и Лукашина покатила ее назад к подземке, поймала такси и доехала до своего подъезда.

Втащить тяжелую сумку на второй этаж оказалось не так уж просто, но Света справилась.

— Вы были очень предусмотрительны, — отметила я.

Лиза кивнула.

— Светлана говорила, что бабье на ее лестничной клетке любопытно сверх меры, поэтому мы и придумали фокус с сумкой.

— Ясно, а что было дальше?

Лиза стала хрустеть пальцами, меня передернуло, но пришлось смолчать, а Гинзбург продолжала рассказ.

Юрий выждал день и поехал в банк, там он озвучил версию с похищением.

— К жене в магазине подошли четыре кавказца, приставили нож к горлу, отняли Варю и сказали: «Два миллиона баксов в течение недели, иначе ты не увидишь девку, пойдешь в милицию — вернем ребенка, но по частям». Подождите с долгом, мне надо спасти дочь.

Банкиры, сохранив на лицах каменное выражение, ответили:

— Мы подумаем.

Пару дней стояла тишина, потом основной заимодавец соединился с Юрием и сказал:

— Я понимаю остроту проблемы и сочувствую вам, но срок возврата кредита остается прежним.

И Гинзбург решил действовать. Он устроил «утечку» на телик, сообщение попало в новости, на продюсера налетели журналисты, Юра мрачно отвечал:

— Спокойно! Кто раздул скандал? Да, моя дочь стала жертвой похищения, я сам разрешу ситуацию.

— Вы не хотите обращаться к профессионалам? — удивились репортеры.

— Что они могут? — презрительно ответил Юра. — Девочка скоро будет дома. Никаких сомнений у меня на этот счет нет. Кстати, я пытался просить помощи, но мне отказали.

— Милиция не захотела заниматься этим делом? — возмутились представители СМИ.

Юра горько вздохнул:

— Нет, я и не думал идти в милицию, обратился в банк. Два миллиона долларов для меня большая сумма, но она есть на счету, вот только деньги предназначены для выплаты кредита. Я попросил управляющего слегка отсрочить мой платеж. Я успешный продюсер, занимаюсь телепроектом, финансовые затруднения временные, они возникли из-за беды с Варей. Но, увы, навстречу мне никто не пошел. Придется миллионы отдавать самому.

— А ваша дочь? — занервничали борзописцы.

Юра нахмурился.

— Без комментариев. Увы, я понял, что в нашей стране нет места милосердию, все решает золотой телец.

— Назовите банк, — попросил один из папарацци.

— Здесь нет секрета, — быстро согласился Юра, — управляющий Казимиров, владелец Антонов...

Лиза опять похрустела пальцами, открыла сумочку и стала рыться в одном из отделений.

— Ловко ваш муж сработал, — процедила я.

Лиза вытащила носовой платок.

— Юра сейчас поехал в банк. На банкиров налетели журналисты, скандал финансистам не нужен, обвинения в черствости бьют по имиджу банка, который придумал себе рекламный слоган: «Для нас нет чужих проблем». Получается, они врут? Жизнь ребенка для Казимирова и Антонова ничто? Юре продлят срок возврата на полгода, он вывернулся. Сегодня вечером, максимум завтра утром Барбара должна быть дома! История получила слишком широкую огласку! Если Юра не продемонстрирует девочку... И тут появляешься ты с сообщением о смерти Светланы!

Лиза уткнулась в платок.

— Где Барба? — глухо спросила она. — Каким образом Вова оказался замешан в эту историю? Откуда он узнал, что Барба у Светы? Где взял ее адрес? Мы очень с ним осторожничали, скрывали свой роман и целый год были счастливы, а потом эти «Десять негритят»...

Лиза разрыдалась.

— Владимир твой любовник? — бесцеремонно поинтересовалась я.

Гинзбург промокнула глаза.

— Юра умеет производить впечатление на женщин. Я с ним познакомилась на концерте, одиннадцать лет назад, когда пыталась сделать карьеру в шоу-бизе. Юрий обаятелен, мил, щедр, когда при деньгах, вот я и подумала: чем плохой муж?

— Ваш брак строился не на любви?

— Союз по расчету более крепок, — запальчиво воскликнула Лиза. — Я нравилась Юре, родила ему ребенка, занималась хозяйством, помогала в работе. Думаешь, ходить по тусовкам весело? Это служба! Я пахала на Юру! А он? Стал грубым, невнимательным. И тут появился Володя, нежный, понимающий, тонкий.

— Может, вам следовало развестись?

Лиза скривилась.

— И что? Вова нищий! А у меня ребенок! Нет уж! Я не готова жить в шалаше. Мне с ним было хорошо, но на мужа Владимир не тянет. И в последнее время... Сейчас увидишь, стой, приехали.

Я послушно притормозила у бетонной девятиэтажки, которая стояла на очень шумной магистрали.

— Двора нет, — предупредила Лиза, — заезжай на тротуар.

— Пейзаж мало похож на Рублево-Успенскую дорогу, — не удержалась я, входя в вонючий подъезд, — и отчего-то мне кажется, что прихожая в твоем особняке почище!

Лиза ничего не сказала в ответ, ткнула пальцем в кнопку и констатировала:

— Лифт не работает, придется переть пешком на самый верх.

— Пусть это будет самой большой нашей неприятностью за следующие десять лет, — ответила я и начала преодолевать лестницу.

Человек, открывший дверь, показался мне похожим на Дон-Кихота: высокий, жилистый, с волосами, спадающими на плечи, он очень подходил для роли слегка сумасшедшего благородного рыцаря.

— Лиза? Ты? Вот радость! — выдохнул Володя. — И без звонка! Но я всегда тебя жду! Входи скорей! Ты не одна?

— С подругой, — нервно ответила Елизавета.

— Разрешите представиться, — поклонился писатель, — Владимир, автор бестселлеров.

— Очень приятно, — ответила я, мгновенно узнав голос. Абсолютно точно, этот человек звонил мне по телефону.

— Хватит, — оборвала его Лиза, — где Барба?

Прозаик отступил в глубь прихожей. Лиза втянула меня в квартиру, захлопнула дверь и вцепилась в бывшего любовника.

— Верни девочку!

— Кого? — очень искренне разыграл изумление детективщик.

— Мою дочь! — еле сдерживая гнев, выпалила Лиза.

— Но ее тут нет!

— Сейчас проверю, — Гинзбург перешла на крик и кинулась в комнату, я ринулась за ней.

Лиза, как безумная, металась по крохотному помещению, которое служило графоману и гостиной, и спальней, и кабинетом одновременно. Она распахнула шкаф, заглянула под письменный стол, на котором громоздилась допотопная пишущая машинка, сбросила на пол пачку дешевой серовато-желтой бумаги, попыталась отодвинуть диван от стены, потом помчалась на кухню. Я, как нитка за иголкой, моталась за женой продюсера.

Елизавета пошарила по шкафчикам, засунула нос в духовку, открыла зачем-то хлебницу и, сев на табуретку, заплакала.

— Милая, солнышко, любовь моя, — бестолково повторял Владимир, — что случилось? Чем я могу тебе помочь? Как?

— Сволочь, — сквозь рыдания сказала Лиза, — вот ты что задумал!

— Я? — попятился писатель. — Что? Где? Кто? У меня голова заболела! Прямо ремнем виски стянуло! Давление подскочило! Надо срочно себя поддержать.

Мерзкий, забыв про нежданных гостей, подошел к шкафчику, висевшему над мойкой, и распахнул его. Я, ожидая увидеть тарелки с чашками, поразилась. Полки были забиты лекарствами. Я сразу различила хорошо знакомые упаковки валокордина, но-шпы и спрея от ангины, потом заметила тубу с сильным снотворным, такое принимает одна из моих подруг, темные бутылочки с настойкой валерьяны, пустырника, пиона, гомеопатические таблетки «Успокойся», остальные снадобья были мне неизвестны.

Владимир вытащил темно-вишневую коробку, выудил из нее блистер, выщелкнул пару капсул, положил их на стол, взял стакан, повернулся спиной, открутил кран...

— Что это? — завизжала Лиза. — Что? Что?

Мерзкий уронил стакан в мойку, я посмотрела на Гинзбург. Елизавета тыкала пальцем в сторону хлебницы, стоявшей на подоконнике.

— Что? Что! Что! — на одной ноте кричала она.

Владимир бросился к любовнице.

— Дорогая, успокойся! Хочешь, я накапаю тебе изумительного средства? Гомеопатическое, абсолютно натуральное, я внимательно изучил все показания перед покупкой и...

— Что? Что? Что? — орала Лиза. — Там! Блестящее! Даша! Посмотри!

Я прищурилась.

— Не вижу!

— Подойди поближе, — почти нормальным голосом приказала Лиза.

Я покорно приблизилась к окну и удивилась.

— Сережка! Бриллиантовая, весьма необычная, в виде цветка! Лепестки, похоже, разноцветные бриллиантики, очень красивые, лимонные и коньячные! Ну и зрение у тебя! Прямо орлиное!

— Луч солнца на подоконник упал, — прошептала Лиза, — серьга заискрила! СВОЛОЧЬ!

Я не успела охнуть, как Елизавета, схватив со стола алюминиевую вилку, кинулась на писателя и попыталась вонзить ему в грудь столовый прибор. Ясное дело, зубцы согнулись, не нанеся Владимиру ни малейшего ущерба, но графоман посерел, схватился за шею и рухнул на табурет.

— Воды, — прошептал он.

Я кинулась было к мойке, а Лиза тем временем вцепилась в Мерзкого и стала его трясти.

— Где моя дочь? Где? Где?

Мне пришлось схватить ее за плечи и с силой рвануть на себя. Неожиданно Лиза отпустила насмерть перепуганного писателя.

— Сядь, — приказала я ей. — А ты пей, — велела я Владимиру.

Он послушно опустошил поданную мной чашку.

— Если будешь орать, ничего не узнаешь, — сказала я Лизе. — Почему ты уверена, что Варя здесь была?

— Серьги, — прошептала Гинзбург, — мы подарили их Барбе в комплекте с браслетом на десятилетие, полгода назад.

— Ты уверена? — спросила я.

Елизавета стиснула кулаки.

— Да. Юра считает, что лучшие камни — смоленские бриллианты, поэтому мы поехали в фирменный магазин и купили Барбе украшения, она с ними не расставалась.

Я повернулась к писателю.

— Это улика. Девочка тут была?

— Нет, нет, — затряс длинными волосами писатель, — с какой стати ребенку сюда приезжать? Я ее никогда не видел!

— Мне хоть в глаза не ври! — подскочила Лиза. — Кто с нами в зоопарк ходил?

— Правда! Я вспомнил, — изменил показания Мерзкий, — ты предложила совместное увеселение. Я был против, девочка, кстати, плохо воспитана, очень избалована и...

— Сукин кот! — завизжала Лиза. — Кто меня спрашивал: «Скажи, Лизонька, если у тебя украдут дочь, как ты отреагируешь?»

Мерзкий замахал руками.

— Я собирал материал для книги, хотел узнать о реакции матери на такое известие! Мы же вместе обсуждали сюжет, мечтали о премии, знали, что я получу Нобелевскую по литературе! Моя книга гениальна!

— А кто говорил про деньги, — зашипела Лиза, — кто заявил: «Если за девочку назначат выкуп в два миллиона долларов, ты сможешь их заплатить?»

— Но... но... это для романа, — глупо оправдывался писатель, — я получу «Оскара» за сценарий! Уже приготовил рукопись к отправке.

Лиза вскочила и убежала в комнату, Владимир умоляюще посмотрел на меня.

— Что с ней?

С трудом сдерживая желание отхлестать его по морде, я процедила:

— Тебе лучше вернуть Варю. Прямо сейчас признавайся, где держишь девочку. Иначе сядешь за решетку не на один год.

— Я впервые слышу о ребенке! — заявил писатель. — Никогда не встречался с малышкой.

— Вы же ходили с ней и с Лизой в зоопарк! — напомнила я.

— Да, верно, я забыл. Понимаете, я весь в работе. Моя великая книга... «Десять негритят»... она получила первую премию, мне ее дали при огромном скоплении народа, будет снят фильм, он уже заявлен на «Оскара», — нес пургу Владимир.

— «Десять негритят»? — прищурилась я. — О конкурсе писали газеты.

— Да, да!

— И вы победили?

— Да.

— Получили первое место?

— Точно. Моя великая книга, вернее, сценарий.

— Так сценарий или роман? — уточнила я.

— И то, и другое, — впал в ажиотаж Мерзкий, — есть два варианта, но сюжет один. Молодой человек путешествует по свету, находит философский камень и...

— По-моему, ты окончательно заврался, — рявкнула я, — наличие сережки — доказательство пребывания Вари в твоей квартире!

— Я не знаю девочку!

— Ты ходил с ней в зоопарк, — обозлилась я, — или считаешь меня беспамятной идиоткой, которая мигом забывает услышанное?

— Да, ходил, но ее не знаю! Понимаете? Можно прожить с человеком полжизни и не узнать его.

— Не умничай, — топнула я ногой, — серьга лежала у хлебницы. Как она туда попала?

— Понятия не имею.

— Лгун и подлец!

Владимир стал раскачиваться на табуретке.

— Абсурд! Театр теней! Кафка! Я тут ни при чем!

— Откуда у тебя украшение?

— Его там не было! Вам показалось, — выпалил писатель.

Я вытащила из сумки сигареты и, забыв о правилах приличия, закурила. Дегтярев говорил мне, что порой подозреваемые бывают необычайно наглыми.

— Покажешь ему бумаги, продемонстрируешь заключение экспертов, остается лишь признать свое поражение, — удивлялся полковник, — а этот фрукт спокойно твердит: «МЕНЯ там не было. Откуда отпечатки МОИХ пальцев, не знаю, МОЙ волос там очутился случайно, и следы от МОИХ ботинок — мистика».

Похоже, Мерзкий из этой когорты людей, ладно, посмотрим, кто кого, есть у меня в запасе джокер.

— Значит, ты лауреат конкурса? — я перевела беседу в иное русло.

— Первая премия, «Золотой лев»! — приосанился Владимир.

— Это было соревнование, которое устроил продюсер Макс Полянский? Сначала следовало победить в викторине, за это и давали «Льва»? А уж потом победитель, став главой жюри, оценивал писательские труды?

— Верно, верно! Я победил везде! Ответил на все вопросы! Я великолепно знаю литературу.

— Но председателем жюри все равно сделали бывшую жену Полянского Дарью Васильеву?

Владимир поджал губы, улыбка стекла с его губ.

— Ее, — с плохо скрытой злобой произнес писатель.

Я встала, оперлась руками о стол и, глядя прямо в его бесстыжие глаза, четко сказала:

— Врун и мерзавец, не зря тебе такая фамилия досталась. В конкурсе победил другой человек. «Десять негритят» — это детектив, в котором ты описал похищение Вари. Сначала изложил версию на бумаге, а потом воплотил ее в жизнь. Где девочка?

— Ложь! Ложь! «Оскар» мой! И Нобелевская тоже! Да! Я герой! Но кто вам наплел про детектив? — вдруг перестав изображать психа, спросил Владимир. — Я создатель философской прозы!

— Потому что я та самая Дарья Васильева! Женщина, которой ты, гад и дрянь, решил отомстить за свою бесталанность, — потеряв остатки самообладания, выпалила я.

Глава 19

Владимир дернул шеей, вскочил, потом обвалился назад на табурет.

— Э, нет, — воскликнул он, — я ее видел! На вручении премии! Она другая! Волосы высоко зачесаны! Смуглая! Платье черное! Губы красные! Ты врешь! «Оскар» мой!

— Пассаж про платье даже не обсуждается, — перебила я Мерзкого, — надеюсь, ты догадываешься, что я не ношу в повседневной жизни наряд со шлейфом. Волосы мне уложили в парикмахерской, вернее, это был шиньон, а цвет кожи приобретен с помощью автозагара. Я решила, что декольтированный наряд лучше не натягивать на бледное тело, и воспользовалась соответствующим кремом, правда, чуток переборщила и стала похожа на копченую шпроту! Вот паспорт, полюбуйся! Изучи нужные странички, ты ведь знаешь, где я живу, подбрасывал в почту страницы из рукописи!

Владимир вцепился пальцами в свои волосы.

— Дрянь, — загундосил он, — посмела сюда войти! Дрянь! Дрянь! «Оскар» мой! И Нобелевская! Тебе их у меня не отнять! Какой детектив? Я создал великое произведение! Роман-притчу! Эпическое полотно! Убирайся из моего дома, ты сумасшедшая! Я нормальный — психопатка ты. Я нормальный, я гений!

— Смотри сюда, — раздалось от двери.

Я обернулась, на пороге кухни стояла Лиза, в руках она держала железный поднос, на котором лежали листы бумаги.

— Что это? — спросила она.

— Рукопись, — послушно ответил Владимир, — мой бессмертный труд, плод всей жизни!

— Ты пишешь от руки, — продолжала Лиза, — не пользуешься компьютером! А потом перепечатываешь текст на обычной машинке!

— Да, — подтвердил Мерзкий, — бездушная электроника убивает мысли. Чехов, Бунин и Куприн не прикасались к ноутбукам.

Несмотря на напряженную обстановку, мне стало смешно. Действительно, великие литераторы не имели компьютеров, у них не было и удобных во всех отношениях шариковых ручек. Можно, я не стану объяснять, по какой причине литераторы прошлых лет не приобрели себе компы? Кстати, Чайковскому мог бы понравиться плеер, да только Петр Ильич скончался задолго до появления на свет сего гениального изобретения. Вся Академия наук тех лет не смогла бы понять, каким образом маленькая коробочка «запоминает», а потом транслирует музыку.

— Значит, это единственный экземпляр? — мирно спросила Лиза.

— Исправленный, дополненный, готовый к отправке в комитет по Нобелевским премиям, — сказал Владимир, — ты сейчас держишь рукописный и отпечатанный варианты.

Тут до моего носа добрался неприятный, чем-то знакомый запах, но я не успела ни удивиться, ни сообразить, что за аромат витает на кухне, потому что Лиза воскликнула:

— Где Варя?

— Не знаю, — опять ушел от ответа Мерзкий.

— Ладно, — кивнула Лиза, поставила поднос на пол, вынула зажигалку и повторила:

— Где Варя?

— Не знаю!

— Не скажешь?

— Нет! Вернее, хотел бы, но я не знаю.

Елизавета чиркнула колесиком зажигалки.

— В последний раз: где Варя? Говори, или лишишься дерьма, которое называешь книгой.

В ту же секунду я сообразила, что в кухне пахнет бензином, и крикнула:

— Не делай этого.

— Не знаю, — машинально ответил не слишком сообразительный Владимир.

— Стой, — завопила я, но Лиза уже сунула зажигалку в гору бумаги, вспыхнуло пламя.

— Книга! — бросился к подносу Владимир.

Елизавета преградила любовнику путь.

— Где Варя? Где?

Писатель вцепился в нее, Лиза оказалась сильнее, они стали бороться. Я в панике заметалась по кухне, схватила полотенце, ударила им по горящим листам, но сбить пламя не удалось, наоборот, оно заплясало еще веселей. Не обращая внимания на дерущихся Лизу и Владимира, я подскочила к раковине, налила чашку воды, вылила ее на огонь, наполнила вторую, вылила... Писателю удалось отшвырнуть Лизу, она пошатнулась, ударилась головой о балконную дверь и заплакала. Владимир упал на колени возле руин рукописи и попытался вытащить часть листов. Огонь погас, но от романа практически ничего не осталось, то, что не уничтожило пламя, испортила вода. Чернила расплылись и превратились в нечитаемые потеки, а напечатанный вариант сгорел целиком.

В кухне повисла тишина, воздух сгустился до такой степени, что его, казалось, можно было резать ножом.

— Книга, книга, книга, — мерно повторял Владимир.

— Это тебе за Варю, — жестко сказала Лиза. — Где она? Отвечай!

Я уставилась на Гинзбург. Большей глупости и не придумаешь! Теперь графоман не раскроет рта, Елизавета лишила его самого дорогого — рукописи.

— Таблетки, — вдруг сказал писатель, — дайте мне лекарство! Оно там... на столе... я не успел принять.

Я схватила две желатиновые капсулы, которые мирно лежали на столешнице.

— Нет, — взвизгнула Лиза и попыталась мне помешать, — он должен сказать, где моя дочь, или пусть подыхает!

— С ума сошла! — возмутилась я. — Он нам нужен живой и здоровый! Иначе все нити будут оборваны.

Лиза передернула плечами, я протянула графоману пилюли.

— Глотайте.

Мерзкий покорно сунул в рот лекарство, потом вдруг сказал:

— Но оно же сладкое!

— Рада за вас, — я решила наладить контакт, — вы можете говорить?

— Хочу спать, — прошептал Владимир, — голова кружится.

— А теперь постели ему простынку и взбей подушку, — съязвила Лиза.

Я помогла Владимиру встать, отвела его в комнату, уложила на диван и вернулась на кухню. Лиза сидела, положив голову на сложенные на столе руки.

— Позаботилась о гниде? — глухо спросила она.

Я открыла шкафчик под мойкой, нашла там почти лысый веник, грязный совок и стала заметать останки рукописи.

— Еще и убираешься, — закашляла Лиза.

— Хочешь найти Варю? — спросила я.

Лиза подняла голову.

— Издеваешься?

— Конечно, нет. Но только ты сделала огромное количество ошибок. Зачем сожгла рукопись?

— В отместку! Он не сказал, где девочка!

Я ссыпала обгорелые обрывки в помойное ведро.

— Владимир написал роман! Ни в коем случае нельзя было сжигать его труд!

Елизавета выпрямилась.

— Он сумасшедший. Но какой-то непонятный, психи они ведь всегда психи! А Володя, когда у нас разгорелся роман, был милым, нежным, очень заботливым...

Лиза стала рассказывать, я поставила веник на место. Все равно из квартиры нельзя уйти, пока Мерзкий не проснется, я буду слушать.

У Владимира не было денег, на его фоне Лиза казалась владелицей несметных богатств. Я-то уже знала, что ее финансовое положение было шатким, но она могла повести Мерзкого в ресторан, купить ему рубашку и заплатить за такси. Впрочем, по трактирам они не ходили — Лиза боялась встретить знакомых. Как правило, свидания протекали одинаково. Она приезжала к Володе, в двух шагах от дома Мерзкого находилась пиццерия, Гинзбург покупала там лепешку с сыром, а в супермаркете брала бутылочку недорогого вина, и парочка устраивала романтический ужин до полуночи. Юрий не очень-то занимался женой, он был не ревнив и поверил, что супруга ходит в фитнес-центр, зависает там на пять-шесть часов.

— Дорогой, мне надо хорошо выглядеть, — объясняла Лиза, — по жене люди судят о муже! А я стала расплываться, значит, нужны тренажеры, сауна, массаж, водорослевые обертывания...

— Хорошо, — устало кивал муж.

Гинзбург был очень занят и искренне обрадовался тому, что жена нашла себе применение, ворочает гантели — и счастлива. За день Юре приходилось общаться с таким огромным количеством народа, что вечером у него было только одно желание: тупо свалиться в кровать и уставиться в телик. Беседовать с Лизой не хотелось. До знакомства с Володей Елизавета встречала Юру на пороге, сама подавала ему ужин и щебетала:

— Милый, расскажи, как день прошел?

Юра, не желавший заново переживать суету, отделывался мрачным:

— Нормально.

— А если поподробнее? — настаивала Лиза.

— Все хорошо, успокойся, — огрызался муж.

Елизавета обижалась, надувалась, шмыгала носом и заводила:

— Ты меня совсем не любишь, я тебе не нужна, не хочешь делиться со мной своими переживаниями...

Юра злился, и начинался скандал, вместо тихого семейного вечера Гинзбург получал масштабную войну. Сидевшей дома Лизе некуда было девать накопленную энергию, вот она и расходовала ее в истериках. Понимаете теперь, почему Юрий обрадовался, когда жена увлеклась фитнесом? У супругов уже давно были раздельные спальни, Юра мирно смотрел телик и клевал носом. Он был абсолютно уверен: Лиза сошла с беговой дорожки и в это время лежит на массажном столе. Мысль о том, что его обманывают, не приходила Гинзбургу в голову.

А вот Владимир был другой, он тонко чувствовал настроение Лизы. Юра преспокойно ломал человеческие судьбы, отказывался от тех, кто плохо работал, был жесток с окружающими. Володя умилялся закату и мог заплакать при виде бездомного котенка. Юра не любовался природой и ел на ходу. Владимир часами рассматривал цветок и вкушал пиццу, как амброзию, наслаждался дешевым фаст-фудом по сорок минут. Муж Лизы пытался заработать, крутился белкой в колесе, любовник не испытывал никаких материальных желаний, ему было наплевать, что надевать и где жить. Юра ездил на «Бентли» или «Порше», один раз ему пришлось сесть на «БМВ», и тогда Гинзбург почувствовал себя униженным. Володя пользовался метро и совершенно спокойно мок под дождем, ожидая маршрутку. Трудно было найти более полярных людей. Лиза накушалась с Юрой кислого, и ее потянуло на сладкое, а роль конфеты играл Володя.

Через три месяца незамутненного счастья Мерзкий сказал:

— Дорогая, я хочу на тебе жениться!

Лиза растерялась — ее полностью устраивало положение вещей, а любовник продолжал:

— Представляешь, какое счастье у нас впереди? Тебе не придется уезжать на ночь, будем жить в моей квартире, обожать друг друга, как Абеляр и Элоиза!

Елизавета посмотрела на обшарпанные стены, старую мебель и вздрогнула. Поселиться здесь? Навсегда? Сменить двухэтажный особняк на Рублевке на эту однокомнатную халупу, с окнами на безумный проспект?

— Я буду писать свою великую книгу, — не замечая вытянувшегося лица любовницы, частил Владимир, — ты сядешь рядом, поможешь добрым советом!

— А откуда возьмутся деньги на жизнь? — Лиза вернула Мерзкого с небес на землю.

— Деньги? — поразился Володя. — Много ли нам надо? Одной пиццы на день хватит, ты ее принесешь, и мы сыты!

Лизе стало смешно: хотелось поинтересоваться у писателя, где она раздобудет средства на фаст-фуд? Даром даже кусочка хлеба не отрежут. Но она решила не накалять обстановку.

— Ты нарисовал замечательную картину, — улыбнулась она, — но как же Барба?

— Кто? — изумился Володя.

— Моя дочь, Варя, — напомнила Лиза, — она не может остаться без матери.

— Я готов полюбить девочку! — воскликнул Володя. — В моей квартире места всем хватит, Варя может спать на кухне, на раскладушке. Познакомь нас!

И Лиза, сама не понимая почему, решилась на авантюру. Встречу обставили, как в шпионском фильме. Лиза с Варей приехали в зоопарк любоваться на животных, около вольера с белыми медведями их окликнул мужчина.

— Володя! — фальшиво изумилась Лиза и сказала Варе: — Представляешь, этот дядя — мой одноклассник.

— Ну его на фиг, — заявила девочка, — я хочу гулять только с тобой.

Мерзкий сделал вид, что не слышит хамства, а Лиза отвела дочь в сторону и сурово сказала:

— Веди себя прилично!

— Ладно, — кивнула Варя, — купи мне мороженое!

Мать купила ей эскимо, а девочка «случайно» уронила его на писателя, потом она пролила на Владимира колу, пару раз пихнула его, показала язык, затем внезапно стала милой, схватила его за руку и сказала:

— Хотите, расскажу про моего папу? Они с мамой очень-очень друг друга любят! Целыми днями целуются и занимаются сексом!

Владимир побагровел, а Лиза остолбенела, потом воскликнула:

— Барба! Что ты говоришь?

— Нормально, мам, — засмеялась нахалка, — я уже взрослая, родители должны заниматься сексом, нам об этом на уроках по семейной этике училка рассказывала.

В общем, совместный поход в зоопарк не удался, и после него отношения Лизы и Владимира испортились. Писатель начал ревновать любовницу, а та поняла: ее Ромео — неудачник, способный только на болтовню и вздохи.

Глава 20

Окончательное решение уйти от Владимира Лиза приняла после того, как он засел писать «великий роман». Теперь их свидания проходили так: Лиза по-прежнему приносила вино и пиццу, но вместо того, чтобы заняться сексом, писатель зачитывал ей главы из нетленки. Лиза зевала, один раз заснула, чем вызвала гнев Мерзкого. Володя изо всей силы ущипнул любовницу, а когда та открыла глаза, прошипел:

— Я читаю вслух свой великий роман!

И Лизе стало понятно: конфетно-букетная стадия завершена. Мерзкий считает ее своей женой, а в качестве супруга он ей совсем не нужен. Кстати, Володя был ипохондриком, принимал большое количество лекарств, при легком покашливании трагически заявлял:

— У меня рак легких. Все симптомы налицо. Господи, дай мне сил закончить великую книгу. «Десять негритят» должны дойти до читателя!

После своей пламенной речи Мерзкий хватался за таблетки, у него дома был немалый запас препаратов на все случаи жизни.

Лиза сначала посмеивалась над чудачествами любовника, но постепенно ей стало понятно — поведение Володи свидетельствует о его психических проблемах. Окончательный разрыв у них произошел зимой. Владимир, как всегда, прочитав очередную главу, спросил:

— Ну как?

— Гениально, — ответила Лиза, — милый, иди ко мне.

— Это все, что ты можешь сказать? — возмутился Володя. — Единственное, что нашлось у тебя в ответ на мои труды?

— Потрясающе здорово, — зевнула Лиза. — Давай ляжем в кроватку?

— Я жду от тебя конструктивной критики, — не успокаивался графоман, — абстрактные замечания мне неинтересны. Как тебе образ главной героини?

Елизавета решила пойти навстречу Володе.

— Слегка расплывчат, — призналась она, — есть недочеты!

— Какие? — со странным выражением лица осведомился Володя.

— В начале главы она блондинка, а в середине брюнетка, — справедливо заметила Лиза, — еще ты постоянно говоришь, что у нее большая грудь, а потом описываешь крохотный лифчик, который умилил ее партнера. Нестыковочка.

— Издеваешься? — заорал Мерзкий. — Тебе

нравится говорить мне гадости? В моей книге нет нестыковок. Я так задумал. Тебе этого не понять! Убирайся вон! Дура!

Лиза вскочила.

— Ну хватит, — отрезала она, — надоел! Больше не звони мне.

— Не собираюсь иметь дело с существом без сердца, — не остался в долгу Владимир.

Гинзбург убежала домой. На следующий день писатель позвонил любовнице и застонал:

— Дорогая, мы совершили трагическую ошибку, скорее приезжай!

— И не подумаю, — ответила Елизавета.

— Я тоскую, — захныкал Володя.

— Скоро утешишься, — не дрогнула она.

— Милая, неужели ты не вернешься? — ныл графоман.

В подобном духе они проговорили четверть часа, и в конце концов Володя сказал:

— Я есть хочу!

— Приятного аппетита! — пожелала Лиза.

— У меня продуктов нет!

— Купи пиццу, — с нескрываемым злорадством предложила Лиза, — наверное, тебе неизвестно, но за углом есть забегаловка.

— А где взять деньги? — откровенно спросил прозаик.

— В тумбочке! — ответила Лиза и отсоединилась.

Но телефон тут же затрезвонил вновь. Гинзбург отключила его от сети, а на следующий день сменила сим-карту. Однако Владимира это не остановило, он ухитрился узнать новый номер, подстерег Лизу возле дома и стал признаваться ей в любви. Елизавета возмутилась, Владимир обозлился...

Лиза остановилась и уронила голову на руки.

— Он псих, — глухо сказала она, — пообещал мне отомстить! Сказал, что напишет другую великую книгу, в ней сообщит всю правду обо мне, морально уничтожит изменницу, проучит ее! Нес инфернальный бред! То плакал, то угрожал! Я сменила шесть номеров, но он их таинственным образом узнавал. И все начиналось заново.

— Похоже, ему помогала Лукашина, — сказала я.

— Это невозможно, — пожала плечами Лиза, — мы были близки, но Света не знала о существовании Володи. Я не принадлежу к когорте глупых баб, которые рассказывают подругам о любовниках!

— Но Володя как-то узнавал твои новые телефонные номера?

— Да.

— Значит, он имел контакт с кем-то из близких тебе людей, — справедливо заметила я.

— Ерунда, — всхлипнула Лиза, — пойду умоюсь.

— Конечно, — кивнула я.

Елизавета направилась в ванную, я осталась одна на кухне и стала обдумывать ситуацию. Гинзбург в пылу злобы сожгла рукопись, а ведь там, вполне вероятно, находилась отгадка. Мерзкий явно написал, где прячет девочку! Хорошо, что я удержалась от упреков и не сказала Лизе всего, о чем думала в тот момент, когда облитая бензином рукопись вспыхнула как факел. Кстати, где Лиза взяла горючее?

— Даша! — зазвенел из коридора голос, полный отчаянья. — Даша!

Я бросилась на зов. Ванная комната Владимира выглядела неуютно: стены без кафеля, на унитазе лежит надтреснутый пластмассовый стульчак, никакой занавески для душа и батареи моющих средств нет и в помине. На бортике сиротливо стоит гель стоимостью в три копейки и какая-то здоровенная хрустальная банка с темно-фиолетовой крышкой, показавшаяся мне знакомой. Этикетка на ней была повернута к стене, и я не могла увидеть названия.

— Даша, — с нескрываемым ужасом повторяла Лиза, — Дашенька, смотри! В корзину с бельем!

Я наклонилась над пластиковой тарой.

— Видишь кофточку? — прошептала Лиза.

— Да, — отчего-то тоже шепотом ответила я.

— Это одежда Барбы!

— Ты уверена?

— Она в ней ушла из дома, свитерок из хлопка из подростковой коллекции «Диор», розовая с белым, — пролепетала Лиза.

— Погоди, может, он принадлежит взрослой женщине, — решила я ее успокоить, засунула руку в корзину, выудила пуловер, расправила его...

— Нет, нет, нет, — затвердила Лиза, — нет! Он убил ее!

Я в оцепенении смотрела на смятый пуловер. Несомненно, он хорошего качества, явно приобретен в фирменном магазине. Но симпатичный свитерок придется выбросить, на его левой стороне растеклось большое бурое пятно, похожее на кровь, а в центре пятна зиял разрез.

— Ножом ударил? — растерянно пробормотала Лиза. — Что там еще?

Она заглянула в корзину и вытащила серо-бежевый кардиган, бесформенный, примерно сорок шестого размера, обшлага его рукавов тоже были запачканы коричнево-бордовыми пятнами.

— Это кофта Светы, — сказала Лиза.

— Ты уверена? — отшатнулась я.

Гинзбург засунула руку в карман кардигана, извлекла темно-красную книжечку, раскрыла ее и швырнула в умывальник.

— Правильно, — зашептала она, — я была слепа! Они отлично знали друг друга!

Я схватила удостоверение. «Лукашина Светлана Сергеевна, помощник режиссера». Что-то в этом есть странное, но пока не пойму, в чем дело.

Внезапно Лиза бросилась в комнату, я побежала за ней.

— Спишь, сволочь, — заорала Елизавета, — а ну, просыпайся, скот! Где Барба? Отвечай!

Но Володя не открывал глаза, его голова моталась из стороны в сторону. Руки безвольно дергались, рот был полуоткрыт.

— Чего молчишь? — озверела Лиза и отвесила любовнику пощечину.

— Стой, — прошептала я, — он, похоже, умер!

— Кто? — удивилась Лиза.

— Володя! — затряслась я.

— Врешь, — отскочила она от дивана.

— Нет, — стараясь не завопить от ужаса, пролепетала я, — живой человек так не лежит!

Лиза попятилась в коридор, я схватила ее за руку, вместе мы кинулись на кухню.

— Что нам делать? — дрожала Гинзбург.

— Надо вызвать «Скорую», вдруг он жив? — предложила я.

— Пошли посмотрим, — сказала Лиза.

— Боюсь, — честно призналась я.

— Если человеку сделать искусственное дыхание, он может дождаться приезда врача, — засуетилась Елизавета.

Снова взявшись на руки, мы вернулись в комнату. Лиза достала из сумки зеркало, я попыталась нащупать пульс на шее писателя. Кожа Володи была липкая и холодная, широко раскрытые глаза, не моргая, уставились в потолок, нижняя челюсть отвисла, вдобавок от него сильно несло мочой.

— Он умер, — вырвалось у меня, — и похоже,

уже больше двух часов прошло! Наверное, скончался сразу, как лег!

— Откуда ты знаешь? — выдохнула Лиза.

— Треугольные пятна в углах глаз, — пояснила я, — их называют пятна Лярше, серовато-желтые отметины появляются примерно через два часа после смерти.

— Ты врач? — поразилась Лиза.

— Нет, просто знаю, мне полковник Дегтярев рассказывал. Нам надо вызвать милицию.

— Никогда! — испугалась Лиза. — Быстро уходим. Соседи тут пьющие, нас не заметят, бежим!

— С ума сошла?

— Вовсе нет, торопись.

— А тело?

— Пусть тут лежит!

— Лиза!

— Что? — оглянулась Гинзбург, успевшая дойти до порога.

— Варя похищена! Ее надо найти!

— Спасибо, что напомнила, — обозлилась Лиза.

— Значит, нужно обратиться в милицию.

— Нет, они все испортят! Я сама ее отыщу!

— Не говори чепухи, — строго сказала я и вынула телефон.

— Эй, кому ты звонишь? — напряглась Елизавета.

— Человеку, который, являясь опытным профессионалом, умеет хранить чужие тайны и способен понимать людей, — ответила я.

Александр Михайлович страшный зануда, но если я коротко говорю ему: «Случилась беда», — полковник моментально отвечает:

— Куда ехать? Буду через полчаса!

Самое интересное, что, несмотря на пробки, он всегда прибывает на место спустя тридцать минут. Вот и сегодня Дегтярев не подвел. Едва большая стрелка часов приблизилась к цифре «6», как из коридора послышался хорошо знакомый баритон:

— Дарья, ты где?

— Тут! — Я высунулась из кухни. — Иди сюда.

— Не вижу трупа, — заявил полковник, с трудом пролезая в дверь.

— Он в комнате, — пояснила я.

На следующее утро меня разбудил Хучик. Бойко стуча когтями по паркету, мопс прогалопировал по спальне, носом толкнул дверь и выбежал в коридор. Я села на кровати и посмотрела на будильник. Семь утра. Однако странно, обычно Хуч мирно спит до десяти, в отличие от Банди, который готов в любое время дня и ночи, невзирая на погоду, носиться по саду. Мопс не любит совершать лишние телодвижения, лучшее времяпрепровождение для него — дрема под пледом на мягком диване.

Дверь приоткрылась.

— Хозяйка, — свистящим шепотом осведомился Амара, — помогите, пожалуйста.

— Что случилось? — насторожилась я.

— Утюг! Где у вас утюг?

— Забыл? Вчера я тебе показывала! В кладовке под крышей, — зевнула я, — доска стоит под мансардным окном, а розетку закрывает тумба с полотенцами. Доска кажется громоздкой, но это лишь видимость, она на колесиках и легко передвигается. Понял?

— Да, хозяйка, — закивал Амара, — есть, хозяйка! Я пошел!

Я легла, натянула до подбородка одеяло и попы-

талась задремать. На улице стояла тишина, прерываемая лишь пением птиц. В этом году у трясогузок
вывелось невероятное количество птенцов, почти
все ели усеяны гнездами, откуда несется звонкое
чириканье. Пташки вопреки тому, что написано о
них в энциклопедии, засыпают не в восемь вечера, а
после полуночи и в три утра уже начинают поиски
еды. Я вчера сказала Амаре, чтобы он насыпал им
корма. Интересно, парень выполнил мою просьбу?
Кажется, нет, когда кормушки-домики на высоких
ножках полны еды, трясогузки так не орут, а сегодня они просто сошли с ума.

Дверь приоткрылась, я старательно засопела. Не
вижу, кто ворвался в мою комнату, но, надеюсь,
этот человек достаточно воспитан, чтобы понять: не
надо будить сладко спящую Дашутку.

— Где мои черви? — гневно спросил Дегтярев.

Я приоткрыла один глаз, увидела Александра
Михайловича и спросила:

— Кто?

— Где мои черви? — повторил полковник.

— У тебя были пресмыкающиеся? — поразилась я.

— Беспозвоночные, — уточнил Дегтярев.

— Все равно, — вздохнула я, понимая, что по-
спать до десяти теперь уж точно не удастся. — О каких червях идет речь?

— О моих!

— Личных? — растерялась я.

— Да, — загремел полковник, — у меня жили
черви, а теперь их нет. Они исчезли, испарились!

Я заморгала. У Дегтярева глисты? Маловероятно,
он же не ест сырое мясо и свежевыловленную рыбу,
хотя заразиться аскаридами очень легко, достаточ-

но схватиться в метро за поручень, за который до вас держался человек с кишечными паразитами.

— Прямо беда, — побагровел полковник, — и как они уползли?

Я задумалась и сказала:

— Ну, нашли выход! В принципе, это не очень трудно.

— Из плотно закрытого аквариума? — взвился Александр Михайлович. — Им там было хорошо, они росли, я их кормил, — причитал Дегтярев, — заботился.

Я отползла в дальний угол кровати. К сожалению, мы с годами не делаемся моложе, очень часто у человека за сорок начинаются проблемы с головой. Напасть подкрадывается незаметно, родственники замечают странности, но списывают их на плохой характер, не понимая, что к близкому человеку мелкими шажочками подкрадывается старческое слабоумие. Реально оценивать ситуацию родные начинают, когда член семьи совершает откровенные глупости. Бедный полковник! Надеюсь, ученые придумали какие-нибудь таблетки от безумия. Надо срочно звонить Оксане.

— Где мои черви? — сверкал глазами полковник.

— Милый, — нежно улыбнулась я, — пойдем позавтракаем, я купила тебе свежайшую буженину!

— Без червей мне кусок в горло не полезет, — мрачно отмел предложение подкрепиться толстяк, — порой мне кажется, что ты не такая глупая! Знаю, ты не любишь червей, поэтому и решила от них избавиться, а сейчас прикидываешься белым лебедем.

Мне стало совсем нехорошо. Неадекватный человек бывает часто агрессивен, ему необходим объект для ненависти, и, как правило, им становится самый близкий психу член семьи.

— Дорогой, может, сварить тебе кофе? — фальшиво заулыбалась я. — Со сгущенкой, а?

— Не юли, — строго приказал полковник, — верни моих червей! Сейчас же! Я без них чувствую себя несчастным! Опустошенным!

Дверь снова распахнулась.

— Маша! — заорала я. — Как я рада тебя видеть!

Глава 21

Дочь сделала шаг назад.

— Муся? Ты в порядке?

— Все чудесно, — заверила я, хватая халат, — пожалуйста, отведи Дегтярева в столовую, он хочет позавтракать, там есть буженинка, яйца всмятку, кофе со сгущенкой, сдобная булочка с маслом, кекс, конфеты, не знаю, что еще. Паштет! Фуа-гра с трюфелями! Пусть Амара немедленно накрывает на стол! Милый, ты же любишь гусиную печенку?

— Мусенька, — оторопело протянула Маша, — Дегтярев на строгой диете! У него холестерин в крови зашкалил! Ты забыла?

— Сегодня ему можно, — защебетала я, — в морозильнике где-то есть замороженный шоколадный торт! Надо его разморозить. Милый, ступай вниз, а ты, Маруся, останься. Есть разговор! Наедине!

— И не подумаю сдвинуться с места, пока не получу червей назад, — заявил полковник.

— Чего? — по-детски изумилась Маша. — Деги, ты о чем?

— Сейчас же прекрати звать меня, как собаку! — обозлился Александр Михайлович.

Машка растерянно посмотрела на меня, я скорчила гримасу и повертела пальцем у виска.

Одно время Манюня называла полковника «дядей Сашей», но это как-то не прижилось, и девочка растерялась. Как ей звать Дегтярева? По фамилии? Или говорить ему: Александр Михайлович? Полковник? Все звучит глупо! Совсем недавно Маруська стала употреблять обращение «Деги», явно образованное от фамилии. Толстяк, кстати, весьма охотно отзывался на него и никогда не проявлял недовольства, но сегодня, похоже, у него в голове заклинило.

— В шесть утра я услышал вопль: «Деги, Деги», — продолжал он, — решил, что в доме опять хрень случилась, вскочил и понял: вопят во дворе. Вышел на балкон и что вижу? Сосед Сыромятников зовет свою собаку: «Деги, Деги». Это что же получается? Он будет пса звать, а мне дергаться. Все! Не обращайтесь ко мне так! Я вам не доберман!

Я прикусила губу: на стройного поджарого пса Александр Михайлович совершенно не похож, скорее уж он напоминает английского бульдога, причем не щенка, а толстого старика.

— Деги, то есть, прости, конечно, ты больше не Деги, — забубнила Маня, — но у Сыромятникова нет собаки.

Я опомнилась. Действительно! У банкира кот! И его зовут Фердинанд Австрийский, Сыромятников любит подчеркнуть, что у него эксклюзивное животное, не дай вам бог назвать его кису Фериком!

— А я видел добермана! — уперся полковник. — И слышал кличку Деги!

— Маловероятно, — попыталась вразумить безумца Маша, — сыромятниковскую дочку в детстве болонка тяпнула, теперь она при виде малюсенького щеночка в обморок валится.

— Был доберман! — стоял на своем толстяк. — Я видел его так же ясно, как вчера зеленого человечка на МКАД!

Так. Болезнь обостряется. Начали с червей, теперь договорились до инопланетян.

Дверь распахнулась, вошла Зайка.

— Где Амара? — спросила она. — Я велела ему погладить блузку, а парень исчез!

— Заюшка, — зачирикала я, — доброе утро, как дела? Дегтярев, любимый, пошли вниз, мы все хотим попить кофе!

Глаза Ольги потемнели, но она не успела ничего сказать. Полковник схватил с тумбочки глянцевый журнал, свернул его трубочкой и, постукивая импровизированной дубинкой по ручке кресла, заорал:

— Вернемся к моим червям!

— Куда? — изумилась Зайка.

— Дарья забрала моих червей, — пояснил несчастный. — Пусть отдаст!

Ольга уставилась на меня, а поскольку полковник смотрел в ту же сторону, я не могла постучать пальцем по лбу и сказала:

— Олюшка, постарайся понять. У Дегтярева жили черви! Он их потерял и полагает, что беспозвоночных забрала я.

— А зачем ему червяки? — растерянно поинтересовалась Зайка.

— Ну... не надо уточнений, — ответила я, — прими это как факт! Черви от Дегтярева ушли.

— Куда? — не врубилась Ольга.

— Вот, вот, — закивал полковник, — и я хочу знать, в каком направлении они улетели!

— У червяков нет крыльев, — не преминула продемонстрировать свои знания по биологии Маня, — они передвигаются посредством сжатия...

— А еще полковник видел добермана Сыромятниковых, — быстро сказала я, — милый такой песик, зовут его Деги.

Выщипанные брови Ольги поползли на лоб.

— Да, да, — закивала Маша, — он говорит, стопудово доберман в саду бегает, точь-в-точь как те
зеленые человечки, что по МКАД ходят.

— Кеша, — заорала Зая, — скорей! Сюда! Бегом!

Дверь снова раскрылась, я приободрилась. Явле-
ние пятое. Входит Аркадий. Может, мне стоит писать пьесы? Наверное, это не так уж и трудно!

— Мышь в спальне? — деловито осведомился
Кеша. — Надеюсь, Дегтярев не собирается стрелять
в несчастного грызуна из табельного оружия?

— Нет, нет, — перебила я нашего адвоката, —
речь идет о червях.

— Супер, — сказал Кеша, — черви наступают!
Сюжет фильма для семейного просмотра, никакого
секса и насилия, один ужас! У дедушки инфаркт,
у бабушки инсульт, внуки в кайфе. Черви атакуют — один, черви атакуют — два...

— Вы мне надоели, — побагровел полковник. —
Дарья, отдай червей! Я их специально для себя рас-
тил!

Завершить фразу полковнику не удалось, на него напал кашель.

— О чем это он? — поразился Аркадий.

Меня затошнило.

— У полковника жили черви! Он их кормил,
поил!

— Гулять водил! — встряла Маша.

— Ботинки им покупал, — выпалила Зайка.

Аркадий потер ладонью лоб.

— Коллективная шиза! Это хорошо!

— Почему? — не поняла Маня.

— Я помещу вас в одну палату, сэкономлю на
больнице, — засмеялся Кеша, — оптовые услуги
всегда дешевле!

— Деги, Деги, — донеслось со двора.

Мы с девочками переглянулись и ринулись на балкон. По проезжей дороге, нелепо взбрыкивая лапами, бежал молодой доберман, а за ним несся с поводком в руке банкир Сыромятников, выкрикивая на разные лады:

— Деги! Стой! Мерзавец! Деги! Прекрати! Деги! Деги!

— Он существует, — ошарашенно протянула Маня, — осталось увидеть на МКАД зеленых человечков.

— Что я вам говорил! — торжествующе закричал Александр Михайлович. — Дарья, верни червей.

— Муся, — зашептала Маня, — вспомни, может, ты их случайно взяла?

— Я похожа на сумасшедшую? — прищурилась я.

— Конечно нет, — поспешила успокоить меня Зайка, — но иногда происходит нечто само собой... Вот вчера в гримерке я схомячила почти целую коробку зефира. Как такое вышло?

— Я никоим образом не могла съесть червей! — возмутилась я. — Прекрати говорить глупости.

Дверь открылась, появился Амара.

— Хозяйка, где черепашка? — спросил он.

Я заморгала. Маразм крепчает, теперь еще и черепаха! Я точно знаю, что никаких пресмыкающихся в доме нет!

— Вот он сейчас все объяснит! — обрадовался Дегтярев. — Амара!

— Да, хозяин! — вытянулся в струнку домработник.

— Прекрати меня так называть, — занервничал полковник, — а то я ощущаю себя рабовладельцем!

— Иес, босс, — поклонился Амара.

Дегтярев поднялся из кресла.

— Где мои черви?

— Их нет, босс!

— Это понятно! Куда они подевались?

— Их съели, босс!

— Кто? Говори правду!

Амара ткнул в меня пальцем.

— Она, хозяин! То есть босс!

— Ты сбрендил? — подпрыгнула я. — Отродясь не видела чертовых червяков.

— Они не чертовы, а французские, — простонал полковник, — стоят дорого, мне их Жорж прислал! В подарок! На развод! Сорок штук! Для рыбалки! С пилотом передал!

В моей голове забрезжил луч понимания. Жорж — коллега Дегтярева из Парижа. С Александром Михайловичем его связывают годы нежнейшей дружбы. Комиссар Перье[1] страстный рыбак, пару раз Дегтярев приглашал его в одно заветное место на расположенную в провинциальной глуши речку, где приятели, забыв обо всем на свете, удили щук. У Жоржа есть племянник Анри Марио, пилот авиакомпании «Эр Франс». Простите, конечно, что я выдаю чужие тайны, думаю, что руководство авиакомпании запрещает летному составу работать, так сказать, почтальонами, но Анри возит туда-сюда небольшие посылочки. Жорж отправляет Дегтяреву всякие рыболовные примочки, а полковник платит ему той же монетой, и все в восторге.

Дней десять назад Жорж осчастливил полковника суперчервями. Для меня остается загадкой, каким образом двое полицейских ухитряются догово-

---

[1] История знакомства Даши и комиссара Жоржа Перье описана в книгах Дарьи Донцовой «Крутые наследнички» и «За всеми зайцами», издательство «Эксмо».

риться между собой. Александр Михайлович может произнести по-французски одну гениальную фразу:

— Жё мапель Алекс, жё сюи маляд!

Мало кто из франкоговорящих людей может понять пассаж, произнесенный с невероятным акцентом, поэтому даю точный перевод.

— Меня зовут Алекс, я болен.

Первую фразу можно считать собственным представлением, а вот откуда взялась вторая? Я теряюсь в догадках.

Жорж же, хитро улыбаясь, отвечает по-русски:

— Дружьба! Моськва! Ура!

Сами понимаете, с таким словарным запасом далеко не уедешь, но мужчины расчудесно ведут диалог. Один раз Жорж гостил у нас в Ложкине, Александр Михайлович приехал домой с работы, увидел приятеля в столовой и завел:

— Мерси, мерси.

Вообще-то следовало сказать: «Бонжур», — толстяк перепутал слова, но Жорж не смутился.

— Дружьба, — ответил он.

Дегтярев открыл портфель, вынул какие-то бумаги, потом несколько снимков и продемонстрировал их коллеге.

— О! — сказал полковник.

— Ау! — протянул Жорж.

Дегтярев ткнул пальцем в бумагу.

— А?

— О! Е! — прозвучало в ответ. — И?

— Не, — протянул толстяк.

— Иа, — закивал Перье.

— Не, — помотал головой полковник.

— Иес, йес.

— Ноу!

— О!

— Е!

— Ау!

Я смотрела на парочку, еле сдерживая смех, в конце концов Дегтярев хлопнул Жоржа по плечу.

— Супер!

— Уи, мон ами! — обрадовался Перье.

Дегтярев сложил бумаги.

— Поговорили? — не утерпела я. — Хорошо пообщались?

Александр Михайлович кивнул:

— Перье умнейший человек, он видит мельчайшие детали и сейчас подсказал мне тонкий ход! Как я сам не додумался! Жорж! Дринк-дринк? Чай?

— Иес, — кивнул Перье, и парочка удалилась.

Вот и объясните мне теперь, как они договариваются? Похоже, комиссар с полковником изобрели собственный язык, помесь суржика и азбуки глухонемых. Но меня унесло в сторону, вернемся к мерзким червякам. Жорж прислал коробку с червями и объяснил: беспозвоночных надо держать в аквариуме, кормить небольшими кусочками сырого мяса, тогда они начнут плодиться, и Дегтярев потом поймает на супернаживку кита в реке Истра, тигровую акулу, голубого мерлана и гигантского тунца.

Понимая, что появление червей, пусть даже и из Парижа, будет воспринято членами семьи без особой радости, Дегтярев втихаря купил аквариум, тайком втащил его в дом и поселил беспозвоночных у себя в ванной. Наутро из санузла потек малоприятный запах. Александр Михайлович призадумался, а потом перетащил червей в банный комплекс. Мы практически не пользуемся сауной, а уж заглядывать в небольшую комнатку за ней, где хранятся всякие грабли-лопаты, мешки с семенами и прочая радость садовника Ивана, никому в голову не придет. Дегтярев ежедневно навещал своих «деток», кормил их, радовался бурному росту подопечных, точил крючки на кашалота, а сегодня обнаружил совершенно пустой аквариум...

Как только Дегтярев сказал, что червей съела я, Зайка бросилась ко мне.

— Боже! Немедленно едем в больницу на промывание желудка!

— Не стоит нервничать, — попыталась урезонить Ольгу Маня, — черви белковая пища, во многих странах они считаются деликатесом!

Я стряхнула с себя оцепенение.

— Амара!!!

— Что, хозяйка, то есть босс! Вернее... э... женщина-босс! Боссиха! — отрапортовал домработник.

— Немедленно отвечай!

— Йес, боссиха!

— Правду!

— Да, боссиха!

— Прекрати идиотничать! — затопала я ногами. — Нет слова «боссиха»! Я — Даша! Усек?

— Да, босс... э... ну... да! — замямлил Амара.

— Я съела червяков?

— Нет, хозяйка!

— Зачем ты сказал полковнику эту глупость?

— Я не говорил, хозяйка!

— Вот врун! — возмутился Дегтярев. — Я отлично слышал: «Хозяйка их съела».

— Нет, босс! Простите, босс! Не расслышали, босс! — стал кланяться Амара. — Она по-другому выразилась: «Их надо съесть».

— Здорово! — засверкал глазами толстяк.

— Не знал, что ты, мать, столь кровожадна! — с абсолютно серьезным лицом заметил Аркадий.

— Я понятия не имела о червях! — завопила я, ощущая, как взгляд Дегтярева прожигает дырку в моем виске. — Как я могла приказать такое! У Амары в голове вместо мозгов солома!

— Нет, хозяйка, — возразил парень, — вы четко сказали: «Птицам надо есть!»

— Верно, я попросила тебя сходить в баню, в кладовку, и взять там корм! Да, я сказала «их надо съесть», имея в виду семечки с истекшим сроком годности, — согласилась я.

— Вы ни словом не обмолвились про семена! — уперся Амара. — А я увидел червей.

— Ты скормил мою драгоценную наживку трясогузкам? — обомлел Дегтярев.

— Йес, босс, — подтвердил Амара. — Птицы едят червяков, они тем самым помогают саду и огороду, я это помню еще со школы!

— Неужели тебе не стыдно? — повернулся ко мне полковник.

— Я не знала про червяков, отправляя Амару в кладовку, вела речь о семечках, — попыталась оправдаться я, — сказала: «Птичкам надо поесть, тогда они перестанут чирикать в три утра и всех будить, возьми там корм и положи в домики».

— Они были такие красивые, — чуть не зарыдал полковник, — ярко-красные, суперские. Один мне особенно нравился, он вроде слова понимал, прямо в руки полз!

— Эй, постой, — оборвала я стенания толстяка, — ты же намеревался своих друзей на крючок насадить и рыбам скормить! К чему эти слезы?

— Их разводят для наживки, а не для глупых птиц, очень унизительно быть сожранным в кормушке, — отрезал Дегтярев и ушел.

— Вот и разобрались, — удовлетворенно вздохнул Кеша. — Сейчас позвоню Жоржу, завтра полковник получит новую порцию своих приятелей-червячков.

— Черепашка, — робко сказал Амара, — черепашка!

Я сердито посмотрела на парня.

— Ты о чем?

Амара приблизился к Зайке.

— Уважаемая черепашка! Ваша кофта готова. Я ее повесил в гардеробной! Погладил аккуратно! Очень старался!

Ольга заморгала.

— Как ты меня назвал?

— Черепашка, — понизил голос Амара, — черепашка!

— И откуда ты взял это прозвище? — зашипела Зайка.

Амара ткнул в меня пальцем.

— Она велела! Зови кролика черепашкой! Иначе ой-ой что будет!

Ольга надула щеки и унеслась из комнаты. Кеша, трясясь от смеха, последовал за женой, Маня прижала руку к щеке.

— Ой, Муся, ты приколистка! Черепашка! Хорошо, что Зая их вблизи не видела! Они такие морщинистые! И моргают медленно-медленно.

Я схватила домработника за плечо.

— Амара!

— Иес, хозяйка!

— Когда я велела тебе звать Зайку черепашкой?

— Утром, хозяйка, — с самым простодушным видом ответил парень, — вы на кухне тогда были.

— Точно! — вспомнила я. — Но ведь речь шла о другом!

— О чем, хозяйка?

— Я просила тебя никогда не обращаться к Ольге со словом «кролик» и пошутила, бросила фразу «Уж лучше б ты ее черепашкой обозвал» или вроде того. А что вышло?

— Не знаю, хозяйка, — испуганно ответил Амара, — я стараюсь, хозяйка! Плохо получается. Не гоните, хозяйка! Давайте я вам спою! Во весь голос! Я очень хорошо пою!

— Спасибо, — буркнула я, — меньше всего мне хочется сейчас слушать твои завывания. Иди на кухню, подай людям завтрак.

— Да, хозяйка. Собак не кормить?

— Почему? Они заболели? У псов понос?

— Нет, хозяйка.

— Тогда зачем лишать их корма?

— Вы сказали: «Подай людям завтрак», а про собачек промолчали!

— Ты издеваешься?

— Нет, хозяйка, — перепугался Амара, — я очень стараюсь, хозяйка! Мне приказали подчиняться, иначе влетит!

Я сделала глубокий вдох, потом медленный выдох. Парень — идиот. И общаться с ним надо соответственно, каждое сказанное мною слово может обернуться против меня.

— Амара! — тихо окликнула я домработника.

— Йес, хозяйка.

— Выйди из моей спальни, спустись по лестнице, зайди в кухню, поставь чайник, накрой на стол, покорми собак, понял?

— Йес, хозяйка.

— Ольга — Зайка! Не кто иной! Зайка!

— Йес, хозяйка!

— Птички едят семечки!

— Йес, хозяйка, — уныло твердил Амара, — йес!

Глава 22

Минут через сорок я спустилась в столовую, нашла там Сашу, которая допивала кофе.

— Как тебе спалось? — спросила я.

— Шикарно, — улыбнулась она.

— Все нормально?

— Супер. А что мне сегодня делать? — внезапно поинтересовалась Саша.

Я испугалась, надеюсь, будущая поп-звезда не ждет, что я буду ее развлекать?

— Сходи в Третьяковскую галерею, — посоветовала я.

— Зачем? — искренне поразилась Саша.

— Картинами полюбуешься.

— То есть я вам не нужна? Может, помочь чем? — предложила Саша.

— Спасибо, у нас уже есть один помощничек, — улыбнулась я, — Амара! Правда, он не особо понятливый, но вернется Ирина, и наша жизнь устаканится.

— Ясно, — с некоторым удивлением протянула Саша, — вообще-то мне хочется в город съездить и без дела пошляться. У меня прямо отпуск получается. Так здорово я давно не отдыхала.

— Если поторопишься, Аркашка возьмет тебя с собой, а когда захочешь назад, позвони мне.

— Я на маршрутку сяду, — смутилась Саша, — это очень удобно!

— Делай как хочешь, — не стала я настаивать на своем.

Никогда не надо насильно делать человеку хорошо. Вероятно, Саша ощущает дискомфорт, очутившись в чужом доме, ей не по себе, кажется, что стеснила хозяев.

— Дорогая, — решила я приободрить девушку, — у нас огромный дом, и один человек не является обузой. Поэтому чувствуй себя свободно.

— Поняла, — кивнула девушка. — Вот только...

— Что? — улыбнулась я.

— Ну, — замялась Саша, — деньги... я...

— Пустяки, — улыбнулась я, — сколько тебе надо?

Когда Саша, снабженная энной суммой, ушла, я поднялась на второй этаж, постучалась в комнату к Дегтяреву, приоткрыла дверь и увидела полковника с телефонной трубкой в руке.

— Понял, хорошо, постараюсь, — отрывисто говорил он. — Что тебе?

Последний вопрос адресовался мне.

— Наверное, надо узнать все связи Владимира Мерзкого, выяснить имена его друзей, приятелей, коллег по работе, — зачастила я, — вероятно, он имеет дачу...

Александр Михайлович открыл шкаф, вытащил пиджак, встряхнул его и сказал:

— Бригада работала всю ночь, девочку ищут. Владимир Мерзкий был журналистом, ни в одном издании в штате не состоял, просто приносил критические статьи о литературе, делал обзоры новых книг. И отовсюду был изгнан за конфликтный характер. Мерзкий нетерпим к чужому успеху, патологически завистлив, считает себя гением. Лет пять назад он прекратил корреспондентскую деятельность, переквалифицировался в писатели, наваял роман и принес его в издательство. Рукопись читал редактор Семен Фурс, она ему не понравилась, и Семен отправил Владимиру стандартный отказ: «Ваша книга не представляет для нас интереса». Как в таком случае поступит нормальный человек?

Я пожала плечами и сказала:

— Существует масса вариантов. Порвет нетленку и забудет о карьере романиста. Сцепит зубы и начнет ходить по всем издательствам. Напишет другую повесть.

...Мерзкий поступил иначе. Он стал преследовать Фурса. Являлся каждый день в офис, требовал прочитать свой опус еще раз, кричал о своей гениальности. Семен велел охране не пускать графомана, тогда Мерзкий стал звонить редактору по телефону. Фурс сменил номер, Владимир подстерег его около дома и заорал:

— Когда напечатают мою великую книгу?

— При моей жизни этого не произойдет, — не выдержал Фурс.

И тут Владимир потерял человеческий облик, вцепился Семену в воротник и закричал:

— Ты убиваешь рукопись, а я похищу твоего сына! Баш на баш! Верну мальчишку только тогда, когда ты напечатаешь роман!

Фурс вырвался из цепких лап графомана и прямиком помчался в милицию. Мерзкого привели в отделение, но он выглядел абсолютно нормальным человеком.

— Да, — он не стал отрицать факт беседы с Семеном, — господин Фурс отделался отпиской, он не дал развернутую рецензию на роман, а я хотел исправить недочеты и пытался побеседовать с издателем. Потом мне показалось, что он намеренно избегает разговора, и я рискнул поймать его во дворе. Ни о каком похищении речи не было. Семен все выдумал, думаю, моя рукопись слишком хороша, поэтому Фурс решил ее украсть и издать под своим именем, а чтобы я не возникал, придумал ложь про похищение своего чада.

— Вы вообще не говорили о его сыне? — решил уточнить милиционер.

Владимир притих, потом сказал:

— Бросил фразу, типа — если у тебя крадут труд всей жизни, это так же больно, как похищение ребенка. Фурс либо меня неправильно понял, либо решил воспользоваться случаем, чтобы посадить за решетку талантливого литератора.

Мерзкого отпустили. Семен сменил место жительства, но, похоже, волновался он зря, Владимир более никогда его не беспокоил.

— Он украл Варю, — сказала я, когда полковник замолчал. — Но почему ее? В своем провале на конкурсе Мерзкий винил не Лизу, а меня. Значит, он должен был покушаться на Аркадия или Машу!

Дегтярев одернул пиджак.

— Кто ж объяснит, что творится в башке у психа? В его квартире нашли несметное количество лекарств от всех болезней! Он их пил пригоршнями, ясное дело, крыша уехала!

— А от чего Владимир умер?

— Слопал слишком большую дозу сердечного лекарства, его принимают крохотными порциями, а этот хватанул таблеток двадцать! Ты же говорила: в разгар вашей беседы Мерзкий кинулся к аптечке.

Я заморгала. Что-то тут не так, есть какая-то нестыковочка, но я не могу понять, в чем дело.

— Думаю, девочка мертва, — мрачно сказал Дегтярев, — кровь на розовом пуловере принадлежит ей.

— Это точно?

— Абсолютно, — кивнул полковник, — и на обшлагах кофты Лукашиной те же следы, она, похоже, соучастница. Вот так!

— Лиза утверждала, что Света и Владимир не встречались, Гинзбург от всех скрывала правду, она не собиралась разводиться с Юрием, Мерзкий был лишь ее развлечением, ей нравилась игра в бедных влюбленных.

Александр Михайлович крякнул.

— Елизавете не позавидуешь. Сейчас правда о похищении дочери выплывет наружу, газеты растрезвонят об этой истории, приврут, мало Гинзбургам не покажется. Это же надо такое придумать: похитить собственного ребенка! Ладно! Я поехал, у меня совещание, потом еще куча дел!

— А Варя?

— Ее ищут, но, думаю, результата не будет. Мерзкий не имел друзей, родственников тоже, не покупал ни дачи, ни гаража, у него была только крохотная квартирка. Скорей всего, похититель спрятал девочку в укромном, одному ему известном месте: подвале, вероятно, в заброшенном доме в Подмосковье, в Тульской, Рязанской области. Увез ее на электричке, бросил в лесу или утопил в пруду! Попробуй найди!

— Есть такие лазеры, — залепетала я, — я видела в кино, человек водит им по земле, а на экранчике высвечивается тело!

Полковник вздохнул и ничего не ответил.

— Я тоже буду искать Варю, — воскликнула я, — может, она еще жива! Надо всегда надеяться на лучшее. Знаешь, мне в этой истории многое кажется странным!

Дегтярев насупился.

— Вряд ли можно назвать нормальной ситуацию, когда родители имитируют похищение собственного ребенка! Ладно, я уехал!

Я пошла в свою спальню, оделась, схватила сумку, села в «букашку» и поторопилась в Москву. Не может быть, чтобы у человека не было ни друзей, ни знакомых. Нельзя прожить жизнь как в вакууме, ни с кем не пересекаясь. Сотрудники МВД, которые занимаются поисками Вари, абсолютно уверены, что девочка мертва, да и я, честно говоря, не питаю надежды увидеть ее живой, розовая кофточка, залитая кровью, свидетельствует о том, что малышку тяжело ранили. Думаю, коллеги Дегтярева уже проверили больницы и удостоверились, что туда Варя не поступала. Как долго может протянуть десятилетняя школьница, если ее ударили ножом в грудь? Как ни страшно думать об этом, но, похоже, судьба дочери Лизы печальна. Сумеют ли специалисты найти хотя бы тело?

Впереди вспыхнул красный свет, я нажала на тормоз. На первый взгляд история с Варей — событие отнюдь не экстраординарное. Владимир — спятивший графоман, агрессивный тип, правда, при личной встрече он показался мне даже приятным, но сумасшедшие часто выглядят невинно, а потом вдруг бросаются на вас. И, похоже, идея похищения ребенка в отместку за отказ опубликовать «шедевр» зрела у него давно, раз впервые он озвучил ее Семену Фурсу. Полагаю, несколько лет назад Мерзкий еще мог хоть как-то контролировать свое поведение, раз сумел обмануть дознавателя и был отпущен на свободу.

К сожалению, не все милиционеры похожи на Дегтярева. Вот Александр Михайлович ни за что бы не разрешил Владимиру уйти, попытался бы разобраться в деле до конца. И ведь понеси тогда Мерзкий наказание за угрозу похищения, может, Варя сейчас бы и осталась жива. Но равнодушный мент из районного отделения молча подмахнул пропуск, и графоман, уверившись в собственной безнаказанности, поспешил домой. Сына Фурса он не тронул, сработал инстинкт самосохранения, но когда я его «обидела», мысль о похищении ожила в больной голове. И вот тут возникает справедливый вопрос: почему похитили Варю? Какое отношение ко мне, Даше Васильевой, имеет несчастный ребенок? По логике вещей, Мерзкий должен был причинить вред Аркадию или Маше!

Загорелся зеленый, я нажала на газ. Это по логике, но у психов мысли противоречат логике. И, очевидно, Дегтярев прав. Владимир действовал в паре со Светланой Лукашиной. Мерзкий не сильный физически человек, Лукашина тоже хрупкая женщина, ну как им справиться с Аркадием, который до двадцати лет занимался самбо? Кеша моментально скрутит нападающих. Да и Маша даст отпор. Наверное, Владимир трезво оценил ситуацию и решил давить на госпожу Васильеву морально. Не захотела прочитать «великую книгу», вот и стала причиной чужого несчастья.

Я повернула направо. И снова вопрос. Зачем Светлане Лукашиной участвовать в преступлении? Она в хороших отношениях с Лизой, работает у Гинзбурга, что же заставило ее стать соучастницей похищения? Деньги? Но Владимир беден, как таракан. Любовь? Света обожала Мерзкого? Мне трудно понять ее чувства, писатель оказался настоящим уродом! Эти длинные сальные волосы, плохие зубы, чахлая фигура. Мерзкий отнюдь не мачо, впрочем, симпатичная Лиза завязала с ним роман. Нет, я не понимаю женщин. Ну как можно ложиться в кровать с парнем, который, похоже, принимает душ раз в неделю!

Перед моими глазами возникла убогая ванная комната Владимира, стены без кафеля, поломанный стульчак, дешевый гель, хрустальная банка... Банка! Я вцепилась в руль. Вчера, увидев приметную тару, я было удивилась, но потом в квартире Мерзкого стали происходить такие события, что я забыла о своем изумлении, а теперь оно вновь настигло меня. Банка! Я видела такую же, хрустальную, с вычурной крышкой из ярко-фиолетового стекла, в ванной своей подруги Оксаны. Впрочем, может, я ошибаюсь? Необходимо срочно проверить догадку, а вот и большой торговый центр, там явно есть отдел косметики.

Бросив «букашку» на парковке, я ринулась к стеклянным дверям, вошла в просторный холл и тут же наткнулась на вывеску: «Парфюмерия и косметика». Замечательно, как раз то, что надо.

Приветливая продавщица в зеленом халатике моментально подошла к потенциальной покупательнице.

— Могу я вам помочь? — вежливо спросила она.

— Да, пожалуйста, — сказала я, — где выставлена продукция фирмы «Гертус»?[1] Это не очень известная в России марка, но, может быть, вы ею торгуете.

— Абсолютно верно, — улыбнулась продавщица, — замечательная косметика, в особенности для тех, у кого проблемная кожа.

— Крем для тела есть? Хрустальная банка с фиолетовой крышкой?

— Простите, — пригорюнилась девушка, — остался лишь тестер.

— Покажите демонстрационный образец, — не успокаивалась я.

— Сюда, пожалуйста, — поманила меня консультант, — вот, крем «Ультра-Ф».

Я уставилась на банку. Точно, именно такая находилась в ванной Владимира.

— Средство предназначено для женщин? — уточнила я.

Продавщица хихикнула.

— Мужчина тоже может им воспользоваться, но я не встречала парней, которые мажутся кремом после душа.

---

[1] Название придумано автором, все совпадения случайны. (*Прим. авт.*)

— Странно, что мужчины не пользуются кремами, хотя, наверное, производители косметики о них забыли, — протянула я.

— Вы не правы, — возразила девушка, — сейчас очень многие фирмы создали мужские линии, но крема для тела в них нет.

— Интересно, почему? — вздохнула я, вертя в руках хрустальную банку.

— Мужики волосатые, — развеселилась консультант, — как крем размазать?

— Действительно, — согласилась я, — разве что купить его для рук?

— Дороговато будет, — вздохнула продавщица, — лучше взять обычное средство.

— А сколько стоит «Ультра-Ф»?

— Десять тысяч рублей.

— Ого!

— Но он экономный, — сказала консультант, — тонко распределяется, при ежедневном использовании его хватит на месяц. Вот только он весь закончился.

Глава 23

В торговом центре нашлась уютная кофейня, я устроилась за крохотным столиком и призадумалась. Маловероятно, что неаккуратный Владимир умащивал свое тело дорогущими средствами. Я отлично помню рассказ Лизы о том, что у кавалера не было денег даже на пиццу. Пицца! Мерзкий обожал пиццу с сыром, мог есть ее в любое время дня и ночи, Елизавета всегда приносила на любовное свидание сию закусь. А в квартире Лукашиной я нашла куски пиццы. Светлана перед смертью ходила в «Хитохлеб», ей там стало плохо, кассирша отлично запомнила покупательницу. Во-первых, на ней было очень приметное желто-черное платье, во-вторых, женщины с эпилепсией не каждый день заглядывают в харчевню... Пицца... Было еще что-то! Браслет! На руке Лукашиной сверкало дорогое украшение, и кассирша уверяла, что оно настоящее, да еще с невероятным, эксклюзивным камнем. Ну, это вряд ли! Светлана не могла себе позволить цветные бриллианты, хит нынешнего сезона, кассирша перепутала, на запястье Лукашиной, скорее всего, болталась дешевая бижутерия.

Ладно, забудем о пустяках, займемся делом. Предположим, Светлана потеряла голову от любви к графоману и рассказала ему о похищении Вари, которое задумал Юрий для решения своих финансовых проблем. Владимир обрадовался: вот он, случай отомстить и Лизе, бросившей его, и Дарье Васильевой, которая не оценила «Десять негритят». Парочка убивает Варю, но куда они дели ее труп? Почему одежда несчастного ребенка оказалась в бачке у Мерзкого? Труп решили раздеть? Но на девочке, наверное, была юбка или брючки, почему сняли только пуловер? И что за женщина оставила в ванной дорогущее средство для тела? Уж точно не Света! И не Лиза! Она рассталась с графоманом. Значит, была еще одна любовница! Черт побери, этот противный грязный мужичонка, обожавший глотать пилюли, настоящий Дон Жуан! Таблетки... таблетки... с ними тоже что-то не так!

Я потрясла головой. На улице стояла редкостная для Москвы жара, похоже, сегодня температура побьет все рекорды, у меня может начаться мигрень, я всегда ощущаю ее приближение заранее. Светлана также предчувствовала начало приступа эпилепсии. Однако странно, Ира, подруга Светы, говорила, что та заранее знала об атаке болезни. Принимала таблетки и ложилась спать. Но в тот день Лукашина понеслась в пиццерию. А еще врач уверял, что сознание Света потеряла около половины шестого утра, а в пять вечера ее видели в пиццерии. Ох, что-то тут не так, картинка не складывается, узелки не завязываются. Но найти ответ на все возникшие у меня вопросы трудно, нельзя распыляться и бежать одновременно в четыре стороны. Следует заняться таинственной незнакомкой, оставившей крем в ванной. Может, Лиза о ней знает? Вдруг Владимир звонил своей любовнице и сказал ей:

— Бросила меня? Ну и скатертью дорога! Теперь я живу с красавицей и умницей! Ее зовут Таня Иванова, она роскошная блондинка...

На свете много мужчин, которые по сути — бабы и способны на такой поступок.

Я вынула мобильный, в его памяти должен сохраниться номер Лизы: Ирина звонила ей с моего телефона.

— Алло, — ответил тихий голос.

— Можно Елизавету? — попросила я.

— Ее нет дома, кто спрашивает?

— Это подруга, мы договорились встретиться, не знаете, где Лиза?

— Она поехала в фитнес-центр.

— А где она занимается?

— В Ереминке, — ответила домработница.

— Подскажите мобильный номер Лизы, — попросила я.

— С кем ты разговариваешь? — донесся издалека мужской голос.

— Подруга Елизаветы Сергеевны звонит, — ответила горничная, — у них встреча назначена.

— Дура, — возмутился мужик, — сто раз говорили, не давай никаких сведений о хозяевах! Это журналисты! Они что хошь придумают!

Разговор оборвался, я бросила трубку на сиде-

нье. Отлично знаю, где находится Ереминка, это на
пресловутой Рублево-Успенской дороге. Ну что ж,
поедем в спортзал. Никаких зацепок у меня нет,
придется еще раз поболтать с Лизаветой, вдруг она
знает имя новой любовницы Мерзкого?

Накачанный парень в белой футболке, стоявший за стойкой рецепшен, спокойно ответил на
мой вопрос о Лизе:

— Простите, мы не сообщаем сведений о клиен-
тах.

— Я не собираюсь ничего узнавать, — улыбнулась я. — Всего лишь хочу выяснить, здесь ли госпожа Гинзбург?

— Извините, я не вправе разглашать информацию, — стойко сопротивлялся юноша.

Пришлось достать кошелек, сто евро легли на
пластиковую поверхность.

— Возьмите, пожалуйста, — сказала я.

— Зачем? — изумился администратор.

— Маленький подарок.

— Мне?

— Вам, вам, — закивала я, — мы сейчас с вами
одни, вокруг никого нет, и, кстати, вы можете не
произносить ни слова, просто кивните, если я уга-
даю: Лиза Гинзбург в тренажерном зале? Отдыхает в
СПА?

Парень решительно помотал головой.

— Нет.

— В буфете? На занятиях йогой? В кардиозоне?

Юноша взял купюру и протянул мне.

— Возьмите. «Нет» относилось к взятке, у нас
строгие правила, я не хочу лишиться места из-за
собственной глупости.

Я вытащила еще одну купюру.

— Можно посидеть в баре?

— Вы не член нашего клуба.

— Я просто выпью кофе.

— Могу посоветовать ресторан «Зар», он рядом на шоссе, — каменным тоном ответил парень.

Потерпев полнейшую неудачу, я вышла на парковку, влезла в «букашку» и приготовилась к длительному ожиданию. В конце концов Лиза закончит тренироваться, не станет же она ворочать гантели сутками. Хотя вот вам еще одна странность: у нее похитили дочь, а безутешная мать явилась на занятия фитнесом!

Осторожный стук в боковое стекло заставил меня вздрогнуть, я повернула голову, увидела толстую бабу в сером халате и спросила:

— Что вам нужно? Хотите прогнать меня со стоянки клуба? Ничего не выйдет, мой сын адвокат, поэтому я знаю, что территория без забора...

— Могу рассказать вам о Гинзбург, — перебила тетка, — вы предлагали Андрюшке сто евриков. Если дадите их мне, я разузнаю подробности.

— Отлично, но сначала информация! — не растерялась я.

— Ишь, хитрая! Бабки вперед!

— Как вас зовут? — решила я навести мосты.

— А тебе зачем?

— Не могу же я просто так вручить вам купюру? Где гарантия, что вы меня не обманете?

Баба скривила губы.

— Гарантии выдают в мастерской по ремонту сапог. Людям надо верить на слово. Я хочу заработать — тебе нужны сведения. Деньги вперед!

Я протянула ей ассигнацию.

— На. Но имей в виду, не вернешься через полчаса, я пойду за тобой в спорткомплекс.

Тетка щелкнула пальцами и неторопливо ушла. Минут через десять я разозлилась на себя. Дашутка, ты феноменальная идиотка! Ну разве можно вот так просто отдать деньги человеку, которого видишь впервые в жизни? Пропали мои сто евро!

И тут баба неторопливо вышла из здания и приблизилась к машине.

— Узнали? — обрадовалась я.

— Я человек слова, никогда людей не подвожу!

— Ближе к делу. Где Гинзбург?

— Она тут не бывает.

— Но дома четко сказали про спортзал!

— Наврали!

— А ты правду говоришь?

Собеседница со вкусом чихнула.

— Аллергия пришла, небось на твои духи. Честному человеку жить легче, я не ты. Елизавета Сергеевна Гинзбург, домохозяйка, живет на Рублевке, она?

— Да, — кивнула я, — верно.

— Карточка члена у ней есть, но сюда она не ходит, раза два заглянула, я по компу посмотрела, — деловито пояснила «шпионка», — все посещения учитываются, у нас бонусная система, чем больше ходишь, тем дешевле членство на следующий год.

— Зачем приобретать абонемент и не пользоваться им? — удивилась я.

Тетка усмехнулась:

— У вас, богатых, свои причуды.

— Значит, Лизы сейчас там нет?

— Не-а! И вчера не было, и неделю назад, и три месяца тоже!

— Интересно, где она? — пробормотала я.

— Ей можно позвонить! — резонно заметила баба.

— Дома ответили, что она занимается спортом.

— Звякни на мобильный.

— У меня нет ее номера, — призналась я.

— Похоже, вы очень близкие подруги, — отметила информаторша.

Я попыталась выкрутиться.

— Лиза часто меняет сим-карты.

— Ваще-то мне по барабану, зачем она тебе нужна, — мирно продолжила тетка, — двести евро, и я посмотрю в компе циферки. Ну? Решай живее, у меня обед заканчивается.

— Можно рублями? — спросила я.

— Тоже неплохо, — царственно одобрила баба, — с вас восемь тысяч!

— Странный курс! — не удержалась я.

— Не хочешь — не плати, — с вызовом заявила служащая фитнес-центра.

Мне, как и всем людям, крайне неприятно быть объектом шантажа, но подскажите другой выход из угла, в который меня загнала предприимчивая тетушка в сером халате? Конечно, можно поискать Лизиных знакомых, но это долгий путь. Я вынула кошелек.

— Жди, — пряча вожделенные бумажки в карман, приказала вымогательница, — я не подведу!

И не подвела. Получив бумажку с номером, я тут же его набрала, раздался гудок, потом нервное:

— Слушаю.

— Лиза?

— Да, кто это?

— Даша Васильева.

— Кто?

— Неужели ты забыла? Мы вчера вместе ездили к Мерзкому.

— Тише! Я помню! Что тебе надо? — перешла на шепот Гинзбург.

— Поговорить.

— Это невозможно.

— Но почему? Речь идет о Варе!

— Она убита.

— Еще есть надежда.

— Нет. Барбара мертва, — сухим тоном ответила Лиза.

— Тело нашли? — задала я бестактный вопрос.

— Нет.

— Значит, есть надежда, — повторила я.

— Нет.

— Лиза, ты где?

— Неважно.

— Нам очень надо побеседовать.

— Нет.

— Лиза!

— Нет.

— Пожалуйста, не вешай трубку! Вероятно, Варя просто ранена... Владимир спрятал девочку...

Из трубки донеслись всхлипывания.

— Оставь меня в покое. Не лезь! Варя умерла! Разразился скандал! Сегодня «Желтуха» напечатала огромную статью! Юрий рассвирепел! Он узнал про меня и Владимира... меня... заперли... он... я... Юра... увез...

Всхлипывания перешли в рыдания.

— Муж лишил тебя свободы?

— Да.

— Хочешь, я приеду и помогу тебе?

— Нет! Я не дома!

— А где?

— Не знаю, не видела. Умоляю! Оставь меня, сами разберемся. Юра может приехать в любую минуту!

— Ты дома?

— Нет, нет!

— Чем я могу помочь?

— Никогда больше мне не звони, забудь! Я виновата в смерти дочери. Ее похитил и убил мой любовник. Извини, что ты оказалась замешана. Все! Ой! Господи, как больно!

Из трубки полетели частые гудки. Я, напуганная последним вскриком Лизы, посидела пару секунд в оцепенении, потом решила набрать ее номер, но вовремя остановилась. Похоже, Гинзбург попала в большую беду, кто-то вошел в комнату и ударил Лизу. Надо немедленно найти ее, звонить ей никак нельзя. Лизе удалось незаметно прихватить с собой мобильный, он включен и является единственной возможностью установить местонахождение бедняжки.

Я схватилась за телефон и набрала номер.

— Дегтярев, — тихо ответил полковник.

— Ты где?

— На совещании.

— Немедленно выйди!

— Не могу.

— Почему?

— Отстань, — прошипел Александр Михайлович.

— Речь идет о жизни и смерти.

— Если кто-то умер, ему уже не помочь, — еле слышно ответил толстяк, — а если жив, то может подождать полчаса!

— Полковник Дегтярев, — прозвучал вдалеке чей-то властный бас, — похоже, вы один не выключили мобильный. Ваше мнение по Приходько?

— Предполагаю, нам необходимо... — начал отвечать Александр Михайлович, и связь прервалась.

Я стала перелистывать список контактов. С толстяком разберусь вечером, где же номер Женьки? Ага, вот.

— Привет, Дашута, — бодро сказал приятель.

— Рада, что твой телефон определяет мой номер.

— Я еще мелодию поставил, — похвастался

Женька, — звук надвигающегося поезда. Когда раздается «у-у-у», я знаю — Дашута на проводе.

— Мило, — одобрила я, — хотя, думаю, мне бы подошло нечто другое, допустим, мелодия «От улыбки станет всем светлей».

— Чего надо? — деловито осведомился Женька. — Полковник на совещании.

— Жень, я знаю, что у вас есть программа, которая может установить местонахождение мобильного телефона. Она засекает сигнал и дает адрес, так?

— В принципе, да, — ответил осторожный Женька.

— Ты можешь ею воспользоваться?

— В принципе, да!

— Тогда, пожалуйста, выясни, где сейчас находится абонент...

— Я не работаю с компом. Придется идти к Гоше.

— Так сходи!

— Пойми, мы не частная лавочка.

— Знаю.

— В принципе, невозможно вот так, с бухты-барахты...

— Ладно, спасибо, — буркнула я.

— Эй, ты обиделась? — занервничал Женька. — В принципе, не на что!

— Я понимаю, ты сотрудник бюрократической системы, колеса которой начинают вращаться только после приказа начальства.

— Верно, — обрадовался Женька, — в принципе, да!

— Ну, пока, — сказала я.

— Звони, если что надо! В принципе, я всегда помогу.

— Непременно! Кстати! Вы с Люсей собирались в сентябре в Париж?

— Ага, — радостно подтвердил приятель, — купили тур! У нас годовщина свадьбы.

— Все документы, в принципе, ты оформил?

— Конечно!

— Не боишься?

— Чего?

— В прошлом году вы с Дегтяревым по приглашению Жоржа Перье ездили во Францию. Все расходы взяла на себя принимающая сторона, комиссар устроил вам командировку.

— Было дело, а что?

— Ты решил, в принципе, оттянуться, портье в гостинице дал адресок девицы, ты отправился туда один, без Дегтярева, и попал в полицейский рейд. Ажаны, в принципе, вылавливали проституток. Помнишь?

— Ща, погоди, я в коридор выйду, — зашипел Женька, — вот уж не знал, что ты в курсе! Ерунда вышла. Я и в мыслях не имел Люське изменять. И потом, разве это измена, с проституткой?

— Давай оставим в стороне твои отношения с супругой, — фыркнула я, — французы законопослушные люди, бюрократы, а ты иностранец, нарушивший закон. Где-то в недрах соответствующего комиссариата лежит протокол, тебя могут не пустить в Париж. Представляешь реакцию Люськи, когда она узнает причину отказа?

Глава 24

— Что делать-то? — растерялся Женька. — Я об этой глупости и думать забыл!

— А бумажки лежат, — добавила я масла в огонь, — ждут своего часа!

— Вот перекись марганцовки!

— Можно, конечно, в принципе, попросить комиссара Перье, — голосом кота Матроскина продолжала я, — он способен помочь. Сам знаешь, иногда из архивов пропадают документы, компьютер сбой дает, это несовершенная машина, тупая железяка. Ткнет человек пальцем не в ту кнопку, и бац! Стерлось!

— Дашута, — взмолился Женька, — мое счастье в твоих руках!

— Ради тебя я готова на все, — заверила я, — вот только... бюрократия! Французы действуют лишь по распоряжению начальства!

Из трубки послышался треск, скрип, потом Женька пробасил:

— Давай номер того мобильного!

— Записывай, — прочирикала я, — пока ты ходишь к Гоше, я успею соединиться с Жоржем.

Человеку двадцать первого века жить намного легче, чем тому, кто родился лет сто назад. Конечно, году этак в 1900-м воздух был чище, люди спокойнее, а газеты не печатали жуткие фото с места авиакатастроф. Зато стоматологи лечили зубы без наркоза, не было хорошей косметики, а женщины носили корсеты и полностью зависели от мужчин. А еще интересно, что бы сказал шеф жандармерии, услышь он о том, как легко можно найти человека, если у того в кармане лежит активированный мобильный. Вообще сотовый — это великое изобретение, весь ход мировой истории мог бы оказаться другим, обладай Наполеон или Александр Македонский беспроводной связью.

Резкий звонок прервал пустые размышлизмы.

— Номер очень медленно едет по улице Викулова, — отрапортовал Женька, — когда остановится, сообщу номер дома.

— Женька! Ты гений! — закричала я.

— Угу, — буркнул приятель, — не забудь про Париж!

Я бросила трубку на сиденье. Великолепно знаю, где находится улица Викулова. Если человек некогда работал репетитором и целыми днями носился по ученикам, родной город он изучит как свои пять пальцев. Ехать мне недалеко, нужно добраться до МКАД, а там и Внуково в двух шагах.

Кольцевая магистраль неожиданно оказалась свободной, я очень быстро доехала до нужного поворота, и тут опять позвонил Женька.

— Дом шесть, квартира восемь, — отрапортовал он.

Я обрадовалась. Если и дальше так пойдет, то я доберусь до места через три минуты. Не успела эта мысль прийти в голову, как поток автомобилей замер. Я стукнула кулаком по рулю. Ведь знаю, что нельзя слишком бурно радоваться беспрепятственной езде, тут же сглазишь, и вот, пожалуйста, теперь я поползу черепашьим шагом.

Неожиданно справа мелькнуло зеленое пятно, я прищурилась и ахнула. Между машинами спокойно, не выказывая ни агрессии, ни нервозности, шел инопланетянин, такой зеленый человечек с большими овальными черными глазами. На его голове не было волос, из макушки торчала длинная трубка с раструбом, тонкие ноги-ласты осторожно шлепали по асфальту. Я оцепенела, потом стала приходить в себя. Очень странно, что шоферы из окружающих машин никак не реагируют на это чудо. Почему никто не выскакивает из автомобиля, не кричит, не зовет милицию? Хотя чем тут помогут менты?

Инопланетянин приближался, и я сообразила,

что он движется ко мне! Все точь-в-точь как в фильме «Кошмар на дороге». Совсем недавно я купила DVD-диск и потом, трясясь от ужаса, смотрела ленту о монстрах, которые решили захватить Землю. Чудовища посадили корабль на шумной дороге, загипнотизировали землян, убили их, влезли в человеческие тела и намеревались захватить Америку. Но один человек не поддался воздействию, он оценил опасность и сумел победить оккупантов.

Я сжалась в комок и внезапно заметила чуть левее круглую тарелку, возвышавшуюся над общей массой машин. Горло перехватило, сердце затряслось, как хвост Хуча в тот момент, когда мопс видит сыр.

Зеленый человечек подошел к «букашке» и постучал в стекло. Я приоткрыла окно. Глупо надеяться, что тонкая преграда спасет от существа, владеющего внеземными технологиями, лучше не злить чудище, а попытаться ему понравиться.

— Здрассти, — с огромным трудом выдавила я из себя, — рада приветствовать вас на нашей планете.

Инопланетянин захихикал, звук, который издавал пришелец, был абсолютно человеческим, в нем не было агрессии. Я приободрилась.

— Конечно, мы еще не так совершенны, как вы, но...

Зеленый человечек поднял руку и протянул мне листок.

— Хотите, чтобы я взяла бумажку? — на всякий случай спросила я.

Пришелец закивал и пошел дальше. Я, тяжело дыша, прочла текст. «Салон «Космос-44» предлагает диваны и кровати по самым низким ценам. Купив нашу мебель, вы ощутите себя в невесомости, насладитесь комфортом. Суперматрасы подарят вашему телу невероятные ощущения, сравнимые с полетом в другую галактику. Подателю талона обеспечена дополнительная скидка 5%».

Секунду я моргала, а потом сделала то, чего не делаю никогда: скомкала листочек и швырнула его на шоссе. Так, теперь понятно, какого зеленого человечка видел Дегтярев. Очень надеюсь, что никто из окружающих водителей не заметил моего ужаса.

Машины в моем ряду поехали вперед, я двинулась вместе с ними и миновала то, что приняла за космический корабль-тарелку. Это был всего-навсего грузовик, на котором перевозили круглую бетонную конструкцию. Надо же быть такой дурой! Все, больше не смотрю ужастики, перехожу на романтические комедии со счастливым концом.

Дом на Викулова был из первой серии пятиэтажек, такие сейчас начали разбирать, и, похоже, здание номер шесть тоже поджидал бульдозер, потому что рядом с ним зияла парочка котлованов, оставшихся от уже разрушенных домов.

Подъезд не имел кодового замка, я вошла внутрь и растерялась. Что делать дальше? Позвонить сначала в квартиру восемь и, если там нет Лизы, подняться на этаж выше? Или выйти на улицу и изучить обстановку? Решив, что второе предпочтительнее, я вернулась во двор и попыталась вычислить окна нужной квартиры. И тут один из стеклопакетов открылся, из проема высунулась растрепанная женщина с бутылкой колы в руке и, размахивая ею, заорала:

— Уматывай! Вот придумала!

В ту же секунду из подъезда выскочила живая и здоровая Лиза. Я вытаращила глаза: не похоже, что госпожу Гинзбург удерживали тут силой, наоборот, от нее хотят избавиться!

— Вали к ...! — визжала тетка в окне. — ...! ...!

Елизавета дернула дверцу новенького джипа, припаркованного у тротуара, и не успела я броситься к ней, как она завела мотор и унеслась со скоростью ведьмы, оседлавшей реактивную метлу.

— Чтоб тебе колеса проколоть! — крикнула вслед ей тетка и швырнула вниз бутылку с колой.

Я в тот момент продолжала идти вперед, бутылка упала в паре шагов от меня и взорвалась каскадом осколков. Туча коричневых капель взметнулась фонтаном и осела на меня коричневой пеной.

— Ой! — воскликнула я и попыталась отряхнуться.

— Простите, простите! — завопила женщина. — Я вас не заметила! Я не хотела!

Я молча осмотрела одежду. Бежевая футболка пропала, очень жаль, она мне нравилась, ее переднюю часть украшает принт: собачка и кошка сидят, обнявшись, под розовым кустом, замечательная картинка. Но ее теперь предстоит выбросить! Джинсам тоже не повезло, пятна от колы практически не отстирываются. Вот туфли удастся спасти, они лаковые.

Дверь подъезда распахнулась, женщина, причитая, выскочила во двор.

— Простите! Бога ради!

— Пустяки, — улыбнулась я.

— Я же могла вас убить! — запоздало ужаснулась женщина.

Я покосилась на стеклянное крошево. Да уж! Очень давно два любопытных школьника, Кеша и его лучший друг Никита, решили проверить, что будет, если сбросить с приличной высоты литровый пакет молока. «Научный опыт» исследователи решили провести в отсутствие взрослых. Я вернулась с работы в тот момент, когда один из наших соседей в компании с домоуправом и участковым тряс мальчишек во дворе. Эксперимент состоялся, пакет просвистел вниз, попал на капот припаркованных у подъезда «Жигулей» и насквозь пробил его. Мне пришлось оплачивать покупку нового капота, Аркадий лишился вожделенного велосипеда. Денег было до слез жаль, но я в тот день очень радовалась. Попади пакет с молоком кому-нибудь по голове, вот тогда Кеше с другом пришлось бы ой как плохо.

— Вот ужас! — побледнела тетка и схватилась за стену. — Извините!

— Похоже, кто-то вас сильно разозлил, — завела я разговор.

— Да эта дура! — в сердцах воскликнула женщина. — Приперлась! А раньше еще одна приходила! С той же идеей! Мама, едва про деньги услышала, разнервничалась. Я сейчас разозлилась, вот и швырнула бутылку! Не подумала, что внизу кто-то может идти. Покупаю маме колу в стекле, она дороже, но качественней.

— Простите, пожалуйста, — сказала я, — нельзя ли подняться к вам и умыться?

— Господи! Конечно! — воскликнула тетка. — Меня зовут Карина, а вас?

— Даша.

В маленькой квартирке Карины стоял сильный запах лекарств.

— Мамуля, — закричала хозяйка с порога, — я привела гостью!

— Очень приятно, — донеслось из комнаты, — там в шкафчике есть зефир!

— Она жива, — крикнула Карина, — только колой испачкалась.

— Идите сюда, — приказала мать.

Мы с Кариной вошли в тесную спальню, на кровати в горе подушек полулежала седая дама в доро-

гой кружевной сорочке. На тумбочке громоздились
журналы и детективы, тут же лежало несколько пуль-
тов, на стене висела современная плазменная па-
нель. Похоже, Карина старалась изо всех сил, чтобы
матери было комфортно.

— Лариса Петровна, — с улыбкой представилась
дама.

— Даша, — ответила я.

— Извините, не могу встать, и, пожалуйста, простите Карину, у нее нервы сдали. Жизнь Кары не назовешь счастливой, с такой обузой, как паралитик,
своей семьи не завести, — грустно сказала Лариса
Петровна, — вот умру я, может, тогда девочке пове-
зет.

— Прекрати, мама, — устало сказала Карина, —
Даша пойдет умоется.

— А потом мы попьем чаю, — оживилась Лариса Петровна, — в большой комнате! Карочка! У нас
гости!

— Да, мама, — покорно согласилась дочь.

— Вот радость! Поболтаем!

Карина посмотрела на меня.

— У Даши, наверное, дела?

— Нет, — ответила я, — у меня сегодня выход-
ной.

— Ах, ах, — забила в ладоши Лариса Петровна. —
Дай мне кофту... розовую... нет, бежевую... впрочем, лучше зеленую... и губную помаду! Поскорее!

— Сначала я дам Даше чистое полотенце, а уж
потом переодену тебя, — пообещала дочь.

— Ну ладно, — обиженно протянула Лариса
Петровна, — я потерплю. Отлично понимаю, какой
обузой являюсь.

— Вам, наверное, очень тяжело с больной, — со-
чувственно сказала я, когда мы вышли в коридор.

Кара подавила вздох.

— У мамы последнее время плохое настроение, она без конца твердит, что связала мне руки. И как ее убедить, что это не так?

Я промолчала. Если в доме есть больной человек, то атмосфера в семье целиком и полностью зависит от его характера. Один предпочтет не обращать внимания на свой недуг, попытается приспособиться и даже найдет положительные моменты в своем состоянии. Вот, например, Анюта, жена Кости Ребкова. Она попала в автокатастрофу и лишилась ступней. Сначала приуныла, потом посмотрела вокруг и, когда я пришла ее навещать, сказала:

— Слушай, мне дико повезло, я буду носить протезы, а некоторые-то не имеют такой возможности.

Аня научилась ходить, овладела компьютером и теперь зарабатывает большие деньги, оформляя сайты. Фразу «Мне дико повезло» она повторяет очень часто, добавляя:

— Не случись аварии, работала бы я по-прежнему в магазине. Мне и в голову не могло прийти, что можно пойти учиться и сменить род занятий.

Есть и другой пример. Сергей Ветров лишился мизинца на левой руке. Теперь он ходит, шаркая ногами, опустив взор в землю. Меня так и подмывает спросить у него:

— По какой причине ты ковыляешь? Пальца нет на руке, ноги твои абсолютно здоровы.

Покалеченную длань Ветров носит на черной повязке, он бросил работу бухгалтера, сами понимаете, сидеть и проверять счета в его состоянии невозможно. Свободное время Сергей тратит на посещение различных организаций, требуя для себя льгот: бесплатного проезда на транспорте, скидки на оплату квартиры, путевок в санаторий.

Один раз Ветров явился домой в гневе: сотрудница собеса, не выдержав общения с «несчастным инвалидом», рявкнула:

— Как вам не стыдно! Отсутствие мизинца — это не драма! Ступайте работать, вон у Ельцина нескольких пальцев не было, а он президентом стал!

— Я ей покажу, — ревел как дикий вепрь Ветров. — Будет знать, как над инвалидами глумиться.

И теперь он увлеченно бегает по судебным инстанциям.

Но Лариса Петровна принадлежит, на мой взгляд, к самому противному типу: плачущих вампиров. Подобные люди не выказывают открытой агрессии, они не требовательны, как Ветров, и не мужественны, как Анечка. Больше всего вампир любит вызывать у окружающих чувство вины.

— Огромное спасибо, — вздыхает он при виде подаренного ему нового спортивного костюма, — вы так заботитесь обо мне, калеке, обузе и камне на чужой шее. Лучше возьмите костюм себе, куда мне в нем ходить?

И у вас на душе начинают скрести кошки. Через пару недель общения с такой личностью у родственников возникает стойкая уверенность: они сволочи, здоровые гады, впереди у них долгая и счастливая жизнь, и они виноваты в том, что близкий человек мучается от неизлечимой болезни. Они начинают оказывать бедняге больше внимания, а тот в ответ еще активнее прибедняется, и вот тут им делается совсем плохо, комплекс «здоровой сволочи» душит несчастных. Как справиться с такой ситуацией? Не знаю. Наверное, надо обладать здоровым эгоизмом, чтобы понять: больному нужно помочь, но при этом нельзя терять чувство меры. Любой человек должен самостоятельно справляться со своей бедой, а не взваливать ее на плечи окружающих. Да, человеку с ограниченными возможностями надо сварить суп, но, прежде чем кидаться к плите, трезво оцените ситуацию. Если инвалид может взять ложку, то пусть ест бульон сам, а если способен нашинковать капусту с картошкой, то оставьте его на кухне. К сожалению, очень часто излишняя забота оборачивается людям во вред.

Глава 25

— Обожаю гостей, — бурно радовалась Лариса Петровна, сидя во главе стола, — конечно, к нам теперь никто не ходит! Я своим видом распугала всех друзей Карины.

— Вы великолепно выглядите, — поспешила сказать я.

— Спасибо, но я знаю, что люди боятся инвалидов!

— Мама! — с легкой укоризной сказала Кара.

— Ой, прости, доченька, — опомнилась Лариса, — я понимаю, как тебе надоела занудная старуха! Целый день в кровати лежит, ничего не делает, только стонет! Хотя я стараюсь! Всегда улыбаюсь! Мне очень тяжело, но я не показываю своих мучений!

— Я могу порекомендовать отличное лекарство, — не выдержала я, — оно купирует практически любую боль. А что вас тревожит?

— Ноги, — необдуманно соврала Лариса Петровна, — их так и выкручивает! Но я терплю до последнего, понимаю, что я обуза для Кары, вот и молчу, хотя иногда возникает такое ощущение, что ноги тигр жует.

— Это же прекрасно! — воскликнула я.

Лариса удивилась.

— Вы полагаете?

— Конечно! Вы выздоровеете! Врачи знают: если в неподвижных ногах возникает боль, значит, нервные клетки восстанавливаются, — объяснила я, — начинайте заниматься гимнастикой, и вы скоро побежите.

Глаза Ларисы Петровны наполнились растерянностью.

— Наверное, я спутала, — заявила она через мгновение, — у меня душа болит!

— Тогда рекомендую настойку валерьяны, — тут же посоветовала я, — пиона или пустырника. Посоветуйтесь с доктором, есть огромное количество чудесных препаратов.

— Я никогда не жалуюсь, молча терплю мучения, — заявила Лариса, — понимаю: я обуза для Кары, лекарства денег стоят. А моя бедная доченька — единственная их добытчица! И печень у меня болит! Она лекарств не вынесет.

— Тогда вам нельзя есть торт, — заметила я, — тем более второй кусок!

Лариса Петровна уставилась на тарелку, где лежали остатки бисквита, щедро украшенного кремом.

— Да, я обуза, — прошептала она, — даже за столом мы говорим только о моих проблемах! Это ужасно! Кара, подай носовой платок, извини, что, как всегда, мешаю тебе пить чай, но самой-то мне не встать! Господи, бедная моя доченька! Досталась же тебе увечная мать! Из-за меня ты живешь в одиночестве.

— Мамуля, — устало сказала Карина, протягивая ей салфетку, — я очень тебя люблю.

— Нет, я жернов! — зарыдала Лариса. — Камень на твоей шее! Не спорь!

— Она и не собирается, — не выдержала я, — вы

совершенно правы, паралитик — это жернов на шее. Кабы не вы, Карина бы вышла замуж!

Кара закашлялась, а Лариса перестала рыдать.

— Я обуза? — спросила она.

— Огромная, — подтвердила я, — вы так часто говорите о своем несчастье, что убедили Карину: мать — ее крест.

— Хочу еще торта, — тут же перевела разговор в другое русло Лариса.

— Вам нельзя, — не выдержала я, — у вас печень! А больная печень вызывает депрессию.

— У меня нет плохого настроения, — ляпнула Лариса, — просто скучно бывает. Без учеников трудно, я привыкла приносить пользу и работать с молодежью.

— Вы преподаватель? — спросила я.

— Русского языка и литературы.

— Значит, мы коллеги, я много лет преподавала французский.

— Что вы говорите! — обрадовалась Лариса.

— Сколько вы брали за урок? — поинтересовалась я.

— Десять долларов — стандартная цена, к вступительным экзаменам в институт я не готовила, слишком большая ответственность, — пояснила Лариса, — возраст моих учеников — двенадцать-тринадцать лет.

Я схватила даму за плечо.

— Лариса Петровна! Наша встреча неслучайна! У моей подруги Марины девочка-восьмиклассница, отвратительно пишет, представляете, в слове «ёж» она сделала четыре ошибки!

— Как это? — изумилась учительница.

— Написала «иошь», — засмеялась я.

— Да уж, — покачала головой Лариса, — это может показаться странным, но мне подобные случаи всегда были наиболее интересны!

— Возьмете Настю в ученицы?

— Я? — на этот раз совершенно искренне удивилась дама.

— Вы, конечно.

— Заниматься с девочкой?

— А что тут такого? Сейчас лето, педагоги не хотят работать, у детей каникулы, моя подруга не может найти репетитора, а Настю необходимо подтянуть!

— Но я инвалид! — выдвинула привычный аргумент Лариса Петровна.

— Но не на голову же! — бестактно заявила я.

— Вы правы, — протянула Лариса, — сяду у стола... десять долларов в час нам не помешают, и с ребенком, который написал «иошь», очень интересно работать...

— Думаю, к осени вы будете отбиваться от учеников, — оптимистично пообещала я и схватилась за телефон. — Марина, привет, я нашла тебе учительницу, ее зовут Лариса Петровна, вот, держите!

Хозяйка взяла трубку и стала беседовать с Мариной.

— Ну как? — хором поинтересовались мы с Карой, когда притихшая Лариса Петровна положила на стол мобильный.

— Они приедут через пару часов, уже собираются, — растерянно ответила хозяйка.

— Вот и отлично, — потерла я руки, — у нас есть время мирно попить чайку. Кстати, женщина, которая довела Кару до нервного срыва, что от вас хотела?

Лариса Петровна взяла чашку.

— Сумасшедшая!

— Мама, можно я расскажу? — попросила Кара.

Хозяйка царственно кивнула, и дочь ввела меня в курс дела.

Муж Ларисы Петровны и отец Кары был известным журналистом. В советские годы он работал в партийной газете, впрочем, тогда все издания были партийными, даже те, что выпускали профсоюзы. Николай Михайлович Егоров исправно писал заметки о лучших колхозниках и рабочих, взявших на себя обязательства выполнить пятилетку в четыре года, но в душе он был репортером, человеком, добывающим сенсации. Вот только в таких «горячих» корреспондентах пресса тех лет не нуждалась.

В перестройку Николай Михайлович не растерялся и стал выпускать собственную газету под названием «Лупа». Это было одно из первых «желтых» изданий с небольшим штатом сотрудников. Собственно говоря, работников в нем можно было по пальцам пересчитать. Основную работу проделывали сам Николай Михайлович и его приятель Эдуард. Как добывались сенсации? Слушали волну милиции, «Скорой помощи» и пожарной инспекции, имели информаторов в ГАИ и больницах. Частенько Эдуард и Николай ухитрялись примчаться на место происшествия первыми и оказывались один на один с пострадавшими, и тогда «Лупа» выходила с броской шапкой, типа «Жертва перед смертью назвала нашему корреспонденту имя своего убийцы. Мы начинаем собственное расследование». И Николай, и Эдуард умело уходили от конфликтов с органами, никогда не делились с ними полученными сведениями и самым тщательным образом хранили в тайне имена своих информаторов. «Лупа» стала быстро набирать тираж. К ее основателям потекли деньги, но Николай с Эдуардом удержались от покупки домов и машин, все добытые средства вкладывали в развитие газеты. Потом они взяли кредит, ясное дело, не в банке, а у барыги. В те годы получить легальным образом деньги на развитие бизнеса удавалось одному предпринимателю из тысячи, впрочем, и сейчас вы намучаетесь, если соберетесь взять дотацию для открытия собственной булочной или химчистки. В 90-е годы прошлого века процветали ростовщики, требовавшие немыслимый процент: одалживаешь десять тысяч долларов, возвращаешь двадцать, не сможешь вовремя расплатиться, включается счетчик, долг стремительно растет. Кое-кто лишился таким образом квартир, бизнеса и накоплений. Николаю Михайловичу и Эдуарду тоже не повезло, они задержались с возвратом денег. В редакцию явилось несколько накачанных парней в черном, они увезли приятелей в неизвестном направлении, а наутро у газеты появился другой владелец, прежние по состоянию здоровья ушли от дел.

Здоровье журналистов и впрямь оставляло желать лучшего. Николай получил черепно-мозговую травму, от которой так и не смог оправиться: он умер через год после встречи с бандитами.

Эдуарду повезло больше, его сломанные ребра и ноги в конце концов срослись, осталась лишь легкая хромота. В «Лупу» он не вернулся. Кстати, издание, оказавшись в чужих руках, сильно изменилось. С каждым номером в нем становилось все меньше сенсаций и все больше откровенных снимков девушек в прозрачном белье и без оного. В конце концов ежедневник стал еженедельником, изменил формат, печать и превратился в откровенно порнографическое издание.

Эдуард не забывал Ларису и Карину, раз в месяц непременно приходил в гости и приносил подарки: то фрукты, то флакон духов. Иногда коллега покойного Николая подбрасывал вдове денег, но потом ситуация изменилась. Эдик стал прибегать к Ларисе поесть, видно, у него наступили тяжелые времена, а потом Карина сообразила: он начал пить.

Лариса очень хорошо относилась к Эдику, она попыталась образумить приятеля и даже отвела его к врачу, но никакого положительного эффекта не последовало. Эдуард перестал им звонить, приходить. Лариса забеспокоилась и попросила Карину к нему съездить.

Кара нашла друга семьи на диване в грязной квартире. Никакого разговора не получилось, тот не желал слушать дочь Николая. В конце концов Карина вернулась домой и сказала матери:

— Мы сделали все, что могли, но Эдуард спивается, он потерял человеческий облик. Думаю, нам надо о нем забыть.

— Наверное, ты права, — согласилась Лариса. — Эдик нам не родня, мы не можем брать на себя ответственность за его ошибки!

Вот так алкоголик исчез из жизни вдовы и ее дочери. Потом Лариса Петровна заболела, Карина стала самоотверженно ухаживать за матерью, жизнь девушки превратилась в круговорот: уколы — таблетки — стирка — готовка — работа — стирка — готовка — таблетки — уколы.

Некоторое время назад в дверь к ним позвонили. Кара открыла, на лестничной клетке стояла незнакомая дама, рыжая, ярко накрашенная, вульгарная.

— Здравствуйте, — вежливо сказала она, — мне бы Николая Михайловича.

— Кто вы? — поразилась Карина.

— Его бывшая коллега, — ответила женщина, — меня зовут... э... Таня!

— Больно молоды вы для сотрудницы отца, — отметила Кара.

— Журналистика — удел молодых, — ответила

Таня, — я начинала подростком. Так мне можно поговорить с Николаем Михайловичем?

— Нет, — сказала Кара, — он умер.

— Как? — отшатнулась Таня. — Вы уверены?

— Вы серьезно спросили? — разозлилась Карина.

— Простите, — поникла Татьяна, — я глупость сказала. Разрешите войти?

— Зачем? — удивилась Карина.

— У меня есть к вам предложение, — объяснила Таня, — денежное, очень выгодное.

— Ну ладно, — Кара посторонилась.

Гостья устроилась в большой комнате на диване и без всякого стеснения заявила:

— Мы с Николаем Михайловичем были очень близки.

Карина скрестила руки на груди.

— Намекаете на склонность отца к педофилии?

Таня укоризненно покачали головой.

— Ну и гадость вы сказали! Николай Михайлович был потрясающим журналистом! Он обучал молодежь, мы его обожали. Поэтому я и пришла.

— Почему? — уточнила Карина.

Таня нежно заулыбалась.

— Я владелица небольшого издательства, а все благодаря Николаю Михайловичу. Он научил меня писать и редактировать тексты, понимаете?

— Да, — кивнула Кара, хотя в душе ее поселилась твердая уверенность: гостья врет.

— Из глупой девчонки ваш отец сделал профессионала, — не подозревая о мыслях собеседницы, продолжала Таня, — я ему всем обязана. И я благодарный человек.

— Ну-ну, — протянула Карина.

— Николай Михайлович рассказывал мне о своей дочери, — вдруг сменила тему гостья, — он очень вас любил, просто обожал! Мечтал, что вы когда-нибудь замените его в газете! Переживал, что вы не хотите заниматься журналистикой!

Карина постаралась не измениться в лице: Татьяна не подозревала, что попала пальцем в небо. Николай не слишком интересовался семьей, если уж совсем честно, его брак был на грани развала, Лариса постоянно упрекала мужа в невнимании к себе и нежелании заниматься дочерью. При живом папе Кара росла сиротой, Николай все свое время проводил на работе, домой являлся лишь ночевать. Совсем плохо стало, когда Егоров создал «Лупу»: в тот год он даже спал в кабинете, забывал позвонить жене и дочери.

— Папа не давал нам денег, — говорила мне сейчас Кара, — всю прибыль до копеечки вкладывал в печатное издание. И уж чего он совсем не хотел, так это видеть родную дочь.

Когда Каре исполнилось девятнадцать, она, набравшись смелости, приехала к отцу в редакцию и попросила:

— Возьми меня на службу.

— Куда? — с явным недовольством поинтересовался добрый папа.

— В «Лупу», — сказала Карина, — я хочу заниматься журналистикой.

— Никогда! — Отец хлопнул ладонью по столу.

— Почему? — не сдалась дочь.

— Ты не подходишь для работы корреспондентом, — заявил он, — да и мне трудиться с дочерью будет некомфортно. Я не смогу платить тебе большие деньги и проявлять снисходительность. Нет и еще раз нет! Поищи другое занятие. Репортерство не для баб.

Карина, глотая слезы, вернулась домой. Лариса Петровна возмутилась.

— Пусть только он явится домой, мало ему не покажется, — пообещала она доченьке.

Но отчитать супруга ей не удалось: на Николая напали бандиты, и женщины, забыв о распрях, стали выхаживать главу семьи...

— Вы же не журналист? — спросила Таня.

— Нет, я служу в банке, — ответила Кара.

— Просто замечательно, — восхитилась гостья, — вот я и подумала: вам архив Николая Михайловича не нужен.

— Что? — удивилась Кара.

— Неужели отец вам ничего не рассказывал? — прищурилась Таня.

— О чем? — осторожно поинтересовалась дочь Егорова.

Гостья вскочила и забегала по комнате.

— Николай Михайлович сталкивался во время работы с уникальными случаями! Он тщательно собирал сведения, снабжал их комментариями и хранил записи, потому что хотел издать книгу! Жизнь сложилась так, что мы потеряли друг друга из вида, но я понимаю, как помог юной журналистке опытный мэтр, и теперь, владея небольшим издательством, хочу его посмертно отблагодарить. Короче, вы отдаете мне архив, а я выпускаю книгу!

Глава 26

Карина нахмурилась.

— Вы получите гонорар, — пообещала Таня, — весь, сто процентов.

— Не надо, — процедила Карина.

— Кто там? — вдруг спросила Лариса, лежавшая в спальне.

— Это ваша мама? — подпрыгнула Таня и, прежде чем Кара успела отреагировать, бросилась в комнату больной.

Узнав о планах гостьи, Лариса Петровна пришла в восторг, ее, правда, волновала не моральная, а материальная сторона вопроса.

— Гонорар! — хлопала в ладоши учительница.

— Десять тысяч долларов, — озвучила Таня, — я вручу вам, если вы отдадите мне бумаги.

— Боже! — заголосила Лариса Петровна. — Вот оно счастье, Кара! Скорей! Беги! Ищи!

— Отведите меня в кабинет отца, — нагло потребовала Таня.

— Нет, — отрезала Кара, — не хочу.

— Вам мать приказала! — заявила нахалка.

— Убирайтесь, — обозлилась Карина.

— Десять тысяч! — закричала Лариса Петровна. — Доченька! Подумай! Мы решим все свои проблемы!

— Да, да, — кивала Таня.

— Покажите паспорт, — приказала Кара.

— Зачем?

— Не могу же я иметь дело невесть с кем!

— Я представилась!

— Таня, ученица отца?

— Да!

— Вы всерьез? — засмеялась Карина. — Покажите документы. И назовите свою фамилию!

— Ну... Петрова!

— Отлично, теперь паспорт!

— Я не ношу его с собой.

— Водительские права!

— У меня нет машины.

— Медицинскую страховку, читательский билет в библиотеку, пропуск на работу. Хоть какое-то удостоверение личности на имя Тани Петровой, — настаивала Кара.

— Если вы отдадите архив, я вручу вам десять тысяч долларов, — повторила Таня.

— Деньги, — еще сильнее занервничала Лариса, — они будут наши?

— Конечно, — искушающе улыбнулась Таня, — вы в одной секунде от богатства. Ну что, идем в кабинет?

Кара прищурилась.

— Похоже, идея издать книгу в память о Николае Михайловиче пришла вам в голову уже после того, как вы переступили порог нашей квартиры.

— Ну что вы, я давно мечтала...

— Не ври, — оборвала Кара, — ты даже не знала, что папа умер, попросила его позвать.

— Это для... э... приличия, я не хотела вас травмировать, — глупо солгала Таня.

— И еще. Архива здесь нет! — отрубила Кара.

— А где он? — растерялась Таня.

— Понятия не имею.

— Куда же Егоров дел бумаги?

— Мне это неведомо.

— Но документы! Фото! — наседала Таня. — Записи! Кассеты.

Карина пожала плечами.

— Отец никогда ничего не приносил домой.

Татьяна посмотрела на вдову исподлобья.

— Деньги вы получите только в обмен на рукописи Егорова.

— Нам доллары не нужны! — отрезала Кара.

— Десять тысяч! — закричала Лариса. — Мы найдем записи!

— Хорошо, — кивнула Таня, — я вернусь через некоторое время.

Лариса Петровна стала рыдать, гостья, совершенно не смущенная и даже весьма довольная собой, пошла в прихожую. Карина, с трудом сдерживая возмущение, последовала за незваной красавицей.

— Не знаю, кто вы и какие цели преследуете, но в другой раз прошу здесь не показываться, — сурово сказала она, отпирая дверь.

— Тут хозяйка ваша мама! — возразила Таня.

— Вовсе нет, она тяжело больна, мы испытываем финансовые трудности, неприлично дразнить бедных людей деньгами, — попыталась пристыдить ее Карина.

— Я даю вам шанс заработать, — не моргнув глазом ответила Таня, — на уникальных условиях. Выплачиваю гонорар сразу, полностью. Подумайте, сумма очень приличная.

— Архива нет.

— Так ли?

— Он, если и был, остался в редакции «Лупы», — предположила Карина, — а сейчас убирайтесь и помните: мы вас не желаем видеть.

Татьяна выскользнула на лестничную клетку.

— Посоветуйтесь с мамой, она хоть и больна, да разумнее вас. Глупо отказываться от прибыли, если ее можно получить, ничего не делая!

Когда Карина вернулась к матери в спальню, Лариса Петровна заорала в ажиотаже:

— Сними с антресолей чемодан, перерой всю библиотеку! Может, где что и осталось! — кричала она.

Чтобы ее успокоить, Карине пришлось-таки стащить на пол несколько саквояжей, но в них обнаружилась лишь малозначимая чепуха.

— Десять тысяч долларов, — словно заведенная, твердила Лариса, — если у меня три урока в день, значит, я зарабатываю тридцатку, умножим эту цифру на двадцать шесть, я в месяц отдыхала четыре дня, получим э... э... семьсот восемьдесят! В году двенадцать месяцев, но у преподавателей летом простой, остается девять. Перемножим...

— Мама, перестань, — взмолилась Карина.

— Семь тысяч двадцать, — не остановилась Лариса, — боже, это мой заработок почти за полтора года! Карина, немедленно звони этой Тане! Скажи: мы ей разрешаем квартиру по досочкам разобрать!

— Она не оставила телефона! — ответила дочь.

— Вот горе! Ищи по справке! Таня Петрова! Она чуть младше тебя, а уже хозяйка издательства!

Карина обняла больную.

— Мама! Она врунья, нет никакого издательства, успокойся!

Лариса Петровна зарыдала, пришлось вызывать врача... Представьте, как «обрадовалась» Карина, когда увидела очередную незнакомку, которая, поздоровавшись, заявила:

— Я хочу купить у вас архив Егорова, заплачу хорошие деньги.

— Я вытолкала ее вон, — заново переживала ситуацию Карина, — та уходить не хотела, кричала про доллары, мама занервничала! Пришлось мне применить силу, я толкала дуру, та сопротивлялась, лишь когда я пообещала вызвать милицию, она убежала. Что за ерунда творится? Зачем этим бабам архив отца?

— Не знаю, — мрачно ответила я.

— Папа давно умер! — не успокаивалась Карина. — И он не Лев Толстой! Обычный журналист, питавшийся мелкими скандалами. В политику отец не лез, никакими тайнами не владел, шпионом не был.

— Егоров же не рассказывал дома о том, чем занимается, — пожала я плечами.

Карина смутилась.

— Я читала «Лупу», каждый номер! У нас даже подшивка есть! Я ее вела, папе не говорила, он со мной не дружил, времени на дочь не имел и не понимал, как я его люблю. Я же... Странно быть фанаткой отца?

— Конечно, нет, — приободрила я Карину.

— Теперь-то я понимаю, — засмеялась она, — «Лупа» печатала гадости и сплетни, гордиться отцу было нечем: муж убил жену и спрятал ее в кровати тещи! Сестра родила от брата младенца! Соседи поранили друг друга, не поделив сотку земли. Хотите посмотреть?

— С огромным удовольствием, — совершенно честно ответила я.

И тут раздался звонок в дверь.

— Это ученица, — занервничала Лариса Петровна. — Кара, дай мне палку!

— Мама, — изумленно сказала Карина, — ты же не можешь стоять!

— Неси скорей трость, — потребовала Лариса. — Даша, вы можете открыть?

Я пошла в коридор, отперла дверь и увидела Маринку с Настей.

— Здорово, что ты здесь, — заявила Марина, — слушай, я так тебе благодарна. Найти летом репетитора практически невозможно, да еще за десять баксов. Настя, немедленно скажи Даше «спасибо».

— Спасибо, — не выразив ни малейшей радости, пробурчала двоечница.

— Училка сама не ходит, — предупредила я, — сидит в инвалидном кресле.

— Да хоть в кастрюле на колесиках! — закатила глаза Маринка. — Лишь бы взяла мою дуру!

— Ну ма... хватит, — застонала восьмиклассница, — я нормально учусь, всего-то две двойки в году!

Маринка пнула дочь, та зашмыгала носом.

— Возьмите обе себя в руки, — велела я, — не позорьте меня. Марина, прекрати лупить ребенка, девочке достались твои мозги.

— Ага! — Настя показала матери язык. — Слышала?

— Зато лень у тебя от папы, — завершила я. — Пусть твоя мать не Эйнштейн, но она чудесный парикмахер и слово «ёж» пишет правильно.

— У нас новый рекорд, — вклинилась в мои нравоучения Маринка, — читаю вчера ее сочинение, на лето им задали, «Попёр в лесу». Ну, думаю, что за хрень? Кто и куда попёр? Предположила, что Настька неправильно фразу составила, принялась за текст. «Попры любят воду, попры строят плотину, у попров крепкие зубы». И тут до меня дошло! Никто никуда не пёр. Речь идет о бобрах.

— Идите в комнату, — приказала я, — потом поговорим, хотя, на мой взгляд, как раз говорить не о чем. Проблема ясна!

Лариса Петровна стояла у шкафа, опершись на палку, сзади, растопырив руки, маячила Карина.

— Доченька, — ласково сказала репетитор, — ты хотела показать Даше подшивку газет, вот и ступайте в кабинет. А мы пока побеседуем с Настей и ее мамой.

После чего Лариса Петровна чуть подвинула палку и сделала крохотный шажок. Кара зажала рот ладонью, я схватила ее за плечо и увела из гостиной.

— Невероятно, — прошептала Карина, когда мы очутились в спальне, — мама уверяла, что ноги у нее не действуют.

— А когда она потеряла способность передвигаться? — спросила я.

— После папиной смерти, — пояснила Карина, — у нас был очень тяжелый год, сначала похороны, а затем выяснилось, что мы нищие, никаких накоплений не осталось. Вот тогда у мамы это впервые произошло, она пролежала три недели в больнице, там ее в прямом смысле слова поставили на ноги, а спустя некоторое время нас соседи затопили, ночью, мама почему-то очень испугалась, и все! Ничего не помогало, поверьте, я использовала все возможности: массаж, иглоукалывание, таблетки, экстрасенсов привозила, священника приводила, бабку из Подмосковья притаскивала, но мама не могла шевельнуть даже пальцами ног, а сейчас стоит! Это что? Как это?

Я села в кресло между книжным шкафом и столом.

— В параличе много неизученного. Во Франции есть место под названием Лурд, туда стекается огромное количество паломников со всего мира, в основном тяжелобольные люди, очень многие в инвалидных колясках. И каждый год в Лурде случаются чудеса, кто-нибудь из недвижимых встает и делает робкие шаги.

— Это спектакль, — отмахнулась Кара, — церковники нанимают артистов, я слышала о таком.

— Нет, нет, — покачала я головой, — чудеса запротоколированы, больных обследуют уважаемые врачи, никто ни за какие деньги не захочет лишиться репутации. На инвалидов таинственным образом действует обстановка, религиозный порыв многотысячной толпы, всеобщее ожидание чуда. Вера творит чудеса, причем это необязательно вера в Бога, достаточно верить в свои силы. Медики могут рассказать истории не менее чудесных исцелений, казалось бы, безнадежных больных. Главное, не опускать руки, не отчаиваться и твердо знать: все люди одинаковы.

— А это здесь при чем? — усмехнулась Кара, доставая из шкафа подшивку пожелтевших газет.

— Очень просто, — улыбнулась я, — вот вы с соседкой лежите в палате. У вас обеих есть две руки, две ноги, одна голова, сердце, печень, ну и так далее. Разнятся вес, цвет глаз, волос, качество и количество зубов, но это не принципиально. И вы, и ваша соседка страдаете одним недугом. И лечат вас одинаково, идентичными уколами и таблетками. Но она выздоравливает, вы нет, почему?

— Ну... не знаю, — растерялась Карина.

— Если одна женщина выжила, то и другая должна уйти из клиники на своих ногах, — пожала я плечами, — у вас все одинаковое, кроме мыслей. Она твердо верила, что может поправиться, болезнь не приговор. А у вас был другой настрой: жизнь кончена, впереди годы страданий и смерть, вот старуха с косой к вам и поторопилась. Знаете, я абсолютно уверена, если бы в человеческом обществе считалось постыдным уходить на тот свет раньше, чем в двести лет, ну так же неприемлемо, как, допустим, гулять в пятницу в семь часов вечера голой по Тверской, — то люди бы дотягивали до двухсотлетнего юбилея. У меня был приятель, парализованный ниже пояса, так он каждый день занимался, мысленно представлял: вот шевелится мизинец, сгибал, разгибал его, придумал себе гимнастику... И пошел! Вопреки всем прогнозам и диагнозам врачей.

— Может, вы и правы, — тихо сказала Кара, — но то, что мама встала! Ей-богу, это чудо!

— Просто Лариса Петровна сообразила, что в жизни еще есть нечто интересное, и она может зарабатывать деньги, не каждый день встречается девочка, пишущая «иошь» и называющая сочинение «Попёр в лесу». Главное, не препятствуйте матери, найдите ей учеников. Нынче никто уже не берет десять долларов, поэтому мигом отыщется армия желающих, — засмеялась я и начала изучать подшивку.

«Лупа» не утруждала себя философскими размышлениями, она била читателя шокирующей информацией: «Отец утопил трехмесячного младенца», «Влюбленные подростки выпили уксусную эссенцию», «Врач-маньяк насиловал и убивал пациенток»...

Я пролистала подшивку до середины и прониклась уважением к Николаю Михайловичу и Эдуарду. Нет, только не подумайте, что я наслаждалась статьями о сексуальных извращениях и жестоких убийствах! Да, я обожаю детективные романы, но все же литераторы, за редким исключением, не опускаются до откровенно патологических описаний. И, читая книгу, понимаешь: это выдумка, ничего подобного в жизни не было! С другой стороны, «Лупа» выходила шесть раз в неделю на протяжении года, это триста двенадцать номеров, и каждый полон подобных сенсаций. Журналисты были невероятно работоспособны.

— Кара! — окликнула я дочь Егорова. — Вот тут внизу фамилии корреспондентов: «Николаев, Михайлов, Эдуардов, Эдькин, Ларисин, Егоров, Егоркин, Егорушкин...» Кто эти люди?

— Это папины и Эдуардовы псевдонимы, — пояснила Кара, — у читателя не должно было создаваться впечатления, что газету делают два человека.

— Но реально их было двое?

— Еще ответственный секретарь, — кивнула Кара, — они носились повсюду, как сумасшедшие. В понедельник папа по городу скачет, Эдик в редакции, во вторник наоборот. Экономили на сотрудниках. Потом какие-то люди стали появляться, но надолго никто не задерживался.

— Почему? — заинтересовалась я.

— У папы был сложный характер, он не понимал слов «не могу», они для него были синонимом «не хочу». Отец безжалостно относился к корреспондентам, требовал полной отдачи, очень возмущался, если человек говорил: «Я три недели без выходных, дети и жена забыли, как я выгляжу, дайте мне отдохнуть».

Услыхав такую просьбу, Егоров краснел и орал:

— Журналистика ревнива, она не терпит соперниц. Выбирай: либо семья, либо работа.

Мало кто соглашался на такие кабальные условия, да еще редактор не платил сверхгонораров, наоборот, зажимал деньги, например, никогда не давал средств на такси.

— На метро быстрее, — убеждал Егоров фотокорреспондентов, — топ, топ — и повсюду успел!

— Думаю, я не выдержала бы с вашим отцом и недели, — заметила я, машинально перелистывая «Лупу». — Скажите, Николай Михайлович мог за деньги не напечатать материал?

— Как это? — заморгала Кара.

— Ну, допустим, ваш отец раздобыл некий компромат, разведал чужую тайну, а потом ему предложили большие деньги за молчание!

Карина поджала губы.

— Такое на отца не похоже! Кстати, он обожал жанр «журналистское расследование», думаю, в нем пропал отличный сыщик. Вот, смотрите.

Карина быстро пошуршала пожелтевшими полосами.

— Где она? О! Читайте!

Я начала изучать газету. «Сегодня утром на восемнадцатом километре МКАД случилось ДТП со смертельным исходом, погиб один человек».

— Теперь листайте дальше, — велела Карина, я покорно перевернула пару страниц.

— «ДТП на МКАД — это убийство. Наш корреспондент узнал шокирующие сведения. Водитель разводился с супругой, он пытался отсудить у жены дом и машину».

Карина заложила за ухо выбившуюся из прически прядь.

— И это не единственный случай!

— Интересно, — протянула я, перевернула следующую страницу и сделала стойку.

«Трагедия в Москве. Многодетная мать, придя домой, застает свою дочь мертвой. Злата Лукашина умерла, поняв, что ее любимая Жанна выпала из окна».

Глава 27

— Что-то интересное? — спросила Карина.

Но я не ответила, все мое внимание заняла статья.

«Злата и Сергей Лукашины были счастливой парой, у них подрастали четыре дочери: Жанна, Нина, Светлана и Элеонора. Не очень высокий достаток искупался любовью. Девочки, кстати говоря, приемные, обожали друг друга и родителей. Жанна, Нина, Светлана и Элеонора жили дружно, понимали, что родители не могут купить им норковые шубки, поэтому не требовали подарков. Наоборот, они всегда говорили Злате:

— Вот подрастем, пойдем работать, и тогда ты, мамочка, отдохнешь!

Летом Лукашины не могли обеспечить отдых одновременно четырем дочкам. Поэтому они купили две путевки в лагерь на июнь и две на июль. Сначала отдохнули Жанна и Нина, потом в Подмосковье укатили Эля и Светлана.

В день трагедии Жанна, оставшись дома одна,

решила помыть окно, девочка хотела помочь маме. К сожалению, никто не может рассказать, что предшествовало трагедии. Наверное, она встала босыми ногами на скользкий от мыльной воды подоконник и, не удержавшись, рухнула вниз. Через тридцать минут после трагедии, когда на место происшествия приехала вызванная соседями «Скорая помощь», из магазина вернулась Злата. Мать кинулась к дочери, замерла над телом, потом вдруг помчалась в подъезд. Карпова В.К., живущая в соседней с Лукашиными квартире, бросилась за Златой. Мы взяли у соседки небольшое интервью:

— Скажите, Влада Константиновна, что вы увидели в гостиной Лукашиных?

— Злата не заперла дверь, поэтому я окликнула хозяйку и, не получив ответа, рискнула войти. Лукашина стояла посреди комнаты, ее руки были в чем-то красном.

— В крови?

— Ну, это и мне так сначала показалось! Я испугалась, подбежала к Злате и говорю: «Ты поранилась, давай скорей зальем йодом рану». И тут шибанул запах ацетона, я и сообразила: Злата пролила лак.

— Лак?

— Для ногтей. Он был алого цвета и издали походил на кровь.

— Злата в момент смерти Жанны решила сделать себе маникюр?

— Конечно, нет. Похоже, ногти приводила в порядок Жанна, на маленьком столике около кресла лежали кусачки, пилочки и испачканные лаком кусочки ваты. Наверное, девочка покрасила ногти и решила помыть окно. Злата схватила пузырек случайно, она была в шоке.

— Лукашина что-то говорила?

— Нет. Вернее, ничего важного.

— А поточнее?

— Злата тихо сказала: «Тазик, мыло...» Я повернулась, увидела пластмассовую красную миску, губку, бутылочку средства для мытья посуды и сразу поняла: случилась трагедия. Бедная Жанна! Такая хорошая девочка была, всегда помогала матери!

А теперь слово лейтенанту милиции Воробьеву М.Л.

— Скажите, Марат Львович, что случилось в квартире Лукашиных?

— Произведя осмотр места происшествия и оценив находившиеся в комнате вещи, то есть таз, мыло, губки, мы классифицировали произошедшее как несчастный случай. За весеннее-летние месяцы в нашем районе случилось три падения из окна, связанных с мойкой стекол. Учитывая произошедшее, хочу обратиться к гражданкам: «Дорогие гражданки, не лазайте босиком на подоконник, голыми ступнями уцепиться за него нельзя. Наводите чистоту парами, обвязавшись крепкой веревкой в районе прохождения вашей талии. Одна трет стекло, другая ее страхует. Будьте внимательны к сохранению собственной жизни».

— Значит, никакого расследования не будет?

— В связи с полнейшим отсутствием состава преступления и учитывая обстоятельства произошедшего, зная о нахождении трупа в момент мойки окна в одиночестве, считаю нецелесообразным вести речь о чем-либо, кроме естественного выпадения из окна. Еще раз обращаюсь к гражданкам. Дорогие гражданки! Лучше быть живой, чем мертвой, не лазайте по окнам!»

Я невольно вздохнула. Однако Николай Михайлович был не очень добрый человек. Любой журналист, беря интервью, а потом переводя текст на бумагу, может придать ему вполне удобочитаемую форму. Егоров не захотел править речь лейтенанта, привел высказывания милиционера во всей их красе. Тонко поиздевался над малограмотным парнем, и ведь упрекнуть редактора ни в чем нельзя. Что он сделал плохого? Интервью воспроизвел точно, сохранил лексику милиционера, не исказил смысл его слов. Вот только человеку, мало-мальски владеющему русским языком, тут же станет ясна дремучесть этого Воробьева М.Л. Наверное, Егоров очень не любил людей в форме и не упускал возможности свести с ними счеты. Но вернемся к статье.

«Очень часто наши бравые милиционеры изо всех сил стараются отбиться от заведения уголовного дела. Впрочем, нежелание заниматься работой по-человечески вполне понятно. Вот только согласится ли с этим семья покойной Жанны? У нашего корреспондента после внимательного осмотра комнаты, в которой случилась трагедия, родились нехорошие подозрения. Мы начинаем собственное расследование. Смерть Жанны Лукашиной — несчастный случай? Или все-таки кто-то помог ей свалиться с высокого этажа? Где находился отец? Почему мать не осталась около тела, а кинулась наверх, в квартиру? Какие тайны скрывает семья Лукашиных? В субботнем номере мы дадим подробный репортаж и изложим наши версии. «Лупа» всегда стоит за справедливость. Наш девиз: все тайное непременно должно стать явным».

Я в ажиотаже стала листать страницы. Статья, которую я только что прочитала, была опубликована во вторник, вот среда, четверг и пятница. На третьей странице газеты, вышедшей в последний рабочий день недели, красуется анонс: «Завтра вы узнаете шокирующую правду о семье Лукашиных. Сенсационное интервью с нянькой — Тельмой Генриховной. «Они ненавидели друг друга до припадков, но их можно понять» — так начинается рассказ женщины, которая помогала Злате воспитывать четырех дочерей».

Подшивка закончилась.

— А где субботний номер? — растерялась я.

— Он не вышел, — ответила Карина.

— Почему?

— В четверг вечером в редакцию ворвались бандиты и увезли папу с Эдуардом, — грустно пояснила Кара.

— Минуточку! Журналистов забрали в четверг? Но пятничная «Лупа» увидела свет!

— Конечно, ее уже сверстали и отправили в печать. Пятничный выпуск делается в четверг, а субботний — в пятницу.

— Ясно, — пробормотала я.

— Эти подонки не только скрутили папу с Эдиком, они еще и разгромили офис, — сказала Кара. — Слава богу, Зиночка уцелела! Вот уж кому повезло, она в лифт залезла, ее и не заметили.

— Кто такая Зиночка и как можно не заметить человека в лифте?

Карина обхватила себя руками за плечи.

— Офис был в очень старом доме, его, кстати, давно снесли. Здание построили в восьмидесятые годы позапрошлого столетия. На кухне был лифт, за стенной панелью. Если не знать, где он, то и не сообразишь. Потянешь за веревку, появляется кабина, пусть небольшая, но худенькая женщина в ней уместится. Зиночка была секретарем редакции, не техническим, а ответственным, занималась выпуском, контактировала с типографией и лоточниками, которые продавали «Лупу», и сидела как раз на бывшей кухне. Когда бандиты вломились в редакцию, Зина схватила гранки субботнего номера, нырнула в подъемник, спустилась в подвал и кинулась в милицию. Как она не побоялась! Веревки могли прогнить от старости! Зиночка хотела спасти Николая с Эдуардом, но не успела, пока менты собрались, пока репу почесали, пока ехали, отца с приятелем уже увезли.

— Значит, материалы номера могли сохраниться? — обрадовалась я.

— Ну... не знаю, — пожала плечами Кара. — И зачем они вам?

— Я случайно наткнулась в подшивке на знакомую фамилию — Лукашина, мы раньше дружили, но я потеряла ее координаты. У вас есть адрес Зины?

— Где-то был!

— Можете поискать?

— Для вас — что угодно!

— Огромное спасибо, очень меня обяжете, — завела я, — буду крайне благодарна.

Карина открыла верхний ящик письменного стола.

— Никогда не выбрасывайте старые записные книжки, — посоветовала она, — многие люди живут долгие годы в одной квартире. Вот, например, мы с мамой. Этому дому почти пятьдесят лет, он был построен в самом начале шестидесятых, экспериментальный, хотели проверить, как возводить блочные пятиэтажки. А! Нашла! Зинаида Мироновна Шляпкина.

— Ей, наверное, много лет!

— Зиночка была тогда молодой, в «Лупу» она пришла, когда ей едва исполнилось двадцать два! — возразила Карина.

— Вам нетрудно самой позвонить Шляпкиной? Вероятно, она не захочет беседовать с незнакомкой о тех событиях!

— Нет проблем, — согласилась Кара, — надеюсь, Зина живет на прежнем месте! Черт!

— Что?

— Номер не существует.

— Дай-ка сюда! Смотри, набор начинается с цифры два, а ее заменили на шесть.

— Сейчас попробую, ага, гудит... Здрасти! Можно Зинаиду? Ой, еще раз здрасти! Вы, наверное, меня не помните? Я — Карина Егорова, дочь Николая Михайловича ... ага, ага, спасибо. Очень приятно! Да, да! Извините, Зиночка, у меня к вам такое дело...

Я молча слушала, как Карина меня представляет, потом Егорова сунула мне трубку.

Я откашлялась.

— Здравствуйте, Зина!

— Добрый день.

— Может, мой интерес вам покажется странным...

— Говорите.

— Карина рассказывала, что в день нападения бандитов вы спрятались в лифте.

— Верно.

— Вы очень смелый человек.

— Я отчаянная трусиха, — засмеялась Шляпкина, — но в момент опасности не растерялась. Прямо в голове щелкнуло: или лезу в подъемник, или мне кирдык. Третьего не дано. Сгребла гранки и дёру!

— Значит, вы прихватили с собой материалы субботнего номера?

— Егоровская школа, — вздохнула Зина, — сам погибай, а газету спасай. Унесла все, я как раз верстку делала, материалы стопками слева, снимки справа, я их вместе с линейкой-строкомером уволокла, она у меня теперь вместо талисмана!

— А где гранки? Вы их выбросили?

— Разве можно!

— Сохранили? Дадите взглянуть?

— Зачем? — удивилась Зинаида.

— Объясню при встрече!

— Ладно, приезжайте.

— Можно сейчас?

— У меня редакторские дни, сижу дома, хотя...

— Что? Я уже бегу к машине.

— Постойте, я не успею прибраться к вашему приходу! Давайте лучше встретимся в выходные.

— Нет, нет, — испугалась я, — время не ждет! Мне все равно, как выглядит ваша квартира, даже если она покрыта слоем мусора в полметра, это не играет никакой роли. Кстати, у меня дома тоже бардак, посуда полгода не мыта, пыль с Нового года не вытерта.

— Ну ладно, — сдалась Зина, — записывайте адрес.

В квартире у Шляпкиной отчаянно пахло кошками, и я, не удержавшись, стала чихать.

— Это Василий, — сердито сказала Зина, — у него с моим сыном джихад. Стоит Игорьку в дом войти, Васька начинает углы метить, дескать, смотри, мама, кто в семье хозяин! Вы туфельки поставьте наверх.

— В шляпницу? — поразилась я.

— На всякий случай, береженого Бог бережет. Анфиса терпеть не может гостей, — пояснила хозяйка, — она еще хуже Васьки, настоящая оторва, в обувь гадит.

По длинному коридору, где мотались клубки разноцветной кошачьей шерсти, мы вошли в просторную кухню. Зиночка не кокетничала, предупреждая о беспорядке, похоже, в последний раз хозяйка бралась за пылесос году этак в тысяча девятьсот семидесятом. Мне еще ни разу не доводилось бывать в столь загаженном месте.

Шкафчики и кафель были покрыты темно-желтыми сальными пятнами, электрочайник показался мне коричневым, но хозяйка повернула его ручкой к себе, и стало понятно: изначально он имел сливочно-белый цвет. В мойке подпирала кран гора грязной посуды, на столе маячили ноутбук, вспоротая банка зеленого горошка, открытая бутылка кваса, конфетные фантики, кусок марли, полуобгрызенный нарезной батон, резиновая грелка, ластик и три кружки. На тумбочке голосил включенный телевизор.

— Хотите чайку? — гостеприимно предложила Зиночка, убирая звук у телика. — Садитесь.

Я отодвинула табуретку и обнаружила на ней всклокоченную кошку цвета крем-брюле.

— Машка! — всплеснула руками Зина. — Кукушка чертова! Иди к детям! Представляете, она родила от Томаса котят и не желает их воспитывать! Вместо нее Мурлыня старается, ну прямо все как у людей! Не смотрите, что Машка такого цвета, это она Марка толкнула, моего мужа, а он кофе пролил, хорошо хоть Маркуша любит холодный, да еще на три четверти со сливками. Машка кое-как облизалась, но не до конца! Она изначально белая. Надо ее помыть, но руки не доходят! Столько дел! Все собираюсь квартиру убрать, но посмотрю на бардак и махну рукой. А смысл? Васька все описает.

— Сколько же у вас кошек? — Я с трудом вклинилась в нескончаемый поток слов.

— Семь, — бодро ответила Зина, — все подобранные. Пейте чаек! Вот.

На столе возникла кружка с медленно тонущим пакетиком с заваркой. Когда он опустился на дно, оттуда всплыла кошачья шерсть и замерла на поверхности.

— Жарковато для чая, — попыталась я отказаться от угощения.

— Точно, — согласилась Зина, схватила чашку, выплеснула в мойку содержимое и, забыв ополоснуть, наполнила ее квасом.

— Вы обещали показать мне спасенные гранки, — напомнила я.

Зина хлопнула ладонью по картонной папке со шнурочками-завязочками.

— О! Ничего не пропало! Я очень аккуратна в отношении работы!

— Замечательное качество, — заметила я, развязывая веревочки.

— Читайте, читайте, — приободрила меня Зина и застучала по клавиатуре.

Я внимательно просмотрела бумаги раз, другой, третий.

— Зина, но здесь не все!

Хозяйка оторвалась от ноутбука.

— Как? Чего не хватает?

— Материала о семье Лукашиных!

— Не может быть!

— Смотрите сами!

Шляпкина поворошила листки.

— И куда он подевался?

— Тот же вопрос я хотела задать вам, — ответила я. — Кто, кроме меня, проявлял интерес к так и не увидавшему свет номеру?

— А кому он нужен? Я храню его из-за своей сентиментальности: Николай Михайлович умер, Эдуард тоже.

— Компаньон Егорова покойник?

— Он спился, — пояснила Зина, — года два назад позвонили из ЖЭКа, спросили, кем я прихожусь Эдуарду, мой телефон у него на обоях был записан. Сказали, что Савельев скончался, родственников у него нет, завещания тоже, хоронить его некому. Там какая-то инициативная домоуправша деньги по жильцам собрала, чтобы Эдика в общую могилу не сунули, хотя, думаю, покойнику это без разницы. Я дала небольшую сумму, но в церемонии не участвовала!

— Попробуйте вспомнить, кто просил у вас посмотреть папку?

Зинаида нахмурила лоб.

— Вы первая.

— Может, соседи?

— Я с ними конфликтую, они на меня заявления участковому строчат, жалуются на кошек, воняет им! Вот уж враки! Ну как запах может до другой квартиры доползти!

— Ваши дети?

— Они ничего не слышали о «Лупе».

— Муж?

— Ой, не смешите! Леонид только о своей математике думает, Петя весь в музыке, а Марку не до чтения.

— Я говорила о вашем супруге.

— И я о них веду речь.

— Сколько у вас мужей? — поразилась я.

— Трое, мы в разводе, но живем вместе, — объяснила Зина, — а что? Квартира большая, никто никому не мешает. Очень даже удобно. Леня с мальчиками уроки делает, Петя их художественно развивает, а Марк у нас по хозяйству, все, кроме уборки, на нем. Пылесос и тряпку он терпеть не может. Мыть полы — моя забава. Вас удивляет наша семья?

— Нет, — улыбнулась я, — у меня самой на одного бывшего мужа больше.

— И все с вами?

— Слава богу, нет! Но кое с кем я до сих пор в хороших отношениях. Давайте все же попытаемся вспомнить, кому вы показывали папку?

— Без понятия!

— Вам знакома женщина по имени Лиза Гинзбург?

— Нет! О! Точно! Я сообразила про папку! — закричала Зина.

Крик хозяйки потревожил облитую кофе со сливками Машу, кошка встала, выгнула спину дугой, потянулась, зевнула, не торопясь вскочила на мойку и... пописала прямо на гору грязной посуды. Я разинула рот: ну и хамство, а мы еще возмущаемся поведением Банди, когда он начинает рыть ямы на участке!

Но Зинаида не обратила ни малейшего внимания на вопиющую кошачью наглость, из ее рта с пулеметной скоростью вылетали фразы.

Глава 28

Зиночка работает в журнале «Дамские истории». Со всей страны в редакцию стекаются рассказы от женщин, в основном это описания любовных страданий или хронология семейного счастья. За лучшую байку положен приз, как правило — телевизор, аэрогриль, стиральная машина, то есть не копеечные вещи, а серьезная награда, за которую приятно побороться.

Зиночкина задача «причесать» народное творчество, отредактировать «плач Ярославны» до удобочитаемого вида. Как-то раз главной редакторше пришла в голову гениальная мысль: скомпоновать один выпуск из баек самой сотрудницы.

— Только не надо про любовь, — попросила начальница, — вспомните какие-нибудь интересные случаи, давайте разнообразим тему, у меня уже оскомина от сообщений: «я любила страстно, а он, козел, изменил».

Вот Зиночка и написала про нападение на «Лупу» и свой побег через шкаф-лифт вместе с гранками номера. Статья заканчивалась интригующе.

«Увы, Николай Михайлович Егоров скончался, «Лупа» медленно превратилась в эротическое издание для взрослых. Наверное, это был естественный процесс. Но мне жаль, что результаты последнего расследования Николая Михайловича так и не дошли до читателя. А ведь он знал: Жанну Лукашину убили, сбросили из окна, имитировав несчастный случай. Преступник был в сантиметре от разоблачения, разгром «Лупы» его спас. Может, когда-нибудь я разберу материалы, внимательно перечитаю их и пойму, кто, по мнению Николая Михайловича, лишил жизни не только Жанну Лукашину, но и ее приемную мать Злату. Да, да, Злату, скончавшуюся от сердечного приступа, тоже надо считать жертвой преступника».

Через пару недель после появления «Дамских историй» на прилавках Зиночке позвонили с телевидения. Приятная женщина, представившись Ольгой, ассистентом режиссера, сказала:

— Я читала вашу статью в журнале, и она меня потрясла. Родилась идея сделать программу о неотвратимости наказания. Убийца давно успокоился, решил, что дело поросло мхом, а оказывается, где-то лежит папочка, а в ней документы, способные изобличить преступника. Есть в этом некая фатальность, вы согласны?

— Можно и так трактовать события, — осторожно ответила Зина.

— Вы согласны дать нам интервью? Разрешите подъехать к вам для более детального разговора?

— Ладно, — не стала кривляться Зина, — не скрою, мне хочется показаться на экране.

На следующий день теледеятельница приехала к Шляпкиной и детально изложила план съемок, потом попросила почитать тот самый материал Николая Михайловича и удовлетворенно заметила:

— Супер! Сейчас же оповещу нашего главного, завтра позвоню вам и назову дату съемки.

Оля оказалась очень расторопной, телефон у Зиночки зазвонил в тот же день, около десяти вечера.

— Извините, — завздыхала Оля, — но главный не проникся, сказал: материал журналиста не является уликой. Нет ли прямых доказательств убийства Жанны?

— Наверное, они были у Егорова, — резонно ответила Зина.

— Но вы их не видели?

— Нет.

— И не знаете, о чем идет речь?

— Нет.

— И в статье не названо имя преступника!

— Верно, — согласилась Зинаида, — насколько я помню, Егоров собирался подольше эксплуатировать сенсацию. Дело было летом, в городе мертвый сезон, тираж стал падать, и тут Николай Михайлович нарыл бомбу. Конечно, он хотел привлечь внимание читателей, задумал серию публикаций, но я не знала его планы. Егоров в них никого не посвящал.

— Жаль, — протянула Оля. — Неужели ничего больше не осталось?

— Нет, — с огорчением ответила Зина.

На том и расстались.

— Это она утащила. Больше некому, — запоздало возмутилась Шляпкина.

— И как вы сразу не заметили? — поразилась я.

Зиночка оперлась локтями о стол.

— Я дала ей папку и пошла чай поставить, эта Оля не на кухне сидела, у меня тут бардак был, я постеснялась завести сюда постороннего человека. Вас пустила, потому что сейчас здесь небольшой беспорядок, а в тот день Игорек гостей созвал, тут девчонки салаты резали, все конфорки кастрюлями с картошкой заняли, я долго с чаем провозилась, а когда вернулась, Оля мне закрытую папку вернула.

— И вы не проверили ее содержимое?

— Нет!

— Но почему?

— В голову не пришло, — призналась Зиночка. — В ней не было ничего ценного, старые бумажки, кому могли понадобиться неопубликованные статьи многолетней давности? Сенсация хороша горячей, тухлые новости — несъедобное блюдо.

— Можете описать внешность Ольги?

Зина хмыкнула.

— Такую особу не забыть!

— Она столь интересна?

Шляпкина встала и включила чайник.

— Рыжая, как клоун! Волосы мелко вьющиеся, слишком блестящие, лицо в веснушках, ну прямо перепелиное яйцо. Брови черные, она их явно красит и перестаралась. Глаза карие, рот накрашен оранжевой помадой. Слишком много косметики, да и духами она облилась сверх меры. И фигура странная — ноги-руки тонкие, а живот и бедра толстые. Я сначала решила, что она беременная, потом поняла: нет, просто нелепая. Правда, воспитанная, туфли сняла, извинилась за беспокойство, удостоверение телевизионное показала.

— Вы ее фамилию не запомнили?

— А она не открывала книжечку, издали продемонстрировала, чего же лезть руками?

— Ясно, — совсем приуныла я.

— Я сама пыталась ее найти, — вдруг сказала Зина, — раздобыла в справочной телефон «Останки-
но», целый день потеряла. Но так ничего и не выяснила. Девушек с именем Ольга там тучи, и асси-
стенты режиссеров постоянно тасуются, одни уволь-
няются, другие заступают на их место. Дохлый номер. Жаль. Может, и нехорошо признаваться, но
мне хотелось позвездить, стать героиней передачи.
Вот бы коллеги обзавидовались.

— Вы нашли какие-то доказательства убийства? — осенило меня. — И хотели сообщить о них таинственной рыжеволосой Ольге?

— Точно, — закивала Зина, — вот смотрите.

Порывшись в папке, она вытащила несколько
фотографий.

— Уже когда Ольга мне про облом рассказала, —
пояснила она, — я вспомнила, там был еще конверт,
к папке скрепкой прикрепленный, ну я и полезла
его искать. Как сквозь землю провалился! Только
через неделю до меня доперло: нужно всю дрянь из
ящика вытащить, его выдвинуть и внизу, в тумбе,
пропажа найдется. И точно! Видите?

Зина быстро вытащила цветные снимки, сдвинула в сторону все предметы, занимавшие стол, и
разложила фотографии. Я стала их изучать.

Вот изображение тела девушки. Несчастная лежит на спине, широко раскинув босые ноги, халатик
задрался почти до пояса, но никто его не поправил,
а на лицо несчастной наброшена какая-то тряпка.
Вероятно, снимок был сделан через очень короткое
время после падения, он хорошего качества, и на
нем видно, как блестит лужа крови, выплывающая

из-под спины Жанны. Кровь быстро сворачивается, а тут она, похоже, совсем свежая.

На следующем фото были представлены лишь ступни несчастной. Жанна жила в малообеспеченной семье, поэтому не могла пойти в салон красоты и сама пыталась сделать педикюр. Получилось у нее не очень хорошо, ногтям она придала округлую форму. Видно, никто не рассказал Жанне, что ногти непременно должны быть прямоугольными, иначе край легко может врасти и придется делать несложную, но неприятную операцию. Погибшая неаккуратно воспользовалась лаком, выбрала эмаль яркого цвета и залила кутикулу, впрочем, если взять зубочистку, то ею можно удалить излишек краски. А еще по какой-то причине ноготь большого пальца на правой ноге остался непокрашенным. Может, лак закончился? Хотя в статье, которую «Лупа» успела опубликовать, приводился рассказ соседки о том, как Злата пролила себе на руки лак из пузырька, который зачем-то схватила, войдя в квартиру. Впрочем, не покрытый лаком ноготь — малозначительная деталь.

Я так и не поняла, что привлекло Николая Егорова в ногах несчастной, и взялась за следующую фотографию. Это был панорамный вид комнаты, из окна которой вывалилась Жанна. Ничего особенного. Два простых кресла, журнальный столик, буфет, тумбочка со стареньким включенным телевизором, книжные полки, распахнутое окно.

Потом я начала оценивать детали. Глазастая соседка, вбежавшая следом за Златой, оказалась права: похоже, до того, как начать мыть окно, Жанна приводила в порядок ногти. На столике лежат кусачки, пилочки, стоит бутылочка с ацетоном, пузырек с лаком. Последний открыт, кисточка валяется рядом.

Я заморгала. Так, похоже, пронырливый Николай Михайлович оказался быстрым, как многорукое индийское божество. Он, слушавший волну «Скорой помощи», успел на место происшествия раньше всех. Как ему это удалось? На этот вопрос ответа никогда не получить. Вероятно, Николай находился рядом, вот и подсуетился. Егоров сделал несколько снимков трупа и побежал наверх. Возникает вопрос: как он попал в квартиру? Репортер опередил Злату, по свидетельству соседки, та пролила лак, а на фото флакон в целости и сохранности стоит на столике. Может, дверь была открыта? Тогда следующий вопрос: кто открыл замок? Жанна? Зачем? Девочка не хотела, чтобы милиция ломала дверь! Значит, она знала, что сама никого впустить не сможет. Жанна покончила с собой? Но где записка? Девяносто процентов людей, решивших свести счеты с жизнью, непременно оставляют письмо, а подросток уж точно это делает. Что могло подвигнуть девочку на столь отчаянный шаг? Неразделенная любовь? Непонимание со стороны родителей? Ощущение собственного одиночества? Во всех случаях останется послание с подробным изложением мотивов и обвинений тех, кто виноват в причине суицида. «Вот я сейчас умру, а вы потом будете плакать, поймете, кого потеряли, да поздно» — подобная мысль часто возникает у подростков, решивших совершить роковой шаг. И парадокс состоит в том, что подросток на самом деле не собирается умирать, просто хочет увидеть, как родители и учителя будут рыдать на его могиле. Дети искренне считают себя бессмертными, даже те, кто получил паспорт и официально причислен к армии взрослых, как-то не думают о том, что, шагнув с десятого этажа, назад уже не вернутся: нельзя стать живым свидетелем собственных похорон.

Я прикусила губу. Хорошо, предположим, девочка решилась на самоубийство, причина ее поступка неизвестна, но давайте считать, что она была. Жанна выбрала удачный момент: две ее сестры, Светлана и Эля, находились в лагере, Нина, оставшаяся в городе, куда-то ушла, Злата и Сергей тоже отсутствовали. Девочка сделала педикюр, хотела выглядеть в гробу красиво, и выбросилась из окна. Дверь она предусмотрительно открыла, понимала, что в квартиру захочет войти милиция.

Я уставилась на снимок. Но при чем тут тогда тазик, губка и средство для мытья посуды? Вон они, мирно стоят на полу у батареи! Зачем нужна эта декорация? Жанна хотела представить свое самоубийство как несчастный случай? Это объясняет отсутствие записки, но тогда девочке не следовало отпирать дверь! И, повторяюсь, детям свойственна демонстративность, своим самоубийством они кого-то наказывают, хотят, чтобы родителям было плохо. Суицид, обставленный как несчастный случай, — это поведение взрослого человека, очень сильного, скрытного и одинокого.

Злата и Сергей были религиозными людьми, для таких невозможность отпеть погибшую дочь — огромное горе, а тело самоубийцы не позволяют внести ни в один храм, церковь осуждает суицид. Может, у Жанны была несчастная любовь? Ей исполнилось четырнадцать лет, возраст Джульетты и Татьяны Лариной, самое время для безответных чувств. Вот Жанна и надумала свести счеты с жизнью, но, будучи любящей дочерью, она подумала о родителях и изобразила случайное падение. Тогда объяснимо отсутствие письма и открытая дверь. Но почему она не докрасила ноготь? Привязалась же ко мне эта чепуха! Кстати, вот еще странность: кисточка для лака лежит на столике, пузырек не закрыт. Почему меня поразил сей факт? Лак быстро засыхает, если хочешь им долго пользоваться, нужно тщательно завинчивать крышечку. Девочка из малообеспеченной семьи не может себе позволить расточительность. Жанна, наверное, с большим трудом наскребла денег на флакончик. Ну никак не могла Жанна бросить его открытым. Даже перед смертью? Наверное, ей уже все было безразлично! Но ногти-то она покрасила! Почти все, забыла лишь про один!

Я потрясла головой. Дашутка, отвлекись на секунду от лака, посмотри на другие детали. Что еще есть в комнате? Домашние тапочки! Они стоят около кресла пятка к пяточке, носок к носку, здесь же и кухонная табуретка, на ней постелена газета. Все правильно. Жанна делала педикюр, сама сидела в кресле, ногу поставила на деревянное сиденье, которое предусмотрительно застелила бумагой, чтобы не испачкать. Аккуратная девочка. Вас удивляет, что она устроилась с пилками в гостиной? А меня нет. Жанна находилась в квартире одна, а телевизор есть только в этой комнате, кстати, он включен, она смотрела какой-то фильм.

Я поежилась. Чем дольше рассматриваю фото, тем больше нахожу странностей. Поведение Жанны не укладывается в обычную схему. Она устроилась с комфортом, сделала так, чтобы не заляпать мебель, аккуратно поставила тапочки (кстати, они новые, розовые с симпатичным меховым помпончиком), включила телик, стала красить ногти и... не закончив процесс, выбросилась из окна, не забыв при этом принести тазик, губку, жидкость для мытья посуды и отпереть дверь. Ситуация не кажется вам бредовой?

А что там темнеет у выхода из комнаты? Тапочки! Еще одни, то ли темно-коричневые, то ли черные, дешевые, без всяких украшений, такие покупают пенсионерки или женщины, считающие, что дома можно ходить абы в чем, все равно никто не увидит. Одна валяется почти у самой двери, другая чуть ближе к книжному шкафу. Создается ощущение, что кто-то спешно убегал.

Я еще раз осмотрела лак, кисточку, розовые кокетливые пантофли, табуретку с газетой, включенный телевизор, тазик, губку... вспомнила о недокрашенном ногте — и все поняла.

— Что-то случилось? — тронула меня за плечо Зиночка. — Вы так странно молчите!

— Зина, — отмерла я, — можете дать мне на время это фото?

— Честно говоря, не хочется, — откровенно сказала Шляпкина, — это память о моей молодости.

— Я его верну!

— Ну...

— Мне очень надо! Пожалуйста!

— Право, не знаю, — слабо сопротивлялась редактор.

— Зиночка, в доме Лукашиных произошло убийство. Николай Михайлович сразу понял: дело нечисто. Очевидно, Егоров обладал завидной наблюдательностью и умел выстраивать логические цепочки, но он не любил милицию и решил самостоятельно заняться расследованием. К сожалению, журналисту не удалось довести дело до конца. Убийца или кто-то из его пособников спокойно ходит по земле. И этот снимок — шаткая возможность найти его! Единственная улика!

— Ладно, ладно, — подняла руки Зиночка, — хорошо, снимок временно ваш, но, пожалуйста, верните его. Постойте-ка! Вы знали про Лукашиных, да? Как-то связаны с этой семьей?

— Когда приду возвращать фото, непременно расскажу подробности, — пообещала я, направляясь к двери.

Глава 29

В прихожей меня поджидало неприятное открытие. Мои балетки были мокрыми, от них исходил характерный противный запах.

— Жулька! Дрянь! — возмутилась Зина. — Ну что с ней делать?

— Вроде вы говорили, что в обувь писает Васька, — напомнила я, — поэтому и велели сунуть туфельки в шляпницу.

— Васька наверх не прыгнет, — закивала Зиночка, — а Жульке, мерзавке паршивой, все равно, куда балетки поместили, она везде пролезет! Я забыла предупредить: обувь надо было перевернуть подошвами вверх. И как теперь пойдете?

— Не знаю, — честно ответила я.

Зиночка открыла шкафчик, порылась в нем и вытащила грязные кеды.

— Вот, берите, — радушно предложила она, — это Игорька!

Я посмотрела на отвратительную спортивную амуницию, покрытую комьями засохшей глины, и отказалась.

— Огромное спасибо, но я не могу лишить вашего мальчика обуви.

— Ему они давно малы, все равно выбрасывать, — с наивной откровенностью успокоила меня хозяйка.

— Нет, нет, можно, я ополосну свои туфли?

— И пойдете в мокрых?

— Они матерчатые, высохнут.

— Ванная справа, — указала Зина, — только у меня стиральный порошок закончился. Хотите, мыло для посуды дам?

— Отличная идея, — одобрила я и, держа вонючие туфельки на вытянутой руке, направилась в санузел.

Очень прошу, если вам придет в голову идея постирать вещь при помощи средства для посуды, никогда не осуществляйте ее на практике. Впрочем, может, я налила слишком много геля на ткань? Бесплодные попытки избавиться от пены длились минут десять. В конце концов я обула мокрые туфли, попрощалась с приветливой неряхой Зиночкой и, очень осторожно ступая, выбралась на улицу. Идти в непросохших балетках было крайне неприятно, и мне казалось, что от них, несмотря на обильное ополаскивание, все равно пахнет кошкой. В полнейшем унынии я влезла в «букашку», выехала на проспект и притормозила у первого же торгового центра.

Войдя в обувной магазин, я попросила продавщицу:

— Дайте туфли тридцать восьмого размера.

— Выбирайте, — заулыбалась девушка, — все в зале.

Чавкая балетками, я изучила ассортимент и пришла к неутешительному выводу:

— Здесь обувь только на каблуках!

— Мода сезона! — подтвердила консультант.

— У меня от них ноги болят, найдите балетки!

— Их нет!

— Тогда кроссовки или кеды, — упорствовала я.

— Спортивной обувью мы не торгуем, — помрачнела девушка.

Я вышла из бутика и посмотрела на справочный щит. Увы, в этом торговом центре есть лишь одна «точка» с обувью, пришлось возвращаться.

— Что хотите? — включила автопилот девушка.

— Туфли без каблука.

— Их нету.

— Солнышко, придумайте что-нибудь, — взмолилась я, — пришла в гости, а хозяйская кошка написала в мои туфли, я их постирала, теперь хожу в мокрых, это очень неудобно. С удовольствием бы купила любые из представленных босоножек, но не смогу вести машину, каблук будет цепляться за коврик.

Консультант улыбнулась.

— Сама устаю на ходулях, но красота требует жертв!

— Это точно, — подтвердила я.

— Знаете что, погуляйте пока по центру минут десять, я на склад сбегаю, — проявила христианское милосердие продавщица, — вроде там завалялась пара тапок.

— Огромное спасибо! — обрадовалась я.

— Пока не за что, — пожала плечами консультант и повесила на дверь табличку «Технический перерыв».

По соседству с обувью торговали ювелирными украшениями, от нечего делать я зарулила в магазин, где играла тихая приятная музыка, и стала разглядывать витрины. В зале не было покупателей, лишь одна дама изучала витрины.

— Добрый день, — промурлыкала из-за прилавка очень красивая блондинка, — мы рады, что вы заглянули в наш магазин, меня зовут Наташа. Что желаете?

— Зашла просто так, не планировала покупку, — ответила я. — Можно посмотреть украшения?

— Ну конечно, — стала еще приветливей Наташа. — Не сочтите меня назойливой, но почему вы не планируете покупку?

— Бриллианты недешевы, — усмехнулась я.

Наташа кивнула.

— Конечно, но женщины запоминают такие презенты навсегда. На мой взгляд, лучше подарить любимой колечко с драгоценным камнем, чем стиральную машину.

— Автоматическая прачка обойдется дешевле, — поддержала я разговор.

Продавщица возразила:

— Вы не правы. Бывают разные изделия. Естественно, есть эксклюзивные камни большой каратности, они далеко не всем по карману. Но посмотрите на эту витрину. Вот очень миленький кулончик, если подобрать к нему цепочку, получится шикарный подарок — и не очень дорого. Есть замечательные браслеты, серьги, кольца. Главное, не думать, что обработанный алмаз предназначен только для олигархов. Вовсе нет. И потом, ювелирные изделия — это еще и признание в любви; мужчина, преподнося бриллиант, словно хочет сказать: мои чувства так же крепки и светлы, как этот камень. Знаете, очень многие люди бывают потрясены, когда понимают — они могут сделать у нас покупку. Вот вчера приходила старушка. Она к нам весной впервые заглянула, на улице снег повалил, вот она и зашла в магазин. Все охала, ахала, дескать, у нее никогда драгоценностей не было, муж попался жадный, невнимательный. Я с ней побеседовала, кое-какие изделия показала, и она вчера вернулась, накопила с пенсии внучке на колечко, очень симпатичное, с небольшим бриллиантиком, откладывала понемногу и приобрела. Представляете, как ей приятно? Сумела девочке удивительный подарок сделать. Как бы потом жизнь ни повернулась, первый бриллиант та получила от бабули. Память навсегда.

Я наклонилась над витриной.

— Какие приятные сережки, разноцветные, они детские?

Наташа кивнула.

— Коллекция называется «Все как у мамы». Многие девочки хотят подражать мамам, поэтому для них разработаны парные украшения. Вас заинтересовал комплект из серег и браслета? Видите, вот он в исполнении для ребенка, камни меньше, застежечка тоненькая, под крохотное ушко, а рядом гарнитур для взрослой женщины, точь-в-точь того же дизайна.

— Можно посмотреть браслет поближе? — попросила я.

— Естественно, — обрадовалась Наташа, надевая белые нитяные перчатки и пододвигая ко мне замшевый подносик, — очень достойная вещь, не дешевая, но цена соответствует качеству, мы любим своих покупателей и не наживаемся на них. Знаете, как проверить, ваш ли это браслет?

— Нет, — ответила я.

— Любое ювелирное изделие надо примерить, — пояснила Наташа, — почувствовать, понять его энергетику. Камни живые, и не всегда вы найдете с ними общий язык. У вас есть любимые украшения?

Я показала на свои серьги.

— Вот, сын подарил.

— У вашего мальчика отличный вкус, — одобрила Наташа, — очень достойная вещь, но почему они вам нравятся?

— Красивые, — улыбнулась я, — даже снимать не хочется!

Наташа кивнула.

— Точно! Совпали энергетики, ваша и камней.

Знаете, иногда приходят женщины и жалуются: «Муж колечко подарил, точно по размеру подобрал, сначала было впору, а потом с руки соскользнуло». Я в таких случаях отвечаю: «Это к добру, камень не захотел с вами конфликтовать и сам ушел». Если вы потеряли украшение, так тому и быть. А случается наоборот: забудете кольцо в туалете в ресторане, его другая посетительница увидит и вам вернет, ну не можете потерять колечко, оно возвращается, словно заколдованное. Наши клиентки, из постоянных, порой говорят: «Сплю в браслете, даже в душ с ним хожу, забываю про украшение, оно словно вторая кожа, так комфортно!»

— Забываю снять, так комфортно, — повторила я, вертя в руках браслет. — А отдельно он продается?

— Нет, это часть гарнитура, — пояснила Наташа, — коллекция «Все как у мамы», две пары сережек — два браслетика. Можно подобрать другой вариант, вот, видите?

— Очень похож, но не то, — вздохнула я, — мне очень понравились желтые бриллианты, они так горят!

— Замечательно играют, — согласилась Наташа.

Я прищурилась.

— С удовольствием бы купила себе, но муж не разрешит!

Наташа протяжно вздохнула.

— К сожалению, некоторые мужчины, как бы помягче выразиться... ну жалко им денег!

— Что вы, — засмеялась я, — мой, наоборот, считает, что жена — витрина семьи, поэтому он злится, если я приобретаю симпатичную, но не очень дорогую вещь. Кстати, одна моя подруга обзавелась точь-в-точь таким браслетом, из коллекции «Все как у мамы», но его украшает большой эксклюзивный камень! У вас нет похожего варианта?

— Нет, простите, — пожала плечами Наташа.

Я вздохнула и ощутила запах крепкого мужского парфюма, в магазин ворвался здоровый лысый парень.

— Девушка! — заорал он. — Есть тут кто? Эй, ты, за прилавком! Иди сюда, живо!

— Разрешите отойти? — тихо спросила у меня Наташа.

— Конечно, конечно, — кивнула я и стала разглядывать витрины.

За моей спиной раздалось деликатное покашливание, потом нежный голос сказал:

— У меня та же проблема.

Я обернулась, увидела покупательницу, которая была в магазине, когда мы с Наташей завели разговор, и спросила:

— Какая проблема?

— Муж мне тоже не разрешает простые вещи носить, — пояснила женщина, — говорит: «Конкуренты увидят тебя в барахле и подумают: «Димка Ленку в дерьмо одел, значит, с горы съезжает». Но я нашла выход из положения, теперь и овцы целы, и волки сыты. Понимаете?

— Нет, — ответила я. — Не совсем!

Лена хитро улыбнулась.

— У смоленского «Кристалла» есть Интернет-магазин, там можно приобрести неоправленный бриллиант. Причем разброс цен огромен, можно найти совершенно идеальный камень класса «премиум» за сто тысяч долларов и там же подобрать брюлик за пятьсот баксов, на любой вкус и карман. Доставят вам покупку спецсвязью. Или вы посмотрите предложения в Интернет-магазине, определитесь с выбором и сами приедете в представительство «Кристалла», оно находится в Большом Тишинском переулке, дом двадцать два. Любую вашу фантазию там выполнят.

— Интересно, — протянула я.

— Вот-вот, — сказала Лена, — я захожу в Интернет-магазин и выбираю подходящий бриллиант. Допустим, браслетик, который вам понравился, милый, но для меня простоват. Я обращаюсь в Интернет-магазин «Кристалла», покупаю там неоправленный камень, а потом заказываю себе браслет, но уже с эксклюзивным брюликом. И что в итоге: у меня та вещь, которую я хотела, а муж доволен, что в нем суперкамень. Наверное, ваша подруга тоже Интернетом пользуется, и вы попробуйте.

— Спасибо, — кивнула я, — хорошая идея.

Лена пошла к прилавку, где лежали колье. Лысый парень двинулся к кассе, продавщица вернулась ко мне.

— Может, посмотрите кольца? — спросила она.

— Нет, спасибо, — ответила я, — меня привлек именно тот браслет.

— Он в комплекте, — не выказывая ни малейшего раздражения, повторила еще раз Наташа.

— Очень вам благодарна за консультацию, — улыбнулась я милой девушке.

— Было приятно с вами пообщаться.

— Даже несмотря на то, что я ничего не купила? Наташа склонила голову к плечу.

— Просто я рада, когда человек проявляет любопытство. Знаете, кто работает в нашем магазине?

— Женщины? — предположила я.

— Мужчин тоже много, — уточнила продавщица, — и у всех одна общая черта: мы любим камни, считаем их живыми, нам очень приятно поделиться знаниями с окружающими, как будто о дорогом человеке беседуешь. Ювелирные изделия допускают к себе только тех, с кем ощущают контакт.

Я еще раз улыбнулась ей и вышла в коридор. Может, Наташа права? У меня много колечек, которые мне мешают и словно спешат убежать прочь, соскальзывают с пальцев, несмотря на точно подобранный размер. Сегодня же наведу порядок в бархатных коробочках, вероятно, украшения элементарно обиделись на хозяйку, которая швыряет их без всякого почтения.

— А я уж думала, вы не вернетесь, — обрадовалась консультант из обувного бутика, — вот, держите, тридцать восьмой размер.

Я посмотрела на розовые тапочки с помпончиками.

— Но это домашние шлепки.

— Других нет, остальные с каблуками. Уж лучше в таких, да сухих, чем в уличных да мокрых, — справедливо заметила продавщица.

— Вы правы, — сказала я, — упакуйте мои, пойду в тапках.

Тельмы Генриховны не оказалось дома, мне пришлось вернуться в «букашку» и ждать. Через полчаса стало понятно: роль человека, который сидит на одном месте, меня категорически не устраивает. Спустя еще тридцать минут я завела машину, поехала в ближайший супермаркет, затарилась там журналами, газетами, пакетом сока, парой пирожков, вернулась к дому старушки, поела, перечитала всю прессу...

Н-да, охотник из меня никакой, я сойду с ума, сидя в засаде, и кошки из меня не получится, та терпеливо поджидает мышку у норки, я же...

Голова стала клониться на грудь. Отчаянно зевая, я перелезла на заднее сиденье, свернулась было клубочком, потом вспомнила, что когда-то бросила в багажник маленькую подушку, села... и увидела Тельму, которая медленно шла по тротуару. Первым желанием было кинуться к ней, но я подавила порыв, посмотрела, как она входит в подъезд, потом медленно досчитала до ста и, стараясь не бежать, направилась к дому.

— Ну здрассти! — весьма недовольно сказала Тельма. — Теперь-то что?

— Вы меня узнали? Я Даша Васильева, к вам недавно заглядывала, сообщила о смерти Светланы Лукашиной.

— И чего? — Тельма не стала приветливей и попыталась захлопнуть дверь.

Я быстро сунула ногу между косяком и створкой.

— Погодите.

— Уходи, а то вызову милицию, — пригрозила хозяйка.

— Замечательно, — кивнула я, — как раз хотела вам предложить пройти в отделение, чтобы ответить на простой вопрос: почему много лет назад, догадавшись, что Жанну убили, вы скрыли от всех правду?

Тельма опустила глаза и вдруг подпрыгнула, как ужаленная.

— Тапки! Откуда они у тебя?

Я глянула на свои ноги.

— Из магазина, а что?

— Специально надела, да?

— Вряд ли найдется человек, который обуется случайно. Правда, это не слишком подходящая обувь для улицы, но в бутике другой не было. А почему вас так насторожили тапки? Что в них пугающего?

Тельма распахнула дверь.

— Входи. По коридору направо, ступай в кухню.

Глава 30

— Ты откуда взялась? — устало спросила Тельма, когда я села на диванчик напротив включенного телевизора, очевидно, Барсукова была из породы людей, которые не могут жить без голубого экрана.

— Лучше вы мне ответьте, — кинулась я в атаку, — родной дочерью Златы была Жанна? Ведь так? Из-за этого ее и убили? Кто вытолкнул девочку?

— Откуда ты узнала правду? — насупилась Тельма. — Погоди, звук у телика уберу!

Я подождала, пока хозяйка отложит пульт, и вынула снимки.

— Смотрите.

Мачеха изумленно заморгала.

— Фото? Кто их сделал?

— Сейчас объясню, но вначале выслушайте меня. Жанна осталась одна дома, редкая удача для девочки, обитающей в небольшой комнате с тремя сестрами, вот она и решила оттянуться по полной программе: включила телик, поставила табуретку и начала делать педикюр. Процесс близился к завершению, Жанне осталось докрасить один ноготь, когда дома появилась сестра. Уж не знаю, из-за чего возник спор, но, похоже, девчонки подрались, и одна вытолкнула другую из окна. Когда Жанна очутилась на асфальте, вторая запаниковала и, понимая, что через короткое время в квартиру поднимутся либо соседи, либо милиция, кинулась заметать следы. Она притащила тазик, губку, мыло и убежала прочь, потеряв тапки. Думаю, у девчонки хватило ума не помчаться вниз, наверное, она поднялась на чердак. И тут пришла Злата, увидела тело дочери и заметила нечто, натолкнувшее ее на подозрение. Может, ее насторожил недокрашенный ноготь, не знаю, но мать понеслась в квартиру, очевидно, ожидала обнаружить там другую дочь и хотела ее быстро спрятать. Но в гостиной никого не оказалось, зато на столике стоял открытый лак. Злата поняла, что Жанну вытолкнули из окна, вероятно, она даже знала, кто убийца, схватила пузырек и упала с сердечным приступом. Дело было именно так. Вот тогда все сходится. Отсутствие письма, незакрытый лак, недокрашенный ноготь, незапертая дверь. Милиции не хотелось заводить дело, вот оперативники и «не заметили» нестыковок, списали смерть Жанны на несчастный случай. Их не насторожили даже две пары тапок: новые розовые, которые педантичная Жанна аккуратно поместила у кресла, и старые темные шлепки, которые потеряла убийца, убегая из гостиной.

— Когда специалисты приехали, вторых тапок уже не было, — вдруг сказала Тельма, — и табурета, и пилок тоже.

— Куда же они подевались?

— Я унесла. Мебель на кухню, маникюрный набор в ванную, тапки в переднюю, — перечисляла Тельма. — Элька так перепугалась, что кучу ошибок совершила. Я ведь за Златой шла, мы вместе в магазин ходили, продукты на месяц закупали. Денег было немного, потратить легко, вот и брали на четыре недели. У Златки короб на колесах был, она вперед успела, а я с сумками в руках пару раз останавливалась, отдыхала, вхожу во двор...

Тельма схватилась руками за щеки, мне стало понятно, что она ничего не забыла, в ее памяти жива каждая минута того страшного дня.

Поняв, что случилось, Тельма бросила пакеты и кинулась искать Злату. Жанне уже ничем не поможешь, а хозяйка нуждалась в поддержке. Нянька вбежала в квартиру, увидела Злату с кроваво-красными руками и соседку, весьма любопытную особу.

— Уходите, — приказала ей Тельма, бросаясь к Злате.

— Это лак для ногтей, — зачастила соседка, — я перепугалась, а потом поняла...

— Убирайтесь, — зашипела нянька.

Как только любопытная бабенка умелась, Тельма попыталась усадить Злату в кресло, но та опустилась на пол и зашептала:

— Теля! Скорей! Сейчас придет милиция! Убери тапки Эли, спрячь табуретку и... тазик! В нем нет воды... мыло... мыло поменяй!

И тут до Тельмы дошло: таз стоял у окна пустым, в нем не было воды, как же Жанна мыла окно? И еще, девочка была самой аккуратной и работящей из всех сестер, она никогда не ленилась, всегда первая бежала к плите или хваталась за тряпку. Несмотря на юный возраст, Жанна была хорошей хозяйкой, она никогда не взяла бы для мытья окна средство, которое предназначено для посуды!

— Верно! — подскочила я. — Оно слишком пенистое, стекло потом не отмыть! Ну как я сама не сообразила, ведь только что пыталась постирать гелем балетки и не сумела их отполоскать! Для стекла используют специальный раствор.

— Или капают в воду нашатырь, — подхватила Тельма, — Жанна отлично это знала.

— И как развивались события дальше? — насела я на Тельму.

— Злата, лежа на полу, шептала: «Скорей, скорей, надо Элю спасать».

— Постойте, — напряглась я, — Эля и Светлана были в лагере! В Москве оставалась Нина.

— Нинки в городе не было, — пояснила Тельма, — ее на два дня пригласила на дачу школьная подруга. Да и слабо ей сестру из окна пихнуть. Нинка дохлая, все Светке в рот глядела, а та и рада стараться, заставляла ее все за себя делать. Скажет Злата Свете коридор помыть и уйдет, вернется — чистота кругом. Мать давай девку хвалить:

«Умница, Света, постаралась».

А та стоит, хоть бы смутилась. Я-то знала, что не она мыла, а Нина. Четверо девчонок, воспитывались одинаково, а получились разными. Жанна замечательная была: отличница, красавица, на нее в школе нахвалиться не могли, и дома она без работы не сидела, очень Злату любила, все ее желания упреждала.

А Нина глупая и трусливая. Один раз ее хотели оставить на второй год, Сергей долго уламывал директрису, и в конце концов Нину перевели в другой класс. Своего мнения Нина не имела, полностью подчинялась Светлане. Света же была очень хитрой и жадной, про таких в народе говорят: «За копейку удавится». В душе девочки жила просто патологическая ревность, она дотошно подсчитывала все знаки внимания и могла заявить:

«Папа, ты сегодня сказал два раза «доброе утро» Эле, а меня не заметил, это нечестно».

Вдобавок к ревности и жадности Света обладала талантом манипулятора. Тельма лишь поражалась, глядя, как девочка добивается своего. Светлана постоянно ссорила сестер, дружила то с одной, то с другой, иногда конфликтовала со всеми и извлекала из этого немалую выгоду. А еще Света иногда впадала в агрессию или истерику. Но самой неприятной из сестер была Эля.

Внешность Элеоноре досталась ангельская, к тому же Господь одарил ее музыкальными способностями, она единственная из всех обладала хорошим голосом и слухом. Понимая, что Эля одаренная девочка, Злата и Сергей отдали ее в музыкальную школу.

— Ты непременно станешь певицей, — обещала мать дочери, — будешь выступать в Большом театре, ездить по всему миру, разбогатеешь, прославишься.

— Да, да, — кивала честолюбивая Эля.

— Но для этого необходимо приложить много труда, — напоминала Злата, — а ты прогуливаешь занятия. Вот Жанна даже больная в школу ходит!

Но Эля совершенно не хотела прилагать усилий ради будущей блестящей карьеры.

— Вы знали, кто из них родная? — спросила я.

Тельма покачала головой.

— Неужели даже не догадывались? — поразилась я.

Бывшая няня встала и распахнула окно.

— Колебалась я, думала, что Эля. У нее одной с музыкой дружба была, Злата и Сергей имели музыкальный талант, и дедушка регентом в хоре служил, все одно к одному. И Злата Элю больше всех любила.

— Мать не ровно относилась к детям? Как же это вяжется с ее принципом не сообщать девочкам правду, чтобы ни одна не выделялась?

Тельма опустилась на стул.

— Внешне никаких различий не было. Еда одинаковая, одежда тоже. То, что Элю отправили в музыкалку, объяснимо: она одна с талантом. Вот Жанне, например, новые вещи покупали, она была самой крупной, донашивать не с кого было. Но вот взгляд! Иногда Злата так на Эльку смотрела... Словами не передать, и ее она чаще всех ругала, хотя повод был: Эля уж слишком ленивая получилась, и злости в ней через край было. Но потом я засомневалась: наверное, Эля не своя.

— Почему?

— Сергей Жанку обожал, — пояснила Тельма, — а мужик всегда родную кровь отметит. Он ее конфетками угощал, придет домой и Жанке под подушку карамельку сунет. Я пригляделась к Жанке: рослая в папу, кроткая в мать. Было в ней душевное благородство, а оно только генетически передается, хоть десяти языкам ребенка обучи, не станет он в душе широким, если от мелких родился! Конечно, музыка мимо Жанны прошла, она к математике тяготела, но ведь это ничего не значит. Колебалась я, то на Жанку подумаю, то на Элю.

— А почему не на Свету с Ниной?

— Ну они точно приблудыши, — отмахнулась Тельма, — хотя у Светы было другое мнение. Один раз я ее ремнем отлупила. Прихожу домой и вижу: Жанка с Ниной полы трут, а Светка на диване яблоко грызет и приговаривает:

«Мне мама тайну открыла. Я родная, вы теперь все у меня в подчинении, поскольку из детдома взятые. Не повезло вам».

Я кивнула:

— Понятно, а что же было дальше, в день смерти Жанны?

Тельма судорожно вздохнула.

— И Злата, и я сразу поняли — это Элькиных рук дело, ее тапки в комнате валялись.

— Может, их другой кто надел?

— Нет, — покачала головой няня, — у них чужие вещи неприкосновенными считались, мало у девок чего было, вот и тряслись над своим. У каждой личная кружка, ложка. Из-за чертовых тапок, как потом выяснилось, дело и закрутилось. Ты сама знаешь!

— Вовсе нет, — возразила я.

— Не ври-ка, — отмахнулась Тельма. — Зачем тогда точь-в-точь такие же нацепила? Хотела мне продемонстрировать свою осведомленность?

— Это случайное совпадение, — стала жарко

доказы... ть я, — пришла в гости, кот написал в туфли и...

— ...е верю я в случайные совпадения, — тяжко вздохнула Тельма, — я как эти розовые тапки увидела, сразу обмерла. Ох, не зря ты вернулась, да еще в тапках! Разве нормальный человек будет по Москве в домашнем разгуливать. Это мне намек!

— При чем здесь тапочки? — спросила я.

Тельма хмыкнула.

— Слушай.

Злата скончалась в машине «Скорой помощи». Милиция приехала не сразу, тело Жанны, прикрытое тряпками, довольно долго пролежало во дворе. Тельма успела убрать все компрометирующие детали. Почему она это сделала? Злата попросила няньку.

— Жанне уже не помочь, — шептала она, — не надо Эле жизнь ломать, ты с ней потом поговори, наверное, несчастный случай произошел, они возиться начали и добаловались. Эли вообще в городе не должно быть, в лагере она, пусть все так и думают. Это моя последняя просьба!

— Глупости! — стала переубеждать хозяйку Тельма. — Тебя вылечат.

— Пообещай, что будешь молчать, — прошептала Злата, — поклянись на иконе.

Пришлось няньке крестить лоб, только тогда Злата хоть немного успокоилась. Нарушить клятву Тельма, хоть она и была неверующей, побоялась. Но и откровенно побеседовать с Элей собралась лишь после того, как семья отплакала девять дней. Эля стала изворачиваться, врать, но в конце концов нянька приперла воспитанницу к стене, и та, заливаясь слезами, рассказала правду.

В лагере было очень плохо, кормили ужасно, а из развлечений была только дискотека, но и ту устраивали не каждый день, потому что дряхлый магнитофон постоянно ломался. Вот Эля и решила податься в Москву. Кроме всего прочего, ей очень хотелось помыться: в лагере были сложности с водой, в душ детей водили раз в неделю.

Денег у девочки не было, но это ее не смутило, она села на электричку без билета и добралась до столицы. Был рабочий день, и Эля очень надеялась, что в квартире никого не будет. Она специально выбрала для визита в город пятое число. Накануне Злата получила зарплату, а Эля знала: мать очень боится растратить деньги попусту, сегодня в полдень она, Тельма и Жанна с Ниной отправятся затариваться крупой, консервами, сахаром и прочим на месяц. Лукашины считали каждую копейку, поэтому процесс закупки займет не один час, мать, сестры и нянька будут ходить по лавкам, выискивая самые дешевые харчи, а Эля спокойно помоется, поест в тишине, залезет в копилку Нины, вытащит оттуда пару десятков и уедет в лагерь. Элечка иногда разбойничала в заначке у наивной сестры и очень веселилась, когда Нина, пересчитывая «богатство», изумлялась:

— Ну что же это такое! Думала, у меня сто рублей скопилось, а тут всего восемьдесят! И как я просчиталась?

Глуповатая Ниночка даже не думала о воровстве, она искренне полагала, что ошиблась. В общем, радужным планам Эли не суждено было сбыться. Накануне Нину пригласили на дачу, и Злата отпустила дочь. А пятого числа за несколько кварталов от дома Лукашиных торжественно открылся огромный супермаркет, и первым десяти покупателям была обещана совершенно невероятная, семидесятипятипроцентная скидка, вот Злата с Тельмой и помчались к магазину: они твердо вознамерились быть среди счастливчиков, поэтому отправились к восьми утра, хотя открытие было назначено на час дня. Мать сказала Жанне:

— Выспись спокойно и приходи в три. Незачем всем в толпе у закрытых дверей толкаться. Мы с Телей все сами купим, а ты поможешь отнести.

Жанна, обрадовавшись свободному времени, помылась и села делать педикюр. Привести в порядок ногти ее сподвиг презент от отца. Накануне вечером Сергей пришел с работы и принес дочке новые домашние туфли.

— Папочка, — ахнула Жанна, — какая красота! Розовые! С пуховыми помпончиками! Где ты их взял?

— Там таких больше нет, — усмехнулся Сергей, — носи на здоровье!

Нацепить роскошные шлепки на неаккуратные ступни показалось девочке невозможным, и Жанна, напевая, стала орудовать пилками, потом принялась красить ногти. Когда ей осталось обработать один палец, в квартиру неожиданно вошла Эля.

— Ты приехала из лагеря? — спросила без радости Жанна. — Сбежала?

— Не твое дело, — огрызнулась разочарованная Эля, — вали отсюда! Нечего в гостиной лаком вонять!

— Сейчас проветрю, — мирно ответила Жанна и, не закончив педикюр, поднялась из кресла, подошла к окну, распахнула его, встала спиной к проему и не удержалась от замечания:

— Мама будет недовольна! Путевка на твой отдых денег стоила!

Эля хотела достойно ответить сестре, но тут ее взгляд упал на обновку, аккуратно стоявшую у кресла.

— Туфли! — взвизгнула злюка. — Откуда?

— Папа подарил, — ответила Жанна.

У Эли потемнело в глазах.

— Папа? — переспросила она. — Принес тебе? Да они немереных денег стоят! Половину его зарплаты! Врешь! Небось в магазине украла! Вот отец домой придет, я у него спрошу! Живо ложь вылезет!

— Хоть до утра допрашивай, ничего нового не услышишь, — засмеялась Жанна.

Эля посинела.

— А у меня такие страшные тапки, — сказала она, — черные, рваные. Почему тебе новые подарили? Мне они нужнее! Почему вообще все новые шмотки всегда тебе? Отчего обо мне не думают, а?

Жанна села на подоконник.

— Успокойся, — сказала она, — у меня нога быстро растет, к зиме помпончики тебе достанутся.

— Ношеные! — горько воскликнула Эля.

— Будь добра, дай мне лак, — попросила Жанна, — я на окне ноготь докрашу, чтобы тебе не пахло.

Эля отвинтила у флакончика колпачок и бросила его на столик.

— Сама бери, я тебе не прислуга!

— Эй, эй, — рассердилась Жанна, — перестань, закрой пузырек, а то лак загустеет.

Но Эля уже шла к окну. Она приблизилась к сестре и процедила сквозь зубы:

— Значит, тапки будут мои к Новому году?

— Ну да, — мирно ответила неконфликтная Жанна, — буду носить их аккуратно и отдам тебе.

— Фиг тебе, — прошипела Эля, — я сразу их получу!

Последние слова девочка договаривала, уже толкнув изо всей силы сестру. Жанна, расслабленно сидевшая на подоконнике, не ожидала нападения, не оказала ни малейшего сопротивления и, не издав ни звука, рухнула вниз.

Эля замерла. У нее хватило ума не высовываться из окна и не смотреть, что сталось с сестрой. Ежу понятно, какова судьба человека, свалившегося с высокого этажа. В первую секунду Эля испытала радость: замечательные розовые тапочки с пуховыми помпонами теперь ее. Но потом пришло отрезвление: Жанна лежит во дворе, вон уже слышны вопли, соседи кинутся вызывать милицию.

Эля заметалась по квартире, открытое окно навело ее на мысль: дело нужно представить несчастным случаем. Девочка сбегала на кухню, принесла таз, губку, мыло и унеслась из дома. Она сообразила побежать на чердак, где и затаилась на то время, пока по лестницам бегали возбужденные жильцы и милиция. Второпях Эля сделала много ошибок: оставила в комнате маникюрный набор, открытый лак, забыла свои домашние тапки, не налила в таз воды, принесла жидкость для мытья посуды, а главное, заколка...

Тельма перевела дух.

— Какая заколка? — спросила я.

Бывшая нянька взяла кувшин-фильтр, налила стакан воды, залпом выпила ее и пояснила:

— На окончание учебного года родители сделали сестрам подарки, маленькие, но приятные. Жанна получила пластмассовые бусы, Нина — кошелек из клеенки, Света еще какую-то ерунду, сейчас уж и не вспомню, а Эле купили заколки-крабики. Злата и Сергей никогда не приобретали девчонкам одинаковые презенты, считали, что это унизит их. Набор «крабиков», доставшихся Эле, состоял из шести крохотных зажимов. Девочка скрепляла ими волосы на висках и челку. Очевидно, в тот момент, когда она со злостью толкнула Жанну, одна заколка отлетела, попала на грудь Жанны и зацепилась за ткань острыми «коготками».

Подбежав к трупу, Злата увидела заколку и сразу поняла: в происшествии участвовала Эля. Вот почему мать кинулась в квартиру. Ни соседи, ни врачи, ни милиция не проявили ни малейшего удивления, самая обычная заколка никого не насторожила. Но Злата знала: ни у кого в доме такой не было, только у Эли.

— Тетя Теля, — судорожно рыдала Эля, обнимая няньку, — я не предполагала, что она убьется! Просто очень обозлилась! Я не думала... не замышляла... это случайно получилось... нечаянно...

— За нечаянно бьют отчаянно, — не к месту вспомнилась Тельме детская дразнилка, — за тапки сестру убила! Как жить-то будешь?

Эля затопала ногами.

— Она сама виновата! Вечно все ей! Ей! Ей! А не мне!

Тельма вздрогнула — она ощутила, как от девочки пошла густая волна ненависти и злобы, и поняла: Элеонора великолепно понимала, что делает, слова «нечаянно» и «случайно» — ложь.

И тут из коридора послышался шорох.

— Кто здесь? — насторожилась Тельма.

— Нас подслушивают, — побелела Эля.

— Дома никого нет, — мрачно ответила нянька, — отец на работе, сестры отсутствуют.

Эля зажала рот руками, а Тельма быстро вышла в коридор к двери, увидела, что она заперта, хотела вернуться в комнату и вдруг заметила: с тумбочки, стоявшей у входа, исчезла пластиковая сумочка. Кто-то из девочек забегал домой и взял ее.

Глава 31

— И вы простили Элю? — поразилась я. — Ничего не рассказали Сергею?

Тельма опустила голову.

— Сережа не мог один справиться с тремя дочками, поэтому он предложил мне выйти за него замуж. Соседи осудили нашу поспешную свадьбу, шипели мне в спину: «Поторопились, любовнички, еще земля на могиле не осела, а они в загс побежали». Но это наговоры, мы с Сергеем никогда при живой Злате в кровать не ложились. А брак оформили потому, что неприлично посторонним женщине и мужчине в одной квартире жить, слухи поползут.

— Злые языки страшнее пистолета, — процитировала я известное литературное произведение, — сплетен вам избежать удалось. Но как вы общались с Элей?

— Я сохранила тайну, выполнила клятву, данную Злате, — сказала Тельма. — Сергей ничего не знал, но он ненадолго жену пережил, очень тосковал по ней и Жанне.

После смерти отца девочки перестали изображать любовь друг к другу. Похоже, Тельму они не считали за человека, поэтому скандалы и бурные выяснения отношений стали в семье Лукашиных привычным делом. Потом Нина познакомилась с симпатичным лейтенантом, в шестнадцать лет выскочила за него замуж и уехала из Москвы. В каких краях падчерица находится сейчас, Тельма не знает, она не переписывалась с воспитанницей.

Эля прибилась к каким-то музыкантам и стала петь в ресторанах. Тельме очень не нравилось ее поведение, и она без устали повторяла:

— Не дело это — по кабакам таскаться, ты ведешь жизнь проститутки: днем спишь, ночью голая прыгаешь.

Один раз Тельма, вернувшись домой, нашла записку. В ней была всего одна фраза: «Проститутка ушла, живи счастливо. Эля».

Последней от мачехи сбежала Светлана, у той после кончины Златы выявили эпилепсию, и девочка долго скиталась по больницам. Первое время Тельма часто навещала падчерицу, но Света всякий раз, увидав ее, спрашивала:

— Сегодня ты расскажешь правду? Я ведь родная, а остальные приблудные! У тебя есть справка из роддома!

Ни на какие другие темы Света беседовать не хотела, все разговоры сводила к одному, а потом вдруг заявила Тельме:

— Квартира моя, вот вернусь домой, и ты уберешься вон. Докажу, что ты вышла замуж за папу из-за жилплощади, отсужу родительское гнездо.

Тельма испугалась, сбегала к адвокату, узнала о своих правах и больше к Свете не ездила. Через месяц позвонил врач и спросил:

— Почему Светлана не ходит на процедуры?

— Разве ее выписали? — удивилась-мачеха.

— Давно, — поразился доктор.

Тельма кинулась в комнату к девочкам, распахнула шкаф и увидела: вещи Светы испарились. Очевидно, она пришла в квартиру в тот момент, когда мачеха ходила по магазинам, быстро сложила сумку и была такова.

— Не так давно она сюда заявилась, — завершила рассказ Тельма, — опять со своей бредовой идеей про кровное родство с Лукашиными. Наверное, совсем с ума сошла. Какая теперь разница? Я не выдержала и ответила: «Ты меньше всего на их истинную дочь походишь, вероятно, Злата родила Элю, у той тоже музыкальный дар был». Про Жанну я не упомянула, не захотела! Думала, Света успокоится, а ее совсем перекорежило, чушь понесла, в какой-то момент вдруг заорала:

— Я знаю правду! Элька Жанну столкнула!

И тут же рот закрыла! Ушла она быстро, а я сообразила: в тот день, когда мы с Элей об убийстве беседовали, дверь хлопнула. Это Светка приходила, она нас подслушала!

Тельма опять схватилась за фильтр и наполнила свою чашку.

— Журналист Егоров хотел напечатать серию статей про Лукашиных, — тихо сказала я. — В пятничном номере был анонс: «Тельма дала откровенное интервью: девочки ненавидели друг друга». Вы и впрямь говорили такое?

Хозяйка стиснула губы.

— Проныра! Заявился сюда вечером в день смерти Жанны и Златы, не постеснялся прийти в дом, где две покойницы разом. Я открываю дверь — стоит мужик, внешне обычный, улыбается.

Я снова стала внимательно слушать Тельму.

Нянька решила, что приехал следователь, и нервно сказала:

— Девочки и Сергей устали, они спят. Давайте на лестнице поговорим, хотя мне сообщить вам нечего, я пришла с продуктами, когда Жанна уже умерла.

— Давайте познакомимся, — предложил незваный гость, — Николай Егоров, главный редактор газеты «Лупа».

— Что вы хотите? — изумилась Тельма.

Егоров потер руки.

— Я оказался на месте преступления первым, сделал несколько снимков, вот, смотрите.

— Какое право вы имели входить в чужую квартиру без спроса? — возмутилась нянька.

— Дверь была открыта, — прищурился Николай.

— Вас не звали!

— Лучше ответьте, кто убрал вторые тапки, маникюрный прибор и лак до приезда милиции? — иезуитски поинтересовался репортер.

— Ничего такого в гостиной не было, — прохрипела Тельма.

Егоров зашипел:

— Значит, это вы постарались! Я проверил, на снимках, которые сделали менты, другой натюрморт. Дочки Лукашиных, они ведь приемные, не очень-то друг друга жаловали?

Только ужасом, который обуял Тельму, можно объяснить, что она сказала правду.

— Да они вечно лаялись, перед родителями прикидывались, а по сути, жили в ненависти.

— Отлично, — закивал Владимир. — И кто из крошек столкнул Жанну?

Тут к Тельме вернулось самообладание.

— Убирайтесь прочь! — с яростью сказала она.

— Я заплачу за рассказ, — не смутился Егоров.

— Отвалите, — перешла Тельма на жаргон.

— Ладно, — пожал плечами Николай, — мне пока хватит услышанного. Но я еще вернусь. Читайте «Лупу» в субботу, непременно изложу в статье свои наблюдения. А дальше посмотрим.

Представляете ужас Тельмы? В пятницу она купила желтое издание, нашла там свое имя и впала в панику. Она решила поговорить с Николаем, обратилась в справочную, разузнала телефон «Лупы» и соединилась с редакцией. Ответил не особо вежливый мужской голос:

— Алле! Че надо?

— Это «Лупа»? — пытаясь сохранить спокойствие, спросила Тельма.

— И чего?

— Позовите Егорова.

— Кого?

— Вашего главного редактора.

— Ах, этого! Он спекся!

— Простите? — не поняла Тельма.

— В больнице валяется, — пояснил мужчина, — газета теперь наша, не фиг сюда трезвонить.

— Значит, Егоров больше не хозяин издания? — не веря своему счастью, переспросила Тельма. — Материалы его не опубликуют?

— Сказал уже, он в реанимации, не фиг звонить.

Только человек, получивший помилование от смертной казни, может понять чувства Тельмы. Судьба помогла Барсуковой; что случилось с наглым корреспондентом, она не знала, но так ему и надо!

Тельма замолчала, я тоже не произнесла ни слова, сидела молча, уставившись в экран работающего без звука телевизора. У Барсуковой был включен канал КТК, демонстрирующий новости. Вдруг появилось лицо Лизы, заплаканное, опухшее, потом камера отъехала чуть вбок, стало видно, что ее ведут под руки в машину «Скорой помощи». Забыв спросить разрешение у хозяйки, я схватила пульт, комнату заполнил мужской голос:

— ...некрасивой истории. Впрочем, теперь слово отцу, Юрию Гинзбургу.

Слева возникло изображение дородного мужчины с красными щеками.

— Юрий Анатольевич, — зачастил корреспондент, — вы согласились дать нам эксклюзивное интервью.

— Да.

— «Желтуха» в своей статье говорит о том, что продюсер Гинзбург ради отсрочки кредита инсценировал похищение дочери Варвары. Это правда?

— Да.

— Как вам такое пришло в голову? — неожиданно выдал искреннюю человеческую эмоцию журналист.

Юрий стал багровым.

— Мне очень тяжело. С девочкой не должно было ничего случиться. Ее спрятали на квартире у близкой знакомой... но...

— Дальше, пожалуйста! — поторопил продюсера интервьюер.

— Лукашина... она... Моя жена... В общем, некто Владимир, писатель, украл Варю у Светланы. Он их убил.

— Кого? — вытаращил глаза тележурналист.

— Владимир лишил жизни Лукашину, женщину, которую мы просили присмотреть за Варей, а затем и Варю, — вдруг вполне внятно объяснил Юрий. — Владимир был некоторое время любовником моей жены Лизы. Супруга призналась, что их связь длилась неделю, Елизавета разорвала отношения. Но писатель ее шантажировал и в конце концов решил наказать бросившую его женщину. Он договорился с Лукашиной, и та отдала ему ребенка. Почему? Правды нам уже не узнать. Но у Владимира и Лукашиной был сообщник.

Я икнула: вот это новость!

— Вчера днем мне по электронной почте пришло письмо. «Положи в чемодан два миллиона долларов и приезжай один по адресу...» Я не стану сообщать подробности!

— Не надо, — ошарашенно согласился журналист. — Вы исполнили приказ?

— Да. Явился ночью в указанное место, положил сумку с деньгами, и мне на ноутбук через пять минут пришло сообщение, предписывающее отправиться в деревню Зеленовка. Я доехал до заброшенного села и нашел в развалинах магазина мешок.

— С трупом девочки! — в полном ужасе выдохнул корреспондент.

— Нет, — прошептал Юрий, — там лежали вещи Вари, все в крови, брюки, нижнее белье, одна серьга и браслет, которые я подарил ей на десятилетие, а еще письмо, пара напечатанных строк.

— Можете их вспомнить?

Продюсер кивнул.

— «Вы испортили мне жизнь, мучаясь от переживаний, я не могу работать над великой книгой. Пусть теперь и вас терзает горе. Варвара мертва, где ее могила, не узнать никому. Владимир». Я больше не могу... все... уберите камеру.

Изображение Гинзбурга пропало.

— Как прокомментировать эту историю? — с жаром спросил журналист. — У меня нет слов. Могу сообщить лишь сухие факты. Литератор Владимир Мерзкий, сознавшийся в убийстве похищенной Варвары Гинзбург, скончался вчера от сердечного приступа в своей квартире. Неустановленный третий участник преступления забрал два миллиона долларов и исчез в неизвестном направлении. Елизавета Гинзбург в тяжелом состоянии отправлена в частную больницу, врачи не разрешают с ней беседовать. Юрий Гинзбург согласился дать эксклюзивное интервью только нашему каналу. Милиция работает по делу, но, естественно, положительных результатов ждать не приходится. Какие выводы можно сделать из этой трагедии? Мир шоу-бизнеса прогнил насквозь, в нем нет места любви, даже если это любовь к собственному ребенку. Варвара Гинзбург является жертвой сексуального партнера своей матери, но равным образом она и жертва своего алчного отца, решившего инсценировать похищение дочери. Вор у вора дубинку украл. Похищенную девочку похитили. Остались ли у людей светлые чувства друг к другу? С вами был Сергей Антонов, канал КТК.

— Вот! — ткнула пальцем в экран Тельма. — Народ с ума сошел! Ребенка убили! Из-за двух миллионов долларов! Хотя, похоже, этот мордатый очень богат, раз десятилетней драгоценности на день рождения дарил.

— Варя погибла от руки сумасшедшего, — поправила я Тельму.

— Как бы не так! — отрезала бывшая нянька. — А два миллиона где?

Я прикусила губу.

— Лучше не включать телевизор, — вздохнула Тельма, — вечно гадость показывает. Ведь понимаю: не надо, а все равно в экран пялюсь. Вон, потратилась, новый купила!

Меня словно стукнуло по затылку.

— Новый купила, — машинально повторила я, — соседка Лукашиной... Килькина Наталья Петровна... внучка... внук... телик у Светы... браслет... два миллиона... Извините, мне пора!

— Ну так до свидания, — без всякого сожаления ответила Тельма.

Я вылетела на улицу, немедленно позвонила Дегтяреву и командным голосом приказала:

— Узнай сейчас же: у Килькиной Натальи Петровны, соседки Лукашиной, есть внуки?

Через три часа, вдоволь натолкавшись по пробкам, я очутилась около знакомого дома, увидела у подъезда черный «Запорожец» Дегтярева, подбежала к нему и нервно спросила:

— Ты к ней заходил?

— Только приехал, — засопел полковник, — весь город в пробке стоит!

— Пошли скорей!

— Надо подождать ребят, они на подходе, — закапризничал Александр Михайлович, — и потом, ты уверена?

— Да! — рявкнула я. — Бежим живее.

— Четверть часа роли не сыграют, — отрезал полковник.

— Ну тогда я пойду одна, — отчеканила я и вошла в дом.

Минут через пять полковник, сопя, очутился на лестничной клетке.

— Не открывает? — спросил он.

— Нет, — разочарованно ответила я, — сейчас попробую выяснить, что к чему, если не ошибаюсь, соседки Лена или Таня могут быть в курсе.

Не успела я произнести последнюю фразу, как одна из дверей распахнулась, и высунулась Татьяна.

— Привет, — поздоровалась она со мной, как с хорошей подругой, — ищешь кого?

— Не видела, где Килькина? — спросила я.

— А к ней внука привезли, — затарахтела Татьяна, — оказывается, у бабки есть родственники в Киеве, вот от них мальчонка и прибыл. Мы и не знали! Думали, у ней только девочка, Милка, она тут часто бывает! Но сейчас лето, Милка на даче, и вдруг мальчик. Вот уж удивление. Хотя Килькина о себе не болтает, вежливая, но молчаливая! И противная! Как жаба в сиропе! Помяни мое слово, бабка непростая!

— Вы видели паренька? — влез в беседу Дегтярев.

— Сегодня столкнулись, чуть меньше часа назад, — кивнула Таня, — я ведро на помойку поперла, а они из дома выходят, Килькина и мальчонка. Я удивилась и говорю:

«Ой, Наталья Петровна, здрассти!»

А она в ответ:

«Добрый день, Танечка, вот торопимся с внуком в аэропорт, летим в Киев, к его папе с мамой».

А я ей:

«Надо ж, у вас еще и внук есть».

А она мне:

«Давно не виделись, погостить его прислали».

А я ей...

— Вы точно помните, что они в Киев улетали? — перебил Дегтярев.

— Конечно, — закивала Таня, — у меня там племяшка живет, я ему привет хотела передать, а она мне...

— Спасибо, — гаркнул толстяк и схватился за мобильный.

— Стой, — сказала я, — думаю, Наталья Петровна соврала, самолетом она не воспользуется.

— Почему? — задал глупый вопрос Александр Михайлович.

— Перед посадкой в авиалайнер тщательно досмотрят багаж, — пояснила я, — и потом, Киев теперь заграница, ребенка без разрешения родителей не вывезти. И если я не ошибаюсь, ситуация с похищением развивалась непредсказуемо. Нет, по воздуху они не полетят и в поезд не сядут. Сейчас для Натальи Петровны самый безопасный вид транспорта — автобус, он строго не проверяется, и Килькина устремится на Север.

Дегтярев засопел.

— Почему? — вновь спросил он.

Я пожала плечами.

— Иногда мне приходится врать, и всегда, если

я не хочу, чтобы люди знали про синее платье, говорю, что была в красном.

— Платье? — скорчил гримасу Дегтярев — Кто в синем? Килькина?

— Не, — тут же влезла в беседу Татьяна, — старуха была в бежевом костюме!

— Если Килькина сказала про Киев, значит, она решила отправиться в противоположном направлении, — убежденно доказывала я. — Простое логическое рассуждение. Звони своим, пусть свяжутся с автовокзалами, может, успеют ее задержать.

Александр Михайлович неожиданно послушался. Я даже растерялась, поняв, что полковник не стал со мной спорить. Неожиданно мне стало грустно. Может, толстяк постарел? Ну почему он пошел у меня на поводу?

Дегтярев сунул трубку в карман.

— Поехали пока к МКАД, — приказал он. — Имей в виду, если ты ошиблась, это может мне дорого обойтись.

Глава 32

Когда мы вошли в комнату милиции, расположенную на одном из автовокзалов Москвы, и увидели красную от гнева Килькину и худенького, почти наголо стриженного мальчика в черной бейсболке, дешевых джинсах и клетчатой рубашечке, я не выдержала и воскликнула:

— Наталья Петровна! Ваш куриный бульончик сотворил чудо? Внучок выздоровел от жуткой инфекции.

— Что за чушь, — закричала Килькина, — какое право вы имеете задерживать меня с внуком!

— Где ваш багаж? — спросил Дегтярев.

— Вот, — кивнул один из милиционеров на полосатую дорожную сумку, — там ничего нет!

— Как ничего? — отпрянул полковник. — Пусто?

— Ну... вещи... тряпки, ерунда всякая, — ответил сержант.

— Безобразие! — завела новую песню Наталья Петровна. — Мы с внуком напишем жалобу...

— Мальчик-то очень на девочку похож, — усмехнулась я.

Ребенок злобно зыркнул из-под козырька, но промолчал.

— Придет же в голову такая глупость! — всплеснула руками учительница. — Вы не видите, что ребенок мужского пола: стрижка, одежда!

Я подошла вплотную к пожилой даме.

— Наталья Петровна, не стоит! Ей-богу, лучше признать — игра вами проиграна. Вы пытались увезти Варю Гинзбург.

— Ложь, — продолжала кипеть Килькина.

— Ну хватит, — зашипел Дегтярев.

— У вашего мальчика в ушах дырочки, — улыбнулась я, — он сережки носил, бриллиантовые!

— И что? — чуть сбавила тон Килькина. — Сейчас и мальчики украшения носят, время такое!

Мне, несмотря на омерзительную ситуацию, стало смешно.

— Вы же понимаете, есть и другие признаки, их легко увидеть, если раздеть школьницу.

— Пошла ты на ... — вдруг зло ругнулся ребенок.

— Ну вообще! — подпрыгнул сержант. — Не матерись тут!

Килькина закрыла лицо руками и неожиданно заплакала.

— Автобус еще не уехал? — спросила я.

— Нет, — отрапортовал милиционер, — пассажиры злятся, грозят на нас телегу накатать.

— Откройте багажный отсек и попросите людей взять свои вещи, — велела я.

Сержант посмотрел на Дегтярева.

— Делайте, что она говорит, — кивнул Александр Михайлович, — а тот чемодан, что останется бесхозным, тащите сюда. Так, Наталья Петровна, может, сэкономим время?

— Зеленая сумка, — глухо произнесла Наталья Петровна, — в красную клетку.

— Ой, дура! — завопила Варя. — Зачем болтаешь! Как им доказать, чей это багаж? Он же не подписан!

— Не волнуйся, девочка, — сурово сказал Дегтярев, — есть разные методы, бабушка поступила правильно, решив выдать два миллиона долларов.

— Вот идиотка, — с чувством произнесла Варя, — но из меня вы и слова не выжмете! Я ничего плохого не делала! Я вообще жертва!

Спустя неделю мы с Александром Михайловичем в компании с приятным парнем сидели в одном из московских кафе.

— Ты у нас прямо звезда, — сказала я, когда Дегтярев принялся за кофе. — Сколько интервью дал?

Полковник почесал лысину.

— Ну... я старался не общаться с журналистами, хотя из нашей пресс-службы на меня постоянно давили. Павел первый, кому я сейчас все расскажу.

Я улыбнулась парню.

— Вам повезло.

— Согласен, — кивнул корреспондент.

— Но говорить будешь ты, — заявил толстяк, — а я буду тебя поправлять. Не спорь!

Я оперлась локтями о стол.

— И не подумаю возражать. С удовольствием

сообщу подробности, если Павел мне покажет статью перед выпуском. Не хочу, чтобы мои слова исказили.

— Ладно, — согласился Павел, — внесете правку.

— И еще, кое о чем я просто догадалась, нет никаких улик, одни размышления, — объяснила я, — сработала женская интуиция.

— Ты начинай, — приказал Дегтярев.

— Жила-была девочка Светлана Лукашина, — тоном народной сказительницы завела я, — воспитывалась она в необычной семье и, несмотря на добрую религиозную маму и положительного папу, выросла завистливой и жадной. Впрочем, все дочки Лукашиных не очень-то удались, похоже, одна Жанна была приятной. Нина не отличалась умом, Эля выросла злой, но, в отличие от Нины, хорошо соображала. Вы знаете, какая драма произошла в семье Лукашиных?

Павел кивнул:

— Да, полковник рассказал до вашего прихода некоторые подробности.

— Повторяться я не стану. Через девять дней после трагедии Тельма решила поговорить с убийцей. Хоть Элеонора и убеждала няньку, что случайно столкнула сестру с подоконника, да только Тельма ей не поверила. В разгар их беседы в дом вошла Светлана, она услышала громкий спор сестры и няньки и поняла: Эля убила Жанну.

Ошарашенная открытием, Света убежала из квартиры, она пока не понимала, что делать. Тельма и Эля услыхали стук двери, нянька, выйдя в коридор, заметила, что с тумбочки исчезла пластиковая сумка, но не придала значения происшествию, подумала, что кто-то из девочек на секунду заскочил в квартиру.

Сергей ненадолго пережил жену, а дочки после

смерти отца разлетелись в разные стороны. Нина вышла замуж и укатила из столицы.

— Она сейчас живет в Тюмени, — перебил меня Дегтярев, — имеет сына и категорически не желает видеть родственников.

— Да уж, — вздохнула я, — Злата очень хотела иметь много детей, но не зря люди придумали поговорку про исполнение желаний[1]. Семья у Лукашиных была несчастливая. А после смерти родителей девочки стали никому не нужны. Эля начала петь в какой-то семиразрядной группе. Света делала карьеру на телевидении. Пожалуй, ей не повезло больше других, у нее открылась эпилепсия, а еще она страстно хотела узнать: кто же родная дочь Лукашиных. Зачем ей это? И Злата, и Сергей умерли, сестры более не встречались, в конце концов, какая разница, кто дал тебе жизнь? Но Света мечтала узнать правду. С одной стороны, она была уверена: папа и мама ей родные. С другой — колебалась, хотела найти какие-нибудь документы, подтверждающие родство, и отчего-то была уверена, что Тельма владеет этими бумагами.

Теперь отвлечемся от Лукашиных и обратимся к Гинзбургам. На первый взгляд в их семье царили покой и достаток! Лиза не работает, Варвара, или Барба, как зовут девочку дома, посещает элитную школу. Дом на Рублевке, прислуга, шикарный автомобиль — налицо все атрибуты успешной жизни. Но это внешняя сторона, изнутри все обстоит далеко не лучезарно. Юрий весь в долгах, а еще он абсолютно не замечает жену. По тусовкам Лиза катается одна, а муж постоянно пытается урезать ее расходы. Чем дольше длится семейная жизнь, тем горше разочарование Лизы. Когда-то она, молодая певичка,

---

[1] Бойся своих желаний, они могут осуществиться. (*Прим. авт.*)

выскочила замуж за Гинзбурга, чтобы вести образ жизни обеспеченной дамы. Лиза небесталанна, но вот желания трудиться у нее нет, а влезть на вершину шоу-бизнеса тяжело, не одну пару свинцовых туфель нужно истоптать на гастролях, пока к тебе придет если не слава, то хоть какие-то деньги. Елизавета девушка расчетливая, у нее есть ум, актерские задатки, поэтому ей удается затащить Гинзбурга под венец. И сначала все идет хорошо: родилась Варя, ее Лиза очень любит. Варя, правда, отвратительно избалованна, груба, хамит взрослым, эгоистична, но Лиза обожает дочь, а та очень любит маму.

За год до начала криминальных событий Лиза с горечью понимает: она поставила не на ту лошадь, похоже, Юре суждено всю жизнь жить в долг. От злости и тоски она заводит любовника, писателя Владимира Мерзкого. Владимир живет в трущобе, денег у него нет даже на метро, он неопрятен и на Аполлона не похож. Но он очень нежен, ласков, хочет быть постоянно с возлюбленной, без конца интересуется ее мнением по всем вопросам, включая творческие, и является в некотором роде антиподом малоэмоциональному Юре, который предпочитает разруливать свои дела сам, ни о чем не ставя жену в известность.

Есть еще одно обстоятельство, притягивающее Лизу к Владимиру. Графоман с такой уверенностью говорил о своей великой книге, что Гинзбург, далекая от литературной среды, некоторое время верила ему, сочла его гением и подумала, что прозаики хорошо зарабатывают и, если роман получит премию, можно будет поменять коня на переправе. А бытовые неурядицы устаканятся. В конце концов, при разводе можно отсудить у Юрия часть имущества!

Но скоро Лизе становится понятно: Владимир — пустое место. Никакое издательство с ним контракта не заключило, от текста, который Мерзкий зачитывает любовнице, ее моментально клонит в сон. И, оказывается, это уже второй шедевр. Был и первый, который не пожелал опубликовать Семен Фурс. Мерзкий рассказывает Лизе давнюю историю, не забывает упомянуть и про свой привод в милицию за угрозу похищения сына редактора.

Лиза понимает: надо завершать отношения, любовник не оправдал ее надежд. И тут случается история с конкурсом. Владимир вне себя, Лиза только посмеивается, слушая его. Он негодует:

— Эта Дарья Васильева! Это она! Обманула! Не читала! Я послал ей свой труд! Я ее убью! Отомщу! Мерзавка!

Ну и так далее. Мерзкий не совсем адекватен, и это Лизе ясно, она уже готова бросить графомана, и вдруг Юрию приходит в голову идея с похищением Вари.

Когда муж изложил ей план, Лиза сначала обомлела, а потом поняла, какой подарок подбросила ей судьба.

Я остановилась и посмотрела на Павла.

— Скажите, вас не удивило, что хамоватая Варя согласилась прожить довольно большой срок у Светы в тесной квартире?

— Ей там все обустроили в лучшем виде, — напомнил Павел.

— Верно, но девочка избалованна до предела, почему она подчинилась? Варе предстояло провести больше недели взаперти, не выходить на улицу, прятаться в тесной комнате, обходиться без прислуги. Понимаете, они с мамой договорились, и мы теперь, после допросов Лизы, отлично знаем, как обстояло дело. Елизавета составила свой план. Ей надоело унижаться перед Юрой, выпрашивая у него деньги на покупки, хотелось жить обеспеченно, независимо от настроения мужа.

— Многие жены богатых мужей разводятся и отсуживают кучу бабок, — вздохнул Павел, — сейчас даже книги появились, в которых детально объясняется, какие шаги надо предпринять, чтобы ощипать бывшего супруга.

— Жаль, что никто не удосужился написать роман о том, как обеспеченные и влиятельные мужчины обходятся с обманувшими их блондинками, — нахмурилась я, — и зря многие дамы полагают, что ребенок — это нечто типа ваучера, пропуска в безбедную жизнь. Будто обросшее шерстью сердце олигарха дрогнет, когда он подумает о своей кровиночке, мужик отсыплет матери чада горы дублонов. Увы, часто бывает все наоборот. Ребенка у нее отнимают, либо законным путем, по суду, либо просто прячут за границей, а бывшая супруга может внезапно заболеть, попасть под машину, угореть в бане — вариантов много. Ну да у нас речь идет о Лизе, а она понимала, что в случае развода не получит ни гроша. Дом на Рублевке был собственностью Юрия еще до свадьбы, следовательно, он неделим, шикарные машины взяты внаем, ну и так далее. А вот два миллиона баксов у муженька есть, они предназначены для телепроекта. Продюсер не хочет сейчас отдавать бабки банку, они нужны ему в бизнесе. Но реально-то сумма есть в наличии. Дело за малым: надо, чтобы Варю действительно похитили. И Лиза начинает свою игру.

Мать честно рассказывает девочке свой план. Варе надо не спорить с папой, не ныть, не капризничать, а согласиться поехать к Светлане. Мама приготовит девочке уютное гнездышко, маленькую комнату оборудуют с комфортом. Конечно, это будет не шикарная спальня, как дома, но нужно потерпеть, потому что в нужный момент Света и Варя исчезнут из города, уедут на автобусе в Ленинградскую область и там будут ждать Лизу. А мать во всеуслышание объявит о похищении дочери, сообщит, что муж задумал аферу, которая, о ужас, внезапно стала суровой реальностью, заставит Юру расстаться с двумя миллионами, ну а дальше ясно. Ни один судья в мире, узнав о том, что за историю продюсер затеял со своим ребенком, не станет тянуть с разводом. Лиза получит свободу, заберет припрятанные миллионы и... исчезнет из Москвы. В наш век желтой прессы сенсация живет не более недели, СМИ покричат о семье Гинзбург и забудут, переключатся на новые скандалы.

— М-да, — крякнул Павел.

— Лиза тщательно разработала свой план, — продолжала я, — на допросе она призналась: Юра за участие в спектакле предложил бывшей любовнице место главного редактора на канале КТК. Думаю, он не врал. У продюсера большие связи, обманывать Свету было опасно, та ведь могла рассказать правду о похищении. А Лиза, в свою очередь, пообещала отдать Светлане ровно половину от выкупа: миллион.

— Щедро, — удивился Павел, — мадам решила заплатить подруге.

— Лиза не собиралась делиться, — объяснила я, — Светлана бы увезла Варю в Питер, на маленькую дачу, которая была снята в Ленинградской области, а потом, когда Лиза перебралась бы из Москвы к дочери, Лукашина должна была умереть, случайно.

— Жесть! — подпрыгнул Павел.

Я развела руками.

— Таков был план. Естественно, ни Варя, ни Света и не подозревали о том, что за судьба уготовлена Лукашиной, а Юра и помыслить не мог о планах жены. Лизе требовался человек, на которого можно свалить убийство Вари. Надо было внушить окружающим: похититель расправился с девочкой, а тело спрятал. Сотрудники МВД, к которым, кстати, никто обращаться не хотел, должны были поверить: ребенок мертв, тогда они не затеют поиски. Но кто же согласится на роль убийцы?

И Лизу осенило! Владимир! Один раз он уже попал в милицию, угрожая Семену Фурсу похитить его сына. А еще Мерзкий ужасно зол на Дарью Васильеву, он не совсем нормален, поэтому, не став победителем конкурса, он винит в своей неудаче бывшую жену главного спонсора.

Лиза начинает свою игру. Она умело подогревает злобу Мерзкого, предлагает ему отправить «Десять негритят» в Ложкино.

— Зачем? — заморгал Павел.

Я сцепила пальцы рук в замок.

— Елизавете нужна причина, по которой Мерзкий решит мне мстить. Она понимает: госпожа Васильева никогда не прочитает роман, бросит его на первой странице. А Мерзкий, по наущению любовницы, будет Дарье звонить, он поймет, что дама его обманывает, и примется ей угрожать. Лиза отлично знает любовника, да еще и умело его направляет. Идею о том, что свой роман автор начнет претворять в жизнь, придумала Елизавета. Владимир только повторял ее слова! Если бы я была внимательнее!

— Не понимаю, — занервничал Павел.

— Владимир ни разу не сказал мне, что написал именно детектив. Он говорил о «великом» романе, «Оскаре», Нобелевской премии. Мне бы догадаться, что литератор наваял философское произведение. И так оно и обстояло в действительности. Но книга называлась «Десять негритят», заглавие было явно заимствовано у Агаты Кристи, а что писала англичанка? Детективы. Вот я и сделала неверный вывод:

опус Владимира — криминальный роман. Лиза на это и рассчитывала.

— А вдруг бы ты продралась сквозь текст? — вдруг спросил Дегтярев. — Лиза рисковала.

— Это невозможно, — помотала я головой, — любой человек через три минуты чтения заснул бы! Повторю: Лиза тщательно подготовилась. Она дама из тусовки, поэтому легко узнала все подробности обо мне: выяснила телефон, адрес, а главное, она поняла — если Даша Васильева узнает, что стала косвенной виновницей похищения ребенка, то непременно кинется искать писателя. И потом, на последней странице книги стояло «Конец первой части». Вторую мне не отправили.

— Но ты могла и не найти автора книги! — забыв про «вы», воскликнул Павел.

Я усмехнулась.

— Верно. И Лиза решила упростить «мисс Марпл» задачу. На пакете, в который была завернута рукопись, был указан точный адрес Владимира, но я разорвала конверт, не обратив внимания на координаты, а потом и вовсе потеряла «нетленку». Но Лиза решила: как только она увидит, что Даша запуталась, госпоже Васильевой позвонят, помогут, подскажут, где искать Благородного. А я, оправдывая ее ожидания, побежала по следу, не обращая внимания на нестыковки.

— Какие? — тут же спросил Павел.

— Их было много, — вздохнула я, — лишь потом я вспомнила все «занозы» и удивилась собственной глупости.

— Например? — настаивал журналист.

— Владимир позвонил мне по телефону и сказал: «Смотри сюжет в новостях по каналу КТК». Лиза убедила графомана, что это заявление меня всполошит. И я на самом деле испугалась, когда поняла, что сумасшедший начал приводить свой план в действие. Мне бы спросить: а откуда Владимир знал, что КТК планирует подобный сюжет? Информация могла попасть к нему лишь из двух источников: либо ее слил кто-то из сотрудников КТК, либо она пришла из семьи Гинзбург. Но я не зациклилась на этой проблеме.

Далее: вспомним о первом письме, которое якобы написал мне Владимир, ну, то послание, где он сообщает о своих намерениях воплотить роман в жизнь. Во-первых, нормальный преступник никогда не оставит такую улику.

— Нормальный! — поднял указательный палец Дегтярев.

— Принято, — кивнула я, — но были с этим письмом и другие странности. Хоть Лиза и пыталась подделаться под стиль Благородного, у нее не очень-то получилось. Мне, правда, мельком показалось, что графоман слишком уж внятно изложил свои мысли, но я отмахнулась от этого соображения. Имелась и еще одна нестыковка. Письмо и рукопись были напечатаны на принтере, на бумаге хорошего качества, а Владимир, как потом выяснилось, писал от руки, брал допотопную машинку и использовал самую дешевую желтую бумагу. Лиза набрала его рукопись на компе и отправила мне, оригинал остался у Мерзкого.

— Как ей это удалось? — поразился Павел.

— Легче легкого, — улыбнулась я, — взяла на один день черновик «шедевра» домой, отсканировала... ну дальше понятно.

— Мерзкий дал ей свой труд? — не успокаивался Павел.

— Он любил Лизу, доверял ей, считал своей женой, — ответила я, — а она оказалась подлой, пыталась уверить меня, что их отношения давно разорваны. Вот только банка!

Глава 33

— Какая банка? — занервничал Павел.

— Давай по порядку, — попросила я. — Лиза хорошо продумала постановку спектакля, но жизнь внесла в него коррективы, я вышла не на Владимира, а на нее. Сначала Елизавета насторожилась, но потом поняла: ей повезло. Каков был первоначальный план? Даша Васильева выслушает, что ей скажет Благородный по телефону, получит письмо, вспомнит про рукопись, увидит адрес и помчится к Владимиру. Далее — по обстоятельствам: писатель выйдет из себя, накинется на Дашу, схватит таблетки, позвонит Лизе, он должен к ней обратиться, она придет. В корзине для белья найдут свитер со следами крови. Мерзкий умрет, на столе обнаружат письмо с подробным рассказом о том, почему он решил украсть и убить Варю.

— Откуда появилась кровь? — взвился Павел.

— Если взять у тебя из вены малую толику, а потом выплеснуть на одежду, получится замечательная улика, — пояснил Дегтярев, — это старый трюк, но срабатывает. Помню дело Сайкина, там...

— Мы сейчас говорим о Лизе, — остановила я Дегтярева, — и я не знаю, как продолжать рассказ. Надо, наверное, объяснить ситуацию со Светланой, иначе Павел не поймет! Верно?

Полковник кивнул, я посмотрела на Павла.

— Давай вернемся назад. Варя у Светланы, Юрий уже сходил в банк, а Лиза готова начать свою игру, но тут случается беда, разом спутавшая все карты жены Гинзбурга. Лиза знает, что Юра договорился с каналом КТК, который даст сюжет о похищении его дочери: таким образом он собирается надавить на заимодавцев. Продюсер понимает, что общественное мнение очень важно для финансистов, думает, что они дадут задний ход и отсрочат кредит. Новость сообщат поздно вечером, утром банк заявит о своем решении, на следующий день Юрий продемонстрирует всем живую и здоровую Варю и потратит средства на телепроект. Это был его план. Но у Лизы свой. Едва телик даст информацию, на дистанцию должна выйти Даша, а Варя со Светой уедут в Питер. Начнется скандал, Юрий не сможет продемонстрировать девочку, ну, не буду повторяться.

Вот только утром случается беда. У Светланы, как нам известно, эпилепсия, женщина стесняется своей болезни, она о ней никому не рассказывает, тратит состояние на лекарства и контролирует недуг. Лиза, правда, знает о ее проблемах со здоровьем, она даже как-то спросила:

— Ты что, выздоровела?

А Света ответила:

— Конечно, припадки у меня были только в подростковом возрасте.

Но на самом деле эпилепсия не исчезла, и ночью у Лукашиной случился приступ. Падучая — коварная болезнь, иногда после припадка больной впадает в кому, у него практически отсутствует дыхание, резко понижается температура тела, бледнеет кожа. Несведущий в медицине человек может принять больного за труп. Чего уж тут говорить о ребенке!

В восемь утра Варя проснулась и пошла в большую комнату. Стены в хрущовке тонкие, девочке велено лишний раз не шуметь. Варя приближается к дивану и видит.. мертвую Лукашину. Перепуганная девочка, забыв обо всех указаниях и мамы, и папы, кидается на лестничную клетку и начинает звонить в дверь к Килькиной. Случись это днем раньше, все хитрые планы обоих Гинзбургов рухнули бы разом. У Лукашиной есть две очень любопытные соседки: Таня и Лена, они постоянно подсматривают в глазок. Но Таня с мужем уехала со своей кошкой на выставку, а Лена с Муратом остались ночевать у друзей на даче.

Наталья Петровна открывает дверь, Варя влетает в квартиру и бессвязно говорит:

— Умерла... деньги... два миллиона... мама...

Килькина дала девочке воды, а сама пошла в квартиру к Лукашиной и нашла там тело Светланы. Света в коме, но Наталья Петровна принимает ее за мертвую, бежит к себе, еще раз выслушивает Варю и велит ей звонить матери.

Лиза в полной панике едет к дому Лукашиной, зайти в подъезд она боится, поэтому Килькина, взяв сумку, спускается, садится в автомобиль к Елизавете, и женщины обо всем договариваются. Наталье Петровне очень нужны деньги, а Лиза, естественно, не рассказывает ей всей правды, сообщает лишь, что хочет убежать от мужа-негодяя, который бьет ее каждый день.

— Я инсценировала похищение Вари, — стонет Лиза, — сегодня о нем объявят по телевизору, Юра заплатит выкуп.

Двести тысяч долларов, которые Гинзбург обещает Килькиной за помощь, — огромная сумма для учительницы-пенсионерки. И в общем-то ничего плохого от нее не хотят: нужно довезти переодетую мальчиком Варю до дачи в Ленинградской области и пожить там с ней несколько дней. Наталья Петровна соглашается и начинает действовать по указке Лизы.

Гинзбург необходимо во что бы то ни стало попасть в квартиру Лукашиной.

— Зачем? — задал справедливый вопрос Павел.

Я покосилась на Дегтярева.

— Наталье Петровне Лиза говорит: «Надо полностью уничтожить следы пребывания девочки в квартире», но на самом деле у нее другая, более веская причина.

— Какая? — тут же поинтересовался журналист.

— Рассказчице очень хочется сделать эффектную развязку, — усмехнулся Александр Михайлович, — давай она ответит на твой вопрос позднее.

— Ладно, — с легким разочарованием согласился Павел.

— Но как Лизе попасть к Лукашиной? — продолжила я. — Килькина предупредила ее о соседках! Каким образом вынести вещи? Постельное белье, пледы, игрушки... Еще надо снять занавески в маленькой спальне, они слишком контрастируют с тряпками на окне в большой комнате. Гинзбург понимает: в двушку Лукашиной приедет милиция, у ментов не должно возникнуть никаких подозрений.

— Она явно перестраховалась, — усмехнулся полковник, — мебель-то новая!

— Верно, — согласилась я, — но она ничем не примечательная и дешевая, а вот плед, занавески, белье, подушки откровенно детские, с изображениями мишек и других зверушек. Новые диван и стол не привлекут внимания, но зачем взрослой женщине одеяло с кошечками? Но это еще не все. Светлану должны пока считать живой, и как поступить?

Я сделала эффектную паузу.

— В момент опасности у некоторых людей очень хорошо работает голова. И Лиза вспомнила, как пару недель назад пришла в продюсерский центр, а к ней вдруг направилась толстая баба с возгласом:

«Светка!»

Поняв, что совершила ошибку, тетка сказала:

«Ой, простите, у вас со Светой Лукашиной одинаковый наряд: желтое с черным приметное платье и такие же туфли!»

Не успела толстуха договорить, как появилась

Лукашина. Гинзбург тогда очень разозлилась, они выглядели как близнецы, но только у Лизы была дорогая одежда модного итальянского дома, а у Светланы «пиратская копия» за полкопейки. Но ведь незнакомка их спутала!

Лиза мчится домой, хватает пресловутое желтое платье, переодевается, распускает волосы, водружает на нос темные очки, быстро возвращается к дому Светы и входит в ее квартиру. Туда же прибегает и Килькина.

— Вы сошли с ума! — шипит Елизавета. — Сами говорили про излишне любопытных соседок, зачем приперлись?

— Не волнуйтесь, — успокаивает ее Наталья Петровна, — никого нет. Одна на выставке котятами торгует, их с мужем машина отсутствует, другая с любовником на природе. Пока вы домой мотались, ко мне старшая по подъезду заходила, предупредила об отключении горячей воды и попросила соседкам сообщить, обмолвилась: «Таня кошку показывает, Лена на пикнике веселится, а я уезжаю до ночи». Мы можем спокойно перетащить вещи.

Часы показывали половину второго: пока Лиза моталась домой, возвращалась назад, прошло немало времени. Гинзбург и Килькина вытаскивают одеяло, плед, игрушки, подушки, занавески и переносят их к Наталье Петровне...

— А Светлана меж тем где была? — тихо спросил Павел.

— Она лежала в коме на диване, выглядела мертвой, — ответил Дегтярев.

— Ну и ну! — покачал головой журналист. — Дамы-то, похоже, бесчувственные.

— Вовсе нет, — хмыкнула я, — они испытывали сильные чувства к долларам. Около четырех часов квартира была освобождена. Лиза, как ей кажется, замела все следы пребывания Вари. Она не побоялась снять с «трупа» ночнушку и натянуть на Свету то самое, дешевое желтое платье. Чтобы уж не было никаких сомнений: Света была жива, ходила в пиццерию, принимала у себя Владимира. Вот только про нижнее белье Лиза забыла, медсестра в клинике удивилась.

Лиза тщательно обыскала шкафы, сервант...

— Зачем? — спросил Павел.

— Объясню позже, — отмахнулась я.

Закончив устройство дочери у Натальи Петровны, Лиза вышла на лестничную площадку, сбежала по ступенькам вниз и налетела на женщину, которая тащила кошачью перевозку. Это была Таня, которая возвращалась домой. С одной стороны, соседка была страшно довольна удачной продажей котят, с другой, дико зла на мужа, который напился и толкнул супругу с такой силой, что та упала и осталась без линз. У Тани сильная близорукость, лица Лизы она не видит, но различает желто-черное платье, поэтому спокойно говорит:

— Свет, привет.

— Здорово, — понизив голос, хрипло бормочет Лиза.

Гинзбург испугана, издали их с Лукашиной спутать легко, но вблизи-то сходства мало.

— Куда бежишь? — задает вопрос Таня.

— За пиццей, — ляпает Елизавета, и тут же прикусывает язык. Ну зачем она сказала про пиццу? От растерянности, неожиданности, страха.

Но Таня моментально пользуется ситуацией.

— В микрорайон? Будь другом, зайди в аптеку, купи мне линзы. И что у тебя с голосом?

— Простыла, — хрипит Лиза, — а в аптеку бежать некогда.

— Ты же пиццу домой принесешь, — начинает

упрашивать Таня, — понимаешь, я упала, линзы вылетели. Мишка, гад, пьяный во дворе на лавке спит, домой подняться не смог, вот сволочь! Сюда его на такси везла, нашу машину на стоянке у выставки бросила. Спасибо, шофер попался не вредный, в подъезд меня ввел. Света, пожалуйста, я ни хрена не вижу, вот деньги, возьми мне линзы. Я ж без них сова слепая.

И тут до Гинзбург доходит: незнакомка не видит ее лица, она отреагировала на яркое платье. Может, использовать ситуацию в собственных интересах?

— Говори, какие нужны, — старательно кашляя, согласилась Елизавета.

— Ну, спасибо тебе, — радуется Таня.

Лиза побежала в пиццерию, приобрела там лепешку. За кассой была хорошо разбирающаяся в моде Арина. Она не только определила, что на покупательнице дорогой наряд, а не рыночная подделка, но и заметила у той на руке браслет с брильянтами.

— Как можно было, изображая из себя малообеспеченную женщину, забыть снять столь приметную вещь? — удивился Павел.

— Хороший вопрос, — согласилась я, — у меня он тоже возник. И браслет, образно говоря, явился той веревочкой, потянув за которую мне удалось размотать весь клубок. Но буду излагать события последовательно, поэтому сейчас просто отвечу на заданный вопрос. Почему Лиза не сняла браслет? Лучше всего это объяснила продавщица из ювелирного магазина, сказав, что если камни совпадают с человеком по энергетике, то он не ощущает изделия, забывает про него, оно становится как бы частью тела.

Лиза просто не вспомнила про украшение. Она приобрела пиццу, рассказала продавщице-кассирше, что ждет в гости любовника, автора замечательной книги. Незапланированный поход в кафе Лиза использовала на полную катушку. Она сделала все для того, чтобы кассирша запомнила покупательницу, изобразила обморок, шептала про эпилепсию, ну и так далее.

Когда Арина рассказывала мне о даме в желтом платье, я насторожилась, потому что уже знала: Светлана считала свою болезнь постыдной, скрывала ее от всех, знала, что коллеги по работе считают ее алкоголичкой, но никого не разубеждала. Ну никак Света не могла сказать постороннему человеку, что у нее эпилепсия.

Елизавета очень старалась, чтобы девушка ее запомнила, и впутывала в ситуацию Мерзкого. Принеся Тане линзы, Лиза сказала, что идет принимать душ, ждет в гости Володю, талантливого писателя.

Татьяна была удивлена странной откровенностью соседки, но тут с первого этажа донесся вопль ее протрезвевшего супруга, и она напрочь забыла о Светлане.

Лиза поставила на стол пару пустых стаканов, оставила на видном месте коробку от фаст-фуда с чеком. Она полностью подготовила сцену. Если станут интересоваться, сразу поймут: Владимир был в этой квартире, он знаком со Светой, он ее любовник, и это Мерзкий довел Лукашину до смерти. Завершив инсценировку, Лиза уезжает домой, по дороге она останавливается у вокзала, находит телефон-автомат и, изменив голос, сообщает о смерти Лукашиной. Милиция не торопилась, но когда она наконец приехала, то менты тоже приняли Свету за мертвую. Спустя энное количество времени прикатила труповозка, Лукашину упаковали в мешок, привезли в морг, и там, наконец, врач понял: она жива. Светлану положили в реанимацию. Доктор сообщил в милицию, что Лукашина не умерла, а тяжелобольна. Это известие вызвало радость у сотрудника отделения: слава богу, ему никаких хлопот. Квартира в полном порядке, с теткой случился какой-то приступ. Конечно, можно было задать себе вопрос: «Кто звонил в отделение с сообщением о ее смерти?» Но ментам не нужна головная боль. Ничем криминальным не пахнет? Ну и до свидания.

Вернувшись к себе в поселок, Лиза написала на компьютере текст про Владимира, пиццу, девочку Барбару, вложила его в конверт и отправила в Ложкино.

— И как она это сделала? — удивился Павел.

— Что тут особенного? — пожала я плечами. — Есть специальная курьерская доставка: платишь тройной тариф, и любое послание привезут куда надо через два часа! Мне «фрагмент рукописи» отдала охрана на выезде из поселка, я прочитала опус, кстати, опять напечатанный принтером на хорошей бумаге, и поняла: мысль посетить продюсерский центр верна, там надо искать Светлану Лукашину, а еще необходимо найти пиццерию, куда она бегала. Лиза, естественно, не знала, что я уже поговорила с Ритой Аморади, которая отправила меня по тому же следу, все случайно совпало.

— Но почему же ты не стала уточнять через справку адрес Владимира Мерзкого? — удивился Павел. — Ведь его назвали в рукописи.

— Подумала, что такой фамилии не бывает, — вздохнула я, — решила, что это выдумка автора. Но в конце концов добралась до Лизы, чем ее удивила. Она-то рассчитывала, что я поеду к писателю, а тот впадет в агрессию, полезет в драку...

Ясное дело, в этом случае госпожа Васильева помчится к своему приятелю Дегтяреву, расскажет ему о книге, сумасшедшем графомане, похищении Вари. Милиция кинется к литератору, а тот будет уже мертв. Но получилось не так, и Лиза опять решила использовать обстоятельства в свою пользу. Уже потом, обдумывая все, я вспомнила кучу странностей. В доме Мерзкого Лиза специально наталкивала меня на мысль о временном пребывании здесь Вари. Кто увидел серьгу у хлебницы? Лиза. Но ведь ранее она мне сказала: «Затевая похищение, Юрий велел девочке оставить украшения дома». Елизавета бегала по квартире Мерзкого, изображала поиски дочери и вдруг открыла хлебницу. Ну не ждала же она, что дочь сидит там. Вот в тот момент она и подложила серьгу. Кто находит в бачке одежду Вари? Лиза. А сожжение рукописи? Вот уж идиотский шаг, и кто его совершает? Лиза. Зачем? Сама она объяснила свой порыв просто: мол, у нее потемнело в глазах от гнева, Владимир убил Варю, а она уничтожит его рукопись!

На самом деле Елизавета, великолепно знавшая Владимира, понимала: он впадет в истерику при виде сожженной «нетленки» и кинется за лекарством, и тут Гинзбург найдет способ подсунуть ему сверхдозу сердечного препарата. Писатель умрет на глазах у свидетельницы, Даша подтвердит, что графоман сам выпил таблетки.

Фортуна улыбнулась Лизе, Владимир еще до разжигания «костра» вынул из пузырька пару пилюль, но не успел их принять, потому что затевалось аутодафе романа. Ясное дело, писателю стало плохо, и я дала ему лежавшее на столе лекарство. Две большие желатиновые капсулы! Графоман, положив их в рот, воскликнул: «Но они же сладкие!», удивившись непривычному вкусу.

— А куда подевались маленькие таблетки? — подпрыгнул Павел.

— Увы, я задала себе этот вопрос позже, — вздохнула я, — хотя и отметила, что писатель удивился.

Воспользовавшись суматохой, лекарство подменила Лиза. И уж слишком поздно мне вдруг вспомнилось, как она, сидя в машине, открыла сумочку, и я увидела внутри баллон с топливом для бензиновых зажигалок. Но у Лизы была электронная зажигалка. Зачем она прихватила бензин? Была еще маленькая ошибочка: когда мы с Лизой только встретились, она говорила о Лукашиной в прошедшем времени, употребляя глагол «была». Но ведь так не говорят о живом человеке. Значит, Лиза знала, что Света умерла. Кто ей сообщил об этом? В продюсерском центре ни один человек не знал о кончине, там держали Лукашину за пьяницу и не удивились ее отсутствию на рабочем месте. В общем, вопросов и нестыковок было много.

— Какие еще? — спросил Павел.

Я тяжело вздохнула.

— Лиза уверяла, что они с Мерзким давно расстались, и графоман затеял похищение ребенка, чтобы отомстить мне. Но в таком случае логичнее было нанести вред моим детям, Маше или Аркадию, а не посторонней мне Варе, хотя это обстоятельство еще можно объяснить. В ванной у писателя стояла банка очень дорогого крема для тела. Неужели этот неопрятный человек им пользовался? Я сначала предположила, что у него есть еще одна любовница, и даже начала ее искать, но потом вдруг вспомнила, с какой радостью Мерзкий встретил Лизу, как он ей сказал: «Я тебя всегда жду», — и сообразила: если любовь закончилась, то Владимиру об этом факте сообщить забыли. Крем принадлежал Лизе. Ну и другие вопросы возникли. В бачке был найден пуловер Вари, а где остальная одежда? Почему Мерзкий не уничтожил столь явную улику? Тело девочки тщательно спрятал, а ее свитерок и кофту Лукашиной с окровавленными рукавами оставил.

— А как вещи попали в ванную литератора? — удивился Павел.

— Лиза привезла их с собой, — пожала я плечами, — у нее была довольно объемная сумка, там небось и лежал пакет. Гинзбург действовала впопыхах, вот и наделала мелких ошибок.

— Как и прежде, — добавил Дегтярев, — эффект парных случаев!

— Что? — не понял Павел.

— Есть теория, которая утверждает, что в жизни человека все события непременно повторяются дважды, — усмехнулась я.

— Я не о том, — занервничал журналист, — что с этой Гинзбург случилось раньше?

Глава 34

Мы с Дегтяревым переглянулись.

— Когда в голову Даши пришла идея о наличии у Мерзкого другой любовницы, — сказал Александр Михайлович, — она позвонила Лизе, но та не пошла на контакт.

— Она завела речь о том, что ей не разрешают со мной общаться, — перебила я, — очень глупо. То она охотно повезла меня к Владимиру, рассказала кучу секретов — о любовнике, об инсценированном похищении Вари, и вдруг сказала о запрете на разговоры. Потом воскликнула: «Ой, как больно!» И эта фраза вдохновила меня на ее поиски. На самом деле Елизавете ничто не угрожало, она просто желала отделаться от навязчивой Даши! Она хотела, чтобы я успокоилась, узнав, что Владимир умер.

— Правда тупо! — сказал Павел.

— Верно, но Лиза нервничала, — подхватила я, — а слова «ой, как больно» она произнесла, прищемив случайно палец, фраза прозвучала искренне. Я приехала по адресу, который определили по просьбе Жени специалисты-компьютерщики, и была поражена видом совершенно здоровой Гинзбург, которая впрыгнула в свою машину. Поговорив с Ларисой Петровной, Карой и пообщавшись с Тельмой, я выяснила правду про семью Лукашиных, и тут у меня зародилось смутное подозрение. Эля, убившая Жанну, отлично пела, закончила музыкальную школу, прибилась к какой-то группе. Где сейчас Элеонора Лукашина? И я попросила Дегтярева выяснить судьбу сестер.

— Нина, как я уже говорил, жена военного, живет в другом городе, — Александр Михайлович вклинился в беседу. — Светлана прозябает на канале КТК, а Элеонора... Она одно время, взяв себе псевдоним Лиза, пела по кабакам, потом встретила хорошего человека, продюсера, вышла за него замуж, рано родила дочь.

— Ох и ни фига себе, — по-детски разинул рот Павел.

— Правильно, — кивнула я, — Елизавета Сергеевна Гинзбург — это Элеонора Сергеевна Лукашина. Певицы часто меняют паспорта, боятся, что продюсер отнимет у них сценическое имя, выпустит под тем же, раскрученным, псевдонимом другую исполнительницу. Эля стала Лизой на заре карьеры.

Светлана ничего не знала о судьбе сестры, пока не попала на канал КТК. Юрий имел тесные связи с этой компанией, продюсер постоянно приезжал в студию, и один раз Света увидела его жену. Сестру она вычислила мгновенно и ощутила укол зависти. Лиза замечательно выглядела, была дорого одета, стала женой успешного человека. А Света? Больная, почти нищая женщина. Разве это справедливо? Решив отомстить Лизе, Света стала любовницей неразборчивого в связях Гинзбурга. Она даже заставила продюсера помочь ей получить квартиру. У Юры большие связи, и он иногда способен на благородные порывы. Светлана продержалась в качестве любовницы целый год, что невероятно долго для бабника Юрия, но потом их отношения сошли на нет. Именно в этот момент Светлане на глаза попадалась статья в журнале «Дамские истории», и Лукашина поняла: вот он, шанс сделать сестре гадость и обогатиться. Света, нацепив на себя рыжий парик, нарисовав веснушки и вставив в глаза цветные линзы, отправилась к Зиночке, выкрала у нее статью Николая Егорова и начала шантажировать Лизу.

Для начала она потребовала, чтобы сестра объявила ее своей близкой подругой и ввела в дом. Светлане хотелось элементарного комфорта: вкусной еды, уик-энда в просторной комнате с окнами в сад. И что оставалось Лизе? Она боялась разоблачения, ведь Светлана пугала ее наличием каких-то документов, неопровержимо доказывающих факт убийства Жанны.

— А Юрий? Он был не против, что его бывшая любовница маячит в доме? — изумился Павел.

— Продюсеру это было по барабану, — пояснил Дегтярев, — в его жизни слишком много женщин, и потом, он очень поздно возвращался с работы и не обращал внимания на гостей супруги. Когда же Юрию пришла в голову мысль о похищении Вари, то Лиза, задумавшая свою игру, посоветовала мужу привлечь к делу Свету, сказав, что Лукашина человек, на которого можно рассчитывать, а впутывать постороннего очень опасно. И Юра согласился с женой.

— Значит, Лиза искала в квартире Светланы улики, свидетельствующие против нее! — осенило Павла.

— Ну да, — кивнула я, — но нашла лишь статью Егорова, а к ней была приколота записка с адресом Кары и словом: «Архив». Лиза сообразила, что надо ехать к Карине и забрать у нее некие бумаги! Вот она и помчалась туда, но Карина в гневе выгнала нахалку. К ней уже ранее приходила Света в рыжем парике и предлагала за информацию десять тысяч долларов. Лукашина использовала один и тот же грим для похода к Зине, визиту к Елене и вдове журналиста.

— Откуда у бедной Лукашиной такая сумма? — изумился Павел.

— Но ведь Света не показывала деньги, она о них просто говорила, обещала заплатить, если найдутся архивные материалы. Света понимала, что у нее мало козырей, нужно нечто более весомое, чем гранки статьи. Пока Лиза напугана и платит вымогательнице, но вдруг она сообразит задать себе вопрос: какие карты на руках у Светы? Можно, конечно, припомнить разговор сестры и Тельмы, подслушанный Светланой, но слова к делу не пришьешь. Вот Света и пыталась раздобыть нечто весомое. А Лиза тем временем, устав от шантажистки, разрабатывает свой план, вознамерившись ухлопать двух зайцев: получить от мужа два миллиона долларов и убить Свету. Пусть только жадная вымогательница привезет в Ленинградскую область Варю, там-то Свету и ждет конец. Вся эта история напоминает коробочку с большим количеством донышек. Подняли одно, там второе, третье... Вроде речь шла о сумасшедшем графомане, решившем отомстить Дарье Васильевой, а вон куда история зашла!

— А как вы догадались, что девочка у Килькиной? — спросил Павел.

— Просто предположила, — ответила я. — Понимаешь, когда я разговаривала с Натальей Петровной первый раз, она не впустила меня в квартиру, сославшись на больного внука. В процессе беседы Килькина сначала категорично заявила: «Я никогда не была у Лукашиной», а через минуту сказала: «Она так бедно жила, с древним телевизором». И откуда бы соседке, не заглядывавшей к Свете, знать о доисторическом агрегате? А соседка Таня обронила фразу, что Наталья Петровна вернулась к себе с пакетом из «Рая еды», очень дорогого супермаркета. И я увидела деликатесы в холодильнике у нищей Светы. Вот, кстати, еще одна ошибка Лизы: перетаскивая к Килькиной вещи, она забыла про харчи. Кстати, в квартире еще остался и плюшевый мишка Вари. Девочка потребовала игрушку, и Килькиной пришлось еще раз идти к Лукашиной. Вот так одно к одному, кирпичик к кирпичику... Наверное, я постоянно думала об этой ситуации, в голове крутились разные воспоминания, соображения...

— Менделееву во сне привиделась его элементарная таблица, — пропыхтел Дегтярев, — это я к тому, что, если безостановочно обдумывать одну и ту же тему, непременно найдешь решение.

Павел хихикнул, а я обозлилась на полковника: неужели я похожа на престарелого химика? Ей-богу, у нас с ним нет ничего общего!

— Уж и не знаю, что еще спросить, — вздохнул Павел.

— Зачем Лиза так хотела, чтобы Светку считали живой? К чему спектакль с пищей? Перетащили Варю к Килькиной, и все!

— Неужели ты не понял? — удивился полковник. — Если о смерти Лукашиной сообщили бы утром, Юра бы запаниковал: где дочь? Продюсер любил девочку, он бросил бы все силы на ее поиски. Светлана скончалась внезапно, такого поворота Елизавета не ожидала. Лизе нужно было время, чтобы переиграть свой план, Даша Васильева еще не втянута в дело. Госпожа Гинзбург понимала: не было бы счастья, да несчастье помогло. У нее появился шанс дать Васильевой улики, подтверждающие знакомство Мерзкого и Лукашиной. Кого ждала Света? Для кого она ходила за пиццей?

— Что-то больно сложно и запутано, — скривился Павел.

— Мы не оцениваем поведение Елизаветы, — напомнила я, — она вела себя странно, мы просто говорим о том, какие мысли были у нее в голове. Лиза хотела выиграть время и одновременно впутать в дело писателя и Свету. Это факт, а то, что ее поведение было глупым, не имеет значения...

— А почему Светлана просила сообщить о своей смерти Барсуковой? Насколько я понял, Тельма недолюбливала падчерицу, близких отношений у них не было? — не успокаивался журналист.

— Точного ответа уже не узнать, можно лишь предположить, что Света по непонятной причине считала, будто Тельма располагает документами из роддома, поэтому похоронит ее и выполнит просьбу, напишет на табличке: «Родная дочь Лукашиных». А на кого еще могла рассчитывать Светлана? Близких людей у нее не было.

— А Лиза? — напомнил Павел.

— Ты всерьез полагаешь, что сестра озаботилась бы ее похоронами? — хмыкнула я. — Но даже если бы это и произошло, Лиза ни за какие коврижки не сделала бы эпитафию: «Родная дочь Лукашиных», а это было для Светы самым важным.

— Они все психи, — резюмировал Павел.

— Чем дольше живу на свете, тем меньше нормальных встречаю, — крякнул Дегтярев. — Вот я и думаю: то ли сам со съехавшей крышей, то ли окружающие, того, ау.

— Ой, перестаньте, — поморщилась я, — вокруг очень много людей приятных и абсолютно адекватных. Вспомним хотя бы продавщицу из ювелирного магазина. Милая, великолепно знающая свое дело. Она рассказала мне кучу интересного, хотя понимала — я ничего не куплю. И именно эта приятная женщина, сообщив о коллекции «Все как у мамы», поселила в моей душе сомнения. Серьга, лежавшая у хлебницы, была с лимонными и коньячными брюликами, она явно из набора для взрослой женщины. На руке посетительницы пиццерии сверкал браслет с такими же камнями. Но он был с эксклюзивным бриллиантом! Подобные изделия в обычной продаже не встретишь. Я сначала растерялась, не могла сообразить: ну как это получилось, вроде браслет из комплекта, а вроде нет? И тут мне снова повезло! В магазине была покупательница, жена обеспеченного человека. Она рассказала мне про Интернет-магазин «Кристалла», про возможность приобрести там неоправленный камень любой стоимости и размера, и в моей голове все разом сошлось. Юрий купил комплект «Все как у мамы», Лиза захотела «парное» украшение. Но Гинзбург любит пускать пыль в глаза, у него часто не было денег на чаевые официантам, но жена — витрина семьи! По украшениям Лизы будут судить о материальном положении продюсера! И Юрий воспользовался Интернет-магазином «Кристалла». Думаю, он, как всегда, занял деньги, чтоб подчеркнуть свою крутость и богатство. У Лизы был уникальный браслет, у Светланы такого быть не могло.

— А как у Лукашиной под ковриком мог оказаться ключ? — спросил вдруг Павел. — Она же была дома, когда случился приступ.

Я пожала плечами.

— Светлана умерла, ответа не узнать. Но, знаешь, у нас перед домом растет цветок, а в кадке лежит ключ, всегда, даже когда мы находимся в коттедже. Это запасной вариант на случай потери. Иногда люди отдают запасной комплект соседям, чтобы в случае чего не ломать дверь. Но Светлана не дружила ни с Таней, ни с Леной, вот и воспользовалась старым, как мир, способом — ковриком. Другого объяснения у меня нет.

Павел притих, а потом вдруг воскликнул:

— Гениально! Читатели запрыгают от восторга! Прямо завтра сдам материал, хочу успеть в пятничный номер...

— Ты уж так не торопись, — насторожилась я.

— Журналиста кормит оперативность, — занервничал Павел, — а еще необходим яркий, броский заголовок.

— Ну-ну, — крякнул Дегтярев, — тут я тебе не помогу, никогда не умел писать, всегда двойки по сочинениям получал.

— Третий глаз-алмаз! — вдруг воскликнул Павел.

Я вздрогнула.

— У кого?

Журналист с укоризной посмотрел на меня.

— Это заголовок для моего материала о вашем расследовании! Очень красиво! Вы распутали это дело так, словно имели третий глаз! А помог вам брильянт из браслета! Читатели взвоют от восторга! Мистика и сокровища! Вау! Мой материал возглавит рейтинг лучших очерков. Ну все, я помчался!

С молниеносной скоростью Павел схватил диктофон и был таков.

— Он на самом деле назовет статью «Третий глаз-алмаз»? — рассеянно спросила я у Александра Михайловича.

— Ага, — с абсолютно серьезным видом кивнул полковник, — а еще даст твое фото с большим брильянтом во лбу! Читатели придут в экстаз! Ты станешь знаменитостью. Слушай, а мне нравится!

Тут Дегтярев не выдержал и начал давиться хохотом. Я мрачно смотрела на приятеля, потом неожиданно представила свой снимок и тоже принялась смеяться.

Эпилог

Смерть Светланы Лукашиной была признана естественной. Наталью Петровну Килькину, которая пыталась вывезти из Москвы деньги и Варю, не арестовали, ей оформили подписку о невыезде. Обвинить жадную учительницу в похищении ребенка нельзя — Килькина действовала с согласия матери, а девочка знала, что она поедет с ней на дачу в Ленинградскую область. В случае Натальи Петровны речь может идти лишь о мошенничестве, но Юрий Гинзбург не стал писать никаких заявлений. Кстати, продюсера тоже сложно обвинить в преступлении, он не обращался в милицию, всего лишь хотел надуть банкиров, и претензии к нему должны были бы предъявить они, но финансистам не нужны скандалы, поэтому все спустили на тормозах, о выкупе в два миллиона долларов газеты сообщали вскользь, и никто из писак, даже вездесущая «Желтуха», не упоминал названия банка. У нас свободная пресса, которую всегда можно купить.

Зато про любовную интригу не сообщил только ленивый. Детство Светланы и Эли Лукашиных расписали в ярких красках, перемешали правду с ложью, выволокли на свет смерть Жанны и Златы, обмусолили роман Мерзкого и жены продюсера. И чем борзее журналисты строчили перьями, тем больше люди жалели Лизу. Ей даже посвятили одну телепрограмму на центральном канале, и зрители в студии чуть не передрались: одни считали Елизавету алчной, холодной, расчетливой убийцей, другие — жертвой обстоятельств, женщиной, лишенной детства.

Меня звали в студию, но я отказалась сидеть под софитами и обсуждать поведение Лизы. Я имею собственное мнение о произошедшем: жена продюсера решила обмануть мужа, получить два миллиона долларов, убить сестру-шантажистку... Все это не может вызвать у нормального человека сочувствия. Слава богу, хоть Варвара не принимала участия в общем безумии, Юрий спрятал девочку, увез из Москвы, пресса до нее не добралась. Сейчас Лиза находится в следственном изоляторе, ей придется ответить за смерть Владимира Мерзкого. Юрий, как ни в чем не бывало, занимается телеконкурсом. Вот уж с кого все как с гуся вода. Скандал не повредил Гинзбургу, наоборот, рейтинг его передачи подскочил до небес, лучшей рекламы шоу, чем крупный скандал, не придумать, всем захотелось посмотреть на «того самого мужика, который придумал похитить своего ребенка». Во время трансляции концертов камеры демонстрируют лицо Юрия, безмятежно сидящего в партере, чаще, чем поющих и танцующих кандидатов в звезды.

В конце августа зарядили дожди, и я заскучала. В четверг днем мне позвонила Лена Костюк и спросила:

— Ну как там Саша?

— Замечательно, — ответила я, — у нас все хорошо!

— Слава богу, — обрадовалась Лена, — я скоро буду.

— Ты в Москве? — оживилась я.

— Уже въехала в Ложкино, — пояснила подруга, — рулю в такси по поселку.

— Амара! — заорала я, повесив трубку.

— Да, хозяйка! — выглянул из кухни парень.

— Ставь чайник, тащи еду, к нам гости, — засуетилась я и в ту же секунду услышала звяканье домофона.

После того как мы с Ленкой расцеловались, я привела ее в гостиную и крикнула:

— Амара! Где же чай?

— Тащу, хозяйка, — донеслось из кухни, и тут из своей спальни появилась Саша.

— Сдаю тебе будущую звезду эстрады в целости и сохранности, — засмеялась я.

Костюк вздернула брови.

— Это кто?

— Саша Мироненко, — растерялась я. — Неужели не узнала? Ты же прислала ее ко мне, попросила за ней присмотреть.

— Прости, пожалуйста, — протянула Лена, — но это не Мироненко.

— А кто? — ахнула я.

— Не знаю, — пробормотала Костюк.

— Меня зовут Тамара, — тихо ответила девушка, — я из агентства «Подруга».

В гостиной стало очень тихо.

— Тамара? — наконец-то ожила я. — Что-то не понимаю... Вы временная домработница? Тут какая-то путаница! У нас служит Амара!

Девица опустила глазки долу.

— Ну... нам нельзя спорить с хозяевами. Я пару раз пыталась заняться работой, но вы мне не разрешили, говорили, что сами справляетесь, велели ездить в город, деньги давали, поселили в шикарной комнате... Вот я и подумала... ну... ну...

— Ясно, что ты подумала, — обозлилась я: до

меня медленно стала доходить суть дела, — решила спокойно отдохнуть, когда еще такая возможность представится! Деньги платят и ничего не требуют!

— Вы сами не подпускали меня к швабре, — надулась Тамара, — и не называли меня по имени, а то бы я вас поправила. Ни разу не обратились ко мне «Саша»! Говорили: «милая», «солнышко», «котик»...

Я молча слушала нахалку: возразить было нечего, она права, все верно — и в город ее я отправляла, и котиком звала, и на кухню не пустила!

— И где мой Саша? — вдруг очнулась Лена. — Он пропал? Катастрофа! Мироненко очень трепетный мальчик, его легко обидить.

— Постой, постой, — забубнила я. — Мироненко юноша?

— Ну да, — сказала Костюк, — мальчик.

Я села в кресло. Саша Мироненко! Имя и фамилия, так сказать, унисекс. Почему я решила, что подопечный Ленки — девушка? Может, из-за того, что речь шла о человеке, который собирается петь на сцене? Но ведь на подмостках полно парней. Или меня ввело в заблуждение имя Саша, ну, согласитесь, оно более смахивает на женское, мужской вариант звучит — Александр. Ой, это глупые оправдания! Дашутка, ты идиотка!

— Так где Мироненко? — Ленка чуть не впала в истерику, и тут из кухни с подносом в руках медленно выплыл Амара.

— Санечка! — кинулась к нему Костюк.

— Елена Михайловна, — завопил парень, — слава богу, вы приехали! Я тут так старался, изо всех сил! Скажите, Дарь Иванна!

Я потеряла дар речи! Потом способность соображать стала медленно ко мне возвращаться. В тот день, когда в нашем доме появились Амара и Саша, очень плохо работал телефон из-за грозы. На линии были треск, шум, писк. Я едва слышала Ленку, смогла разобрать лишь отдельные слова: Саша Мироненко... нестандартная внешность...

И когда в дом вошла девушка с пирсингом, я ни на секунду не усомнилась в том, что это подопечная Лены. Девочка — певица, вся в колечках и железных гайках, вполне естественный вид для начинающей звезды шоу-бизнеса!

Поскольку мы живем за городом, то наш стационарный телефон на самом деле — мобильный с безлимитным тарифом, а в тот день, как я упоминала, помехи на линии усилились. И когда позвонили в Ложкино из агентства «Подруга» с сообщением, что к нам наконец-то направлена прислуга, Дегтярев не разобрал имени, ему сказали: Тамара! А что услышал толстяк? Амара!

Классическая ситуация из комедии ошибок, Мольер и Гольдони отдыхают. Действие первое. Я открываю дверь, вижу чернокожего парня, который бормочет:

— Меня прислала подруга...

Юноша имел в виду Лену Костюк, а я решила, что передо мной домработник из агентства «Подруга». Дегтярева ведь предупредили, что у специалиста экзотическая внешность, и, если нам она не понравится, прислугу поменяют! А еще имя! Амара! Оно как нельзя лучше подходило для негра! Это не я напутала, во всем виноват полковник, но Александр Михайлович ни за что не признается в своей ошибке!

— Почему ты молчал? — налетела я на парня. — Отчего откликался на Амару, гладил белье, подавал еду?

Юноша съежился.

— Елена Михайловна... она... ну...

— Я велела ему тебя слушаться, — захихикала

Костюк, — не спорить, не возражать, постараться понравиться Даше Васильевой, у которой в Москве большие связи. Вот он и исполнял мой приказ.

— Да, да, — зашептал Саша, — я изо всех сил угождал! Говорил, что умею хорошо петь, предлагал помузицировать, но вы отказались, сказали: «Только завываний мне не хватает».

Костюк расхохоталась, я ощутила невероятную неловкость, потом повернулась к Тамаре:

— Собирай свои вещи и уходи, я дам тебе денег, возьмешь у проходной поселка такси.

— Хорошо, — не стала спорить нахалка и живо убежала.

Я посмотрела на Сашу.

— Тебе придется еще поизображать Амару. Мне очень не хочется, чтобы домашние узнали о глупой путанице. Если правда выплывет наружу, надо мной будут потешаться не один год. Хотя я ни в чем не виновата, это все Дегтярев!

Слова закончились, нелепость ситуации исключала дальнейшее обсуждение.

— Не волнуйся, — заверила меня Ленка, — он постарается!

Саша закивал.

— Да, да!

— Я тебя не выдам, — продолжала веселиться Костюк, — мы с тобой дружим сто лет и вполне созрели для общей тайны. Ой, Дашка, ну ты и учудила! Сделала из Сашки лакея! Такую глупость отмочила!

Я взяла чайник и стала наполнять чашки. Я уверена, что материальное благополучие позволяет обрести много приятелей, но только владение общей тайной поможет вам понять, как они к вам относятся. Знаете, в чем ценность настоящих старых друзей? В их присутствии не страшно выглядеть идиоткой.

Советы

от безумной оптимистки

Дарьи Донцовой

Обращение к читателям

Дорогие мои, я очень люблю вас, но, увы, не имею возможности сказать о своих чувствах лично каждому читателю. В издательство «Эксмо» на имя Дарьи Донцовой ежедневно приходят письма. Я не способна ответить на все послания, их слишком много, но обязательно внимательно изучаю почту и заметила, что мои читатели, как правило, либо просят у Дарьи Донцовой новый кулинарный рецепт, либо хотят получить совет. Но как поговорить с каждым из вас? Поломав голову, сотрудники «Эксмо» нашли выход из трудной ситуации. Теперь в каждой моей книге будет мини-журнал, где я буду отвечать на вопросы и подтверждать получение ваших писем. Не скрою, мне очень приятно читать такие теплые строки.

Совет № раз

Рецепт

«Пальчики оближешь»

Овощи по-гречески

Что нужно:

600 г говядины,
2 стебля лука-порея,
3 стебля сельдерея,
2 моркови,
3 баклажана,
100 г бекона,
100 г очищенных грибов,
2 стакана картофельного пюре,
3 ст. ложки сливочного масла,
4 ст. ложки панировочных сухарей,
соль и перец по вкусу

Что делать:

Мясо, лук-порей, сельдерей, мелко
нарезанную морковь и грибы
пропускаем через мясорубку. Фарш нужно
хорошо посолить и поперчить.
Баклажаны сначала обдаем кипятком, затем
удаляем с них кожу. Берем
огнеупорный горшочек, смазываем его маслом
и выкладываем на дно
картофельное пюре, потом фарш из мяса и
овощей, слой нарезанных баклажанов
и измельченный бекон. Все посыпаем
панировочными сухарями. Сверху кладем
небольшие кусочки сливочного масла. Горшочек
ставим в духовку и запекаем
при средней температуре в течение 45 минут.

Приятного аппетита!

Совет № два

Простые, но действенные средства, способные помочь при ангине и бронхите. Проверено на себе!

Конечно, когда человек заболел ангиной или бронхитом, то ему необходимо сразу же обратиться к врачу, но есть средства, которые могут немного облегчить ваше состояние.

• При ангине очень хорошо помогает лепешка, которую очень просто сделать. Смешайте по одной столовой ложке муки, меда, горчицы и растительного масла. Полученную массу хорошенько перемешайте и приложите к горлу. При этом шею нужно замотать пергаментной бумагой, а потом теплым платком и подержать такую лепешку около часа.

• При бронхите помогает другая лечебная лепешка. Она делается из полпачки жирного творога и одной столовой ложки меда. Замесить лепешку и прикладывать ее к груди и спине. Эту процедуру желательно проводить 2—3 раза в день. И конечно же, после того, как вы приложили эту лепешку, не рекомендуется выходить на улицу.

Письма читателей

Дорогие мои, писательнице Дарье Донцовой приходит много писем, в них читатели сообщают о своих проблемах, просят совета. Я по мере сил и возможностей стараюсь ответить всем. Но есть в почте особые послания, прочитав которые понимаю, что живу не зря, надо работать еще больше, такие письма вдохновляют, окрыляют и очень, очень, очень радуют. Пишите мне, пожалуйста, чаще.

Здравствуйте, уважаемая Дарья!

Пишет Вам Инна Владимировна из Казахстана. Вы не только самая любимая наша писательница, но Вы спасли моей маме жизнь. Однажды у мамы сложилась очень тяжелая жизненная ситуация. Умерла ее мама, затем родственники украли документы на дом. Квартиранты обворовали квартиру, которую она сдавала. Когда мама похоронила бабушку, у нее остались двести теньге, это на российские деньги сорок рублей. Мама не знала, как жить дальше, когда с ней так подло поступили самые близкие, любимые люди. Я тоже не могла помочь маме, так как была в декрете. В полном отчаянии мама шла по улице, когда увидела лоток с книгами. Подошла, увидела книжечку с яркой обложкой, незнакомое имя автора – Дарья Донцова. Книга стоила двести теньге, те самые последние двести теньге, которые были у мамы. Не понимая зачем, она купила книгу и потом шла пешком четыре автобусные остановки. Книга называлась «Маникюр для покойника». Когда мама пришла домой, она открыла книжку и закрыла ее, только когда прочла последнюю страницу. Затем открыла ее снова и стала читать второй раз. Она сидела одна в пустой комнате и хохотала. Когда она дочитала книгу второй раз, то твердо знала, что она будет жить, не сломается, преодолеет все трудности.

Дай Вам бог здоровья, счастья и удачи! Спасибо, что Вы есть!

Инна Владимировна

Здравствуйте, любимая Дашенька!

Я давно собиралась Вам написать, выразить огромную любовь, которую испытываю к Вам и Вашим книгам. Я сейчас просто не представляю, как я раньше жила без Вас. Вы – моя подруга, сестра, советчица. Дай Вам бог крепкого здоровья, счастья, удачи. Будьте всегда с нами. Когда мой сын прочел Вашу книгу, то купил мне все, какие только выходили, а теперь я не пропускаю ни одной. Мне всегда помогали Ваши книги. В самые трудные времена я брала их в руки и читала. Чтение придавало мне сил и желания жить дальше. Многое из Ваших книг я беру на вооружение. И поверьте, Дашенька, мне не нужна поездка в Египет, мне дорог Ваш шарфик, который я повяжу на Новый год.

Спасибо, что Вы есть, что дарите нам радость и счастье!

Ирина

СОДЕРЖАНИЕ

Донцова Д. А.

Д 67   Третий глаз-алмаз: Роман; Советы от безумной оптимистки Дарьи Донцовой: Советы / Дарья Донцова. — М.: Эксмо, 2008. — 384 с. — (Иронический детектив).

Даша Васильева вновь попадает в водоворот жутких событий: графоман Владимир Мерзкий решает, что она должна «продвигать» его роман. А когда Даша пытается увильнуть, начинает грозить осуществить то, о чем написано в «шедевре», — похитить и убить ребенка. Правда, чужого: Аркадий и Маня себя в обиду не дадут, это всем известно! Увы, ни логика, ни доводы рассудка не работают, когда имеешь дело с сумасшедшим. Да еще и не с одним! Постепенно выясняется — Даша попала в крайне странное окружение. Все отношения между новыми знакомыми Васильевой замешены на ненависти. А от ненависти до убийства, как известно, один шаг. Ситуация так сложна, что даже полковник Дегтярев, вечно недовольный самодеятельностью любительницы частного сыска, на этот раз готов ее слушаться!..

УДК 82-3
ББК 84(2Рос-Рус)6-4

ISBN 978-5-699-30639-8   © ООО «Издательство «Эксмо», 2008

Оформление серии *В. Щербакова*

Литературно-художественное издание

Дарья Донцова

ТРЕТИЙ ГЛАЗ-АЛМАЗ

Ответственный редактор *О. Рубис*
Редакторы *В. Калмыкова, Т. Семенова*
Художественный редактор *В. Щербаков*
Технический редактор *О. Куликова*
Компьютерная верстка *В. Фирстов*
Корректор *З. Харитонова*

В оформлении переплета использована иллюстрация *В. Остапенко*

ООО «Издательство «Эксмо»
127299, Москва, ул. Клары Цеткин, д. 18/5. Тел. 411-68-86, 956-39-21.
Home page: **www.eksmo.ru**   E-mail: **info@eksmo.ru**

Подписано в печать 02.09.2008. Формат 84x108 $^1/_{32}$.
Гарнитура «Таймс». Печать офсетная. Бумага газ. Усл. печ. л. 20,16.
Тираж 250 000 экз. (1-й завод — 155 100 экз.).
Заказ 4843.

Отпечатано в ОАО «Можайский полиграфический комбинат».
143200, г. Можайск, ул. Мира, 93.

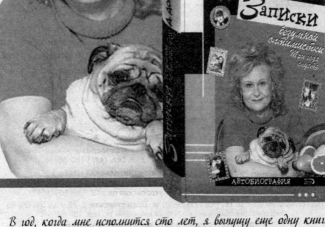

Дорогие поклонники
Дарьи ДОНЦОВОЙ!

200**8** год будет *великолепным*!
Вас ожидают новые радости и свершения, новые *великолепные* книги любимого автора и новая годовая акция – «*Великолепная восьмёрка* от Дарьи Донцовой»!

С марта по октябрь покупайте новые романы Дарьи Донцовой в твёрдом переплёте, и когда вы соберёте все **восемь** книг, то из букв на корешках сможете составить: Д, А Д О Н Ц О В А

В этой игре нет проигравших: все обладатели *Великолепной восьмёрки* книг получат прекрасный подарок – сборник рассказов Дарьи Донцовой в эксклюзивном издании, который не будет продаваться в магазинах! А восьми самым удачливым участникам достанутся ценные призы!

8 Великолепная восьмёрка от Дарьи Донцовой

Участвуйте и побеждайте!

Всего вам ВЕЛИКОЛЕПНОГО!

Дарья Донцова

(: ЭТО НЕ ОШИБКА